発表！ベストSF2021
［国内篇・海外篇］
SFマガジン編集部編
SFが読みたい！
2022年版
国内篇第1位 樋口恭介メッセージ
海外篇第1位 劉 慈欣（リウ・ツーシン）メッセージ
サブジャンル別ベスト10＆総括
【エッセイ】2022年のわたし
JN041615
早川書房

CONTENTS

発表！ベストSF2021［国内篇］［海外篇］ 4

ベスト30作品ガイド
［国内篇］香月祥宏 6
［海外篇］冬木糸一 20

◆国内篇第1位『異常論文』
著者・樋口恭介（ひぐちきょうすけ）氏の言葉 18

◆海外篇第1位『三体Ⅲ 死神永生（しにんえいせい）』
著者・劉慈欣（リウ・ツーシン）氏の言葉 32
日本版《三体》三部作完結によせて 大森 望 34

「マイ・ベスト5」アンケート全回答［国内篇］38 ［海外篇］58

サブジャンル別ベスト10＆総括

ライトノベルSF／タニグチリウイチ 82
国内・海外ファンタジイ／卯月 鮎 84
国内・海外ホラー／笹川吉晴 86
国内・海外ミステリ／千街晶之 88
海外文学／牧 眞司 90
文芸ノンフィクション／長山靖生 92
科学ノンフィクション／森山和道 94
SFコミック／福井健太 96
SF映画／渡辺麻紀 98
SFアニメ／小林 治 100
SFゲーム／宮昌太朗 102

SFが読みたい！ 2022年版

表紙イラスト:今井哲也
表紙デザイン:岩郷重力+WONDER WORKZ。
本文デザイン:早川書房デザイン室+岩郷重力

2022年のわたし 115

安野貴博／石川宗生／石黒達昌／柞刈湯葉／上田早夕里／空木春宵／円城 塔／大森 望／小川一水／小川 哲／
岡和田晃／オキシタケヒコ／笠井 潔／片瀬二郎／神林長平／北野勇作／九岡 望／日下三蔵／草野原々／
倉田タカシ／黒石迩守／五代ゆう／佐藤 究／三方行成／柴田勝家／十三不塔／菅 浩江／高島雄哉／高野史緒／
高山羽根子／竹田人造／巽 孝之／谷 甲州／津久井五月／飛 浩隆／酉島伝法／長山靖生／仁木 稔／人間六度／
野﨑まど／法月綸太郎／長谷敏司／葉月十夏／林 譲治／春暮康一／樋口恭介／久永実木彦／
牧野 修／宮内悠介／宮澤伊織／六冬和生

特別企画
おすすめアンソロジー目録 134

コミック
「SFが読みたい！の早川さん」COCO 81 114
「バーナード嬢、『SFが読みたい！』に出張して曰く。」施川ユウキ 141 175

あの物語はいまどうなってるの？――人気大河シリーズの現在

宇宙英雄ローダン 110 ウィッチャー 111 裏世界ピクニック 112 マルドゥック・アノニマス 113

このSFを読んでほしい！――SF出版各社2022年の刊行予定 104

早川書房／アトリエサード／VG＋／KADOKAWA／河出書房新社／光文社／国書刊行会／集英社／小学館／
新潮社／竹書房／中央公論新社／東京創元社／徳間書店／文藝春秋

2021年度SF関連書籍目録 174
2021年度SF関連DVD目録……………リスト構成・執筆：片桐翔造 156

発表！ベストSF2021

今年度SF界の話題をさらった先鋭的アンソロジーが首位に

BEST SF 2021【国内篇】

1 272点
異常論文
樋口恭介＝【編】
ハヤカワ文庫JA

2 240点
るん（笑）
酉島伝法
集英社

3 199点
感応グラン＝ギニョル
空木春宵
創元日本SF叢書

4 182点
まぜるな危険
高野史緒
早川書房

5 174点
七十四秒の旋律と孤独
久永実木彦
創元日本SF叢書

6 150点
ポストコロナのSF
日本SF作家クラブ＝【編】
ハヤカワ文庫JA

7 149点
日本SFの臨界点 石黒達昌 冬至草／雪女
伴名 練＝【編】
ハヤカワ文庫JA

8 119点
万博聖戦
牧野 修
ハヤカワ文庫JA

9 102点
機龍警察 白骨街道
月村了衛
ハヤカワ・ミステリワールド

10 81点
テスカトリポカ
佐藤 究
KADOKAWA

対象作品●奥付が2020年11月1日から2021年10月31日までの新作SF（周辺書も含む）。

発表！ベストSF2021

壮大なスケールで人類の未来を描く『三体』三部作堂々完結

BEST SF 2021【海外篇】

順位	得点	書名	著者／訳者	出版社
1	338点	三体Ⅲ 死神永生（ししんえいせい）（上・下）	劉 慈欣／大森 望, ワン・チャイ, 光吉さくら, 泊功＝【訳】	早川書房
2	202点	時の子供たち（上・下）	エイドリアン・チャイコフスキー／内田昌之＝【訳】	竹書房文庫
3	172点	こうしてあなたたちは時間戦争に負ける	アマル・エル＝モフタール, マックス・グラッドストーン／山田和子＝【訳】	新☆ハヤカワ・SF・シリーズ
4	147点	わたしたちが光の速さで進めないなら	キム・チョヨプ／カン・バンファ, ユン・ジヨン＝【訳】	早川書房
5	142点	宇宙の春	ケン・リュウ／古沢嘉通＝【編訳】	新☆ハヤカワ・SF・シリーズ
6	140点	時の他に敵なし	マイクル・ビショップ／大島 豊＝【訳】	竹書房文庫
7	138点	町かどの穴 ラファティ・ベスト・コレクション 1	R・A・ラファティ／牧 眞司＝【編】 伊藤典夫, 浅倉久志, ほか＝【編】	ハヤカワ文庫SF
8	130点	時間の王	宝樹／稲村文吾, 阿井幸作＝【訳】	早川書房
9	101点	過ぎにし夏、マーズ・ヒルで	エリザベス・ハンド／市田 泉＝【訳】	創元海外SF叢書
10	98点	移動迷宮 中国史SF短篇集	大恵和実＝【編訳】	中央公論新社

集計方法●「マイ・ベストSF」アンケート回答者（国内96名／海外101名）の国内篇・海外篇それぞれのベスト5を、1位10点、2位9点、3位8点、4位7点、5位6点で集計。順不同の場合には、1位から5位までに均等に8点ずつを与えた。

BEST SF 2021 第11～29位

順位	点数	作品	著者／出版社
11	76点	人工知能で10億ゲットする完全犯罪マニュアル	竹田人造／ハヤカワ文庫ＪＡ
11	76点	播磨国妖綺譚	上田早夕里／文藝春秋
13	68点	大日本帝国の銀河（既刊4巻）	林 譲治／ハヤカワ文庫ＪＡ
14	67点	山の人魚と虚ろの王	山尾悠子／国書刊行会
15	64点	レオノーラの卵　日高トモキチ小説集	日高トモキチ／光文社
16	62点	日本ＳＦの臨界点　新城カズマ　月を買った御婦人	新城カズマ＝【著】伴名 練＝【編】／ハヤカワ文庫ＪＡ
17	51点	彼岸花が咲く島	李 琴峰／文藝春秋
18	45点	ヴィンダウス・エンジン	十三不塔／ハヤカワ文庫ＪＡ
19	44点	日本ＳＦの臨界点　中井紀夫　山の上の交響楽	中井紀夫＝【著】伴名 練＝【編】／ハヤカワ文庫ＪＡ
20	42点	失われた岬	篠田節子／ＫＡＤＯＫＡＷＡ
21	40点	蒸気と錬金　Stealchemy Fairytale	花田一三六／ハヤカワ文庫ＪＡ
22	36点	再着装(リスリーヴ)の記憶〈エクリプス・フェイズ〉アンソロジー	ケン・リュウ，ほか＝【著】岡和田晃＝【編】／アトリエサード
22	36点	白鯨	夢枕 獏／ＫＡＤＯＫＡＷＡ
24	35点	涼宮ハルヒの直観	谷川 流／角川スニーカー文庫
25	34点	ジャックポット	筒井康隆／新潮社
26	28点	Genesis 時間飼ってみた　創元日本ＳＦアンソロジー	小川一水，ほか／東京創元社
27	27点	帝国の弔砲	佐々木譲／文藝春秋
27	27点	《日本ＳＦの臨界点》	伴名 練＝【編】中井紀夫，新城カズマ，石黒達昌＝【著】／ハヤカワ文庫ＪＡ
29	23点	ＳＦプロトタイピング　ＳＦからイノベーションを生み出す新戦略	宮本道人＝【監修・編著】難波優輝，大澤博隆＝【編著】／早川書房
29	23点	蒼衣の末姫	門田充宏／創元推理文庫

BEST SF 2021

―国内篇―ベスト30作品ガイド

香月祥宏

2021年ベスト総括

BEST SF 2021 ―国内篇―

　今年度は、短篇集とアンソロジーの年だった――と、これは昨年とまったく同じ書き出しなのだが、結果を見ればご納得いただけるだろう。なんと、1〜7位までがすべて短篇集（連作を含む）とアンソロジーで占められた。ここまで短篇が優勢なのは、当ランキングでも初めてのことだ。

　そんな激戦を制して1位となったのは、樋口恭介編『異常論文』。編者のツイッターでの発言をきっかけに〈SFマガジン〉で特集が組まれ、さらに書籍化につながった話題のアンソロジーだ。編者から執筆者へ厳密なスタイルの指定があったわけではないそうで、各作家が〝異常論文〟というお題にどうアプローチしたかを楽しめる。当ランキングでおなじみの人気作家から、公募選出の若手までが幅広く集う一冊だ。

　2位は、昨年『オクトローグ　西島伝法作品集成』で一位を獲得した西島伝法の連作短篇集『るん（笑）』。従来のスタイルとは毛色の異なる作品集だが、新作が出れば必ず2位以内という強さは今回も健在だった。

　3位の空木春宵『感応グラン＝ギニョル』と5位の久永実木彦『七十四秒の旋律と孤独』は、ともに創元SF短編賞出身の著者による初の単著。同賞出身者の活躍が続いているだけに、二人の今後にも期待がかかる。

　その他の新顔では、11位の竹田人造『人工知能で10億ゲットする完全犯罪マニュアル』と18位の十三不塔『ヴィンダウス・エンジン』も要注目。ともに第八回ハヤカワSFコンテストの優秀賞受賞作で、短篇旋風に割って入った長篇という意味でも貴重だ。

　4位の高野史緒『まぜるな危険』は、作者が得意とするリミックス短篇集。こうした過去作をさまざまな形で取り込んだ作品も今年の特徴のひとつだろう。3位の『感応グラン＝ギニョル』にも安珍清姫伝説や江戸川乱歩にオマージュを捧げた作品が入っているし、15位の日高トモキチ『レオノーラの卵　日高トモキチ小説集』には宮沢賢治やガルシア＝マルケスの断片がちりばめられ、22位の夢枕獏『白鯨』は言うまでもなくメルヴィルの名作が下敷きになっている。

　また、リミックスではなく過去作そのものの再評価として、伴名練編《日本SFの臨界点》が昨年度に続いて人気を集めた。今年はテーマ別ではなく作家別の三冊だ。この他に、眉村卓『静かな終末』などを刊行した竹書房の日下三蔵編《日本SF傑作シリーズ》、かんべむさし『公共考査機構』や小松左京の作品集を新装幀・新解説で出した徳間文庫の《トクマの特選！》と、埋もれていた過去作の発掘は各方面で進んでいる。

　昨年の総括では、コロナ禍の影響がどんな形で作品に表れてくるか注目したいとも書いたが、6位の『ポストコロナのSF』はまさにその回答だった。現実の問題に多彩な想像力と切り口で素早く応答した、アンソロジーならではの好企画と言えるだろう。

　また、直接ランキングには影響していないが、ウェブを中心に短篇SFの発表の場が広がりつつあるのも近年の特徴。22位に入った《エクリプス・フェイズ》の関連作も多く掲載されSFネットマガジンとして実績のある〈SF Prologue Wave〉、昨年に続いて巨大アンソロジー『万象ふたたび』を刊行した電子書籍レーベル〈惑星と口笛ブックス〉、Kaguya PlanetやかぐやSFコンテストといった企画を始めたウェブメディア〈VG+（バゴプラ）〉など、さまざまな媒体に短篇SFが掲載されている。短篇の勢いは、もうしばらく続くかもしれない。

　そんなわけで長篇好きには若干寂しい結果となったが、牧野修が過去と未来の大阪万博を描く『万博聖戦』、月村了衛の大河警察小説最新作『機龍警察　白骨街道』、一九四〇年代に異星人が現れる林譲治のコンタクトもの『大日本帝国の銀河』など、当ランキングでもおなじみの作家たちの新作はしっかりランクイン。じっくり作品世界に浸りたい人にはおすすめだ。

BEST SF 2021

第1位

異常論文

樋口恭介＝【編】

――ハヤカワ文庫JA

〈SFマガジン〉特集から生まれた虚構と現実が異常な熱を生み出す一冊

〈SFマガジン〉二〇二一年六月号で好評を博した同名特集掲載の十篇に、新たに十二篇を加えて編まれたアンソロジー。

〝世界のすべての嘘を収めた辞書〟を使って真実を探ろうとする柞刈湯葉「裏アカシック・レコード」、人類と共生してきた原虫の火星での適応を分析する柴田勝家「火星環境下における宗教性原虫の適応と分布」といった論述によって架空の存在を現出させる正統派の論文小説はもちろん、飛浩隆「第一四五九五期〈異常SF創作講座〉最終課題講評」や伴名練「解説――最後のレナディアン語通訳」のように架空の作品紹介を通じて世界が見えてくるもの、理系の論理・数式を生かした円城塔「決定論的自由意志利用改変攻撃について」や大滝瓶太「ザムザの羽」など、収録作は実に多彩。そんな中でも異彩を放つのが、鈴木一平＋山本浩貴（いぬのせなか座）の「無断と土」。日本近代詩を起点にVRホラーゲームを経由、抒情や恐怖が生まれるところを精緻に考察し、一文ごとの密度も群を抜く。

〝異常論文〟というお題へのアプローチの違い、作品間でのモチーフや手法の響き合い、輻輳する架空存在が現実に浸透してきそうな迫力など、単独の作家・作品では出せない味わいが魅力的。この塊でなければ感じられない熱と圧がある一冊だ。

BEST SF 2021

第2位

るん（笑）

西島伝法

――集英社

科学が忌避された世界の悪夢的な光景現実と隣り合わせの禍々しい作品集

奇妙なタイトルと鮮やかな装幀が目を引く、全三篇から成る連作短篇集。科学が忌避され、スピリチュアルなものが主流になった世界を描く。

「三十八度通り」の語り手は、一カ月以上続く発熱に苦しんでいる。しかし、解熱剤を飲もうとすると妻の真弓は激昂する――〈免疫力の……立場〉〈気持ち、なぜ考えてあげない〉。医者や薬ではなく、愛情を込めた〝免疫力を高める水〟が病を癒すはずなのだが……。続く「千羽びらき」は、真弓の母・美奈子が語り手。〝蟠り（わだかまり）〟と呼ばれる大病を患うが、抗蟠剤（こうばんざい）治療などもってのほか。やがて病床に届いた千羽鶴を一羽ずつひらいて折り返す〝千羽びらき〟を勧められる。〝るん（笑）〟の意味が明らかになる瞬間の気味悪さは、筆舌に尽くし難い。

「猫の舌と宇宙耳」は、真弓の甥で小学生の真（まこと）が、友人たちとともにこの世界の秘密の一端に触れる一篇だ。

上からの監視や抑圧だけでなく、善意と同調圧力、言葉のすり替えによって成立するディストピア。しかしその悪夢的な要素をよく見ていけば、ほとんどがすでに実在するものばかりだ。現実と隣り合わせどころか、もうあちこちに普通に存在している。鮮やかな表紙とタイトルの（笑）が、読了後には凶々しく見えてくるだろう。

BEST SF 2021

第3位

感応グラン＝ギニョル

空木春宵

——創元日本SF叢書

“痛み”をテーマとして強烈な爪痕を残す 第二回創元SF短編賞佳作受賞者の初作品集

第二回創元SF短編賞佳作を受賞して二〇一二年にデビューした著者による、初の単著が三位にランクイン。

表題作は、関東大震災後と思しき浅草が舞台だ。傷を持つ少女たちを集めて残酷劇を演じる一座に、無花果（いちじく）という名の娘が加わる。彼女は、人の心や記憶を読み取り、それを他者にも共有させる能力の持ち主だった。拡張現実（レアリテ・オグマンテ）——無花果がもたらす体験は、一座の少女たちや観客の心を虜にして……。見世物だったはずの共有体験に、読者をも引きずり込む迫真性のある一篇。この他に、感覚共有が可能になった未来で小児性愛者検挙のため囮AIを制作する「地獄を縫い取る」、安珍清姫伝説をモチーフにした異形の悲恋SF「メタモルフォシスの龍」、徐々に生ける屍〈花屍〉と化す奇病に侵された少女たちの学校生活を描く学園ゾンビ百合「徒花物語」、美しさが査定され取り締まられる世界を描き表題作ともつながる「Rampo Sicks」を収録。全五篇いずれも、他者の視線や行為によって身体や容姿に生々しい傷口が開き、そこから精神にフィードバックされる苦痛や苦悩から、切実な物語が立ち上がる。

痛みをテーマとしながら、読者にもそれを単に愛でたり哀れんだりすることを許さない、強烈な爪痕を残す作品集だ。

BEST SF 2021

第4位

まぜるな危険

高野史緒

——早川書房

改変歴史を得意とする著者の真骨頂 サンプリング&リミックスの極致を示す六篇

さまざまな時代／技術／文学などを巧みに“まぜる”改変歴史小説の書き手として知られる著者。その得意技がたっぷり詰まったリミックス短篇集だ。

「アントンと清姫」は、安珍清姫伝説を日露の国境を超えたスケールに再構築、悲恋の切なさや道成寺ものの華やかさを改めて印象付ける。「小ねずみと童貞と復活した女」は『屍者の帝国』をベースにしたシェアード・ワールドもので、ドストエフスキー『白痴』をまぜて『屍者』世界のロシアを描くが、さらに名作SFから引用したネタも大量投入。サンプリング&リミックス芸の極致を披露する。その他、ソ連末期の世界的流行歌をモチーフにしたSFミステリ「百万本の薔薇」、『罪と罰』ミーツ乱歩の「プシホロギーチェスキー・テスト」、佐々木淳子の時間SF短篇「リディアの住む時に…」（『SFマンガ傑作選』創元SF文庫・所収）をチェーホフ『桜の園』で彩った「桜の園のリディヤ」、『ドグラ・マグラ』×『悪霊』という論理と狂気が同居する作品同士をマッシュアップした「ドグラートフ・マグラノフスキー」の全六篇を収録。

原典を知っている人への目配せはもちろん、作者による前口上での補足もあり、元ネタを知らなくても楽しめる。高野SFの真骨頂、ここにあり。

BEST SF 2021

第5位

七十四秒の旋律と孤独

久永実木彦

——創元日本SF叢書

第八回創元SF短編賞受賞作を含めた短篇集 叙情的で神話的な、美しいロボットSF

表題作で第八回（二〇一七年）創元SF短編賞を受賞した著者による初の単著で、全六篇から成る連作短篇集。

超光速航法使用中、人間は七十四秒間だけ無防備になる。この隙間を警備するため、宇宙船には特別な人工知性が乗り組んでいるのだが……。表題作は、ヒトのために作られたのにヒトが止まるときだけ起動される人工知性の孤独を描いた、切なくも鮮烈な宇宙SFだ。

そして二篇目から物語は一転、以降の五篇は《マ・フ クロニクル》と題された、ある惑星の年代記になる。一万年の長きにわたり惑星観測員として規則正しくデータを採取し続けていた完全同型のマ・フたちには、徐々に個性らしきものが芽生え始めていた。そんな折、谷底にあったゼリー状の赤色体から、マ・フたちが創造主と崇めるヒトが突如復活して……。個が個であることの苦悩と希望、そこから生まれてくる誤解や衝突、愛や友情の物語を、数万年のスパンで描き出す。限られた時間のために生み出された存在が数万年をかけてたどり着く旅の行方を描くというスケールの大きさは、SFならでは。そして最後に、異質にも思える表題作へ還ってゆく構成も素晴らしい。繊細な声で歌い上げられる、時に叙情的で時に神話的な、美しいロボットSFだ。

BEST SF 2021

第6位

ポストコロナのSF

日本SF作家クラブ【編】

——ハヤカワ文庫JA

コロナ禍に対してSF的な想像力で迫る 総勢十九名による多彩な競作アンソロジー

〝ポストコロナ〟をテーマに、十九人が競作した書き下ろしアンソロジー。必ずしも現実と直結したものだけではなく、バラエティ豊かな作品が揃う。

現在の我々の状況や心情に比較的近いところを扱うのは、途上国での感染症対策を現場の医師目線で描いた柞刈湯葉「献身者たち」、ワクチン接種をめぐる考え方が生む分断から始まる菅浩江「砂場」など。年老いたダンサーとロボットの対話に神々の約束を扱った作中作が絡む飛浩隆「空の幽契」、奇妙な伝統音楽の分析を通じて架空の異文化を現出させる津原泰水「カタル、ハナル、キユ」、濡れタオルで殴り合う過酷な闘技をシノギにするヤクザを描く天沢時生の未来任侠もの「ドストピア」といった、意外なところへ想像力を飛ばしたものもおもしろい。その他にも、ポストコロナ世代の若者たちに焦点を当てた若木未生「熱夏にもわたしたちは」や津久井五月「粘膜の接触について」、電脳方面へ活路を見出す柴田勝家「オンライン福男」と長谷敏司「愛しのダイアナ」、北野勇作によるコロナ禍下のマイクロノベル集「不要不急の断片」など、各作家の持ち味を生かした作品が並ぶ。

コロナ禍という現実の問題に対してSF的な想像力を駆使した多彩な切り口で迫る、本年度ならではの一冊だ。

BEST SF 2021

第7位

日本SFの臨界点 石黒達昌 冬至草／雪女

伴名 練＝【編】

――ハヤカワ文庫ＪＡ

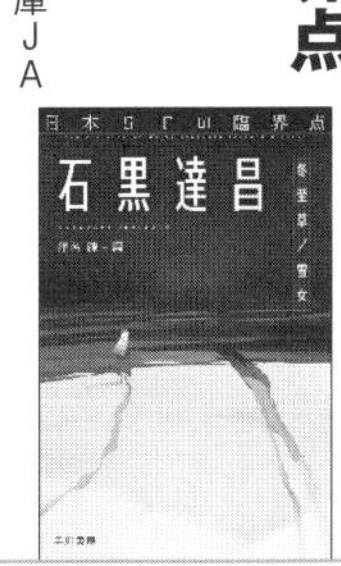

虚実の入り混じるようなルポや回想録が幻想への想像力を刺激する作家傑作選

伴名練による日本ＳＦ短篇発掘アンソロジー《日本ＳＦの臨界点》、個人短篇集シリーズの第三弾。

癌に侵された娘のため父親が珍種のホヤに望みをかける「希望ホヤ」、北海道で発見された放射能を帯びた植物の秘密「冬至草」、異常な低体温女性を診察した陸軍医師「雪女」などＳＦファンにも知られた作品はもちろん、賢明な王に率いられた（はずの）国の戦争を描く寓話「王様はどのようにして不幸になっていったのか？」、放射能汚染下と思しき地域で働く医師の見た光景「或る一日」といった書籍未収録作にも目配り。全八篇を収録しているが、なかでも巻末に収められた横書きの「平成３年５月２日，後天性免疫不全症候群にて急逝された明寺伸彦博士，並びに」が素晴らしい。ハネネズミと呼ばれる希少種の研究記録を図表を用いてたどる中に、滅びゆく種への眼差し、真理の探求が行き着く先の考察などがちりばめられ、乾いたスタイルと潤いのある情感が効果的に交差する。

ルポや回顧録に多数の資料を織り交ぜて架空の存在を現出させる石黒作品は、一位になった『異常論文』にも通じる読み味。巧みにぼかされた虚実のあわいから生じる思索や幻想が、想像力を刺激する。シリーズ名物となった編者解説も充実。

BEST SF 2021

第8位

万博聖戦

牧野 修

――ハヤカワ文庫ＪＡ

牧野修、五年ぶりとなる書き下ろし長篇は大阪万博を舞台にした祝祭的な本格ＳＦ

著者にとって約五年ぶりとなる書き下ろし長篇は、過去と未来、二度の大阪万博を舞台にした本格ＳＦだ。

全体は大きく分けると二部構成になっており、前半は大阪万博を翌年に控えた一九六九年に始まる。コドモが賢くなるのはオトナ人間というインベーダーによる精神的な侵略のせいだ――中学生のシトは、友人のサドルに聞かされたそんな考えに共感する。一緒にオトナ人間と戦うと決めた二人は、シトの幼馴染・未明（みめい）を仲間に加え、時空を超えて戦うコドモ反乱軍の少女将校とも接触。一年後、決戦の地である万博会場へ向かう。

時はめぐって、二〇三七年。日本列島を襲った大地震の爪痕が残る中、ＶＲ技術を用いた街づくりで復興を遂げつつある大阪で、二度目の万博が開催される。年齢的には〝オトナ〟になったシトとサドルは、それぞれの想いを胸にこの万博を迎えようとしていた。

牧野ＳＦならではの奇想によって時間という概念を捉え直し、歴史や経験の有無に依拠しない、純粋なオトナ対コドモの聖戦を実現。過去も未来も希望も絶望も夢も現実も、すべてを〝大阪・万博〟という一点に集束させて、悪夢的な狂騒を描き出す。万博世代はもちろん、かつてコドモだったすべての人に向けた祝祭的な物語だ。

BEST SF 2021

第9位

機龍警察 白骨街道

月村了衛

——ハヤカワ・ミステリワールド

激動のミャンマーへ赴く特捜部員たち シリーズの真骨頂が発揮された最新作

龍機兵搭乗員でもある警視庁特捜部突入班の三人——姿俊之、ユーリ・オズノフ、ライザ・ラードナー——が、ミャンマーへ赴くことになった。与えられた任務は、国際指名手配犯の身柄引き取り。国産機甲兵装の開発に関わったその男は、軍事機密を他国に売り渡そうと企み、逃避行の末にミャンマーの奥地で逮捕された。しかし紛争が続くミャンマーでは警察組織が機能しておらず、日本が現地まで人員を派遣しなければ犯人を引き渡せない、と伝えてきたという。そこで傭兵である特捜部突入班に白羽の矢が立ったのだが、その裏には龍機兵を操る鍵となる龍髭（ウィスカー）を狙う〈敵〉の影が見え隠れしていた。あえて敵地に飛び込む突入班の三人と、国内で〈敵〉の動向を追う捜査員たち。それぞれの場所で、命賭けの戦いが始まる。

これまでは国内に流れ込む海外の闇が描かれてきたが、今回は日本から黒い流れを追って激動のミャンマーへ。インパール並みの無謀な任務を与えられた者たちの冒険と息詰まる捜査が、連載中に大きく変化した現実のミャンマー情勢も取り込みながら、圧倒的な迫力で描かれる。龍機兵は登場しないが、機甲兵装による見せ場もしっかり用意されており、エンターテインメントとしても一級品のシリーズ最新作だ。

BEST SF 2021

第10位

テスカトリポカ

佐藤究

——KADOKAWA

直木賞&山本周五郎賞を同時受賞 異形のマジックリアリズム・ノワール

直木賞と山本周五郎賞を同時受賞した、犯罪小説の話題作が十位にランクイン。

メキシコを脱出し川崎へ流れ着いた少女が、ヤクザとの間に一子をもうける。男児の名は土方（ひじかた）コシモ。驚異的な身体能力を持ちながら育児放棄されたコシモは、やがてバルミロという男と出会う。バルミロは、かつてメキシコで強大な麻薬カルテルを率いていた。しかし組織間抗争に敗れてジャカルタへ逃亡、そこで出会った日本人と手を組み、新たに臓器移植ビジネスに手を染める。臓器の中でもとくに価値の高い日本人の子供の心臓を求めて、バルミロは川崎に上陸。周到に準備を進める中で、コシモを見出したのだ。

まず、資本主義の裏側に張り付く暗黒を抉る筆致が容赦ない。暴力はもちろん、システムの狭間を突く巧緻なビジネス、社会からこぼれ落ちた人間の心理につけ込む手管など、金儲けの闇に潜む構造を執拗に描き出す。そのリアルを背後から支えるもうひとつの柱が、古代アステカ神話。生け贄の心臓を求める神を信奉するバルミロは、臓器ビジネスと神話を重ね合わせ、コシモの純粋かつ凶暴な魂にもそのエッセンスを注ぎ込む。リアルな犯罪描写が神々の息吹に包まれて魔術的な世界が立ち上がる、異形のマジックリアリズム・ノワールだ。

BEST SF 2021

第11位

人工知能で10億ゲットする完全犯罪マニュアル

竹田人造

――ハヤカワ文庫JA

第八回SFコンテスト優秀賞至近未来&バディSFの快作

第八回ハヤカワSFコンテスト優秀賞受賞作。親の借金を背負い込んでしまった人工知能技術者・三ノ瀬は、フリーランスの犯罪コンサル五嶋と組んで、現金輸送車強盗計画に加わることになる。十億円を積んだ自動運転車は、三ノ瀬のかつての上司が開発した強力な統合セキュリティAIに守られていた。そのAIを出し抜くための方法とは……。この計画を発端に、十億ゲットを目指してエンジニアが奮闘する技術系クライム・フィクション。硬質なエンジニアリングの言葉やロジックを、エンタメの流れに載せてテンポ良く転がしてゆく。現実の最先端とシンギュラリティものの間の空白地帯に、技術者目線のリアリティで飛び込む至近未来SFの快作だ。緩そうだけど解けない縁でつながった、異色のバディものとしてもおもしろい。

BEST SF 2021

第11位

播磨国妖綺譚

上田早夕里

――文藝春秋

庶民生活と怪異の間に立つ陰陽師ものの連作集・全六話

時は室町、播磨国に住む兄弟は、庶民を相手に病を診て薬を出し、時には祈禱によって物の怪を退ける法師陰陽師だった。兄・律秀(りつしゅう)は理を重んじる薬師で、弟・呂秀(りょしゅう)は〝見える〟体質の僧侶。それぞれの強みを生かして病や怪異に対処していたが、あるとき呂秀の前に蘆屋道満に仕えていた式神が姿を現す。式神は、蘆屋家の血を引く呂秀に自分の主になれと言うのだが……。全六話から成る連作集。地方の庶民生活と怪異の間に立つ存在としての陰陽師を、播磨の風土や当時の医薬知識を絡めながら描き出す。現実と異界をつなぐ方法として、要所で猿楽や舞踊が使われているのも印象的。理路と感情の間を、怪異と芸能がつないで病を癒す。理や情や芸が病によって分断されそうになっている現代にも響いてくる、新しい読み味の陰陽師ものだ。

BEST SF 2021

第13位

大日本帝国の銀河(既刊4巻)

林 譲治

――ハヤカワ文庫JA

一九四〇年、異星人が到来ミリタリーSF×歴史改変

一九四〇年、和歌山で電波天文台の建設に携わる秋津教授は、海軍施設でオリオン座方面からやって来たと主張する「オリオン太郎」なる男と引き合わされる。太郎は現在の技術では実現不可能な大型陸上攻撃機に乗って日本に来たというが、その頃、欧州方面にも未知の航空機が現れており……。SF大賞を受賞した《星系出雲の兵站》は宇宙に進出した人類が異種知性と出会う話だったが、こちらは混乱期の地球に異星人の方がやって来る。知的レベルが大きく隔たる種族間コンタクトの困難さを軸に、実在艦隊と架空兵器の戦闘、接触に伴う歴史の改変、海外のミリタリーSF最新モードとも呼応するような文明批評と、巻を追うごとに読み応えが増してゆく。今回の投票期間からは外れるが、完結篇となる第五巻も先頃刊行された。

BEST SF 2021

第14位

山の人魚と虚ろの王

山尾悠子

——国書刊行会

新婚旅行が死の儀式と重なる悪夢的かつ美しき幻想小説

ある夫婦の五日間にわたる「驚くべき新婚旅行の話」。年の離れた従妹と結婚した〝私〟は、新妻とともに故郷へと向かっていた。そこへ著名な舞踏団を主宰していた〈山の人魚〉こと伯母の訃報が飛び込んでくる。夫婦は〈夜の宮殿〉で行われる舞踏団の追悼公演を鑑賞。妻の空中浮揚など奇妙な体験を経て〈山のお屋敷〉での葬儀に参列することになる。そこで妻は伯母の相続人に指名されるが攫われてしまい、機械仕掛けの〈虚ろの王〉と対峙することに……。次々と現れる巨大で謎めいた建造物を舞台に、曰くありげな人物たちによる決闘や降霊会など謎めいた催しが次々と繰り広げられる。新婚旅行と葬儀という新生と死の儀式が重なり合う旅路から驚異的で悪夢的なイメージが滔々と溢れ出す、妖しくも美しい幻想小説だ。

BEST SF 2021

第15位

レオノーラの卵 日高トモキチ小説集

日高トモキチ

——光文社

ここではないどこかへと繋ぐ漫画家でもある著者初の小説集

漫画家としても活躍する著者による初めての小説集。宮内悠介編の博奕アンソロジーが初出の表題作は、レオノーラという娘の卵から生まれるのは男か女か——という奇妙な賭けをめぐって、過去と現在を往還する自在な語りで綴られた奇想賭博小説だ。その他、乗組員が消えたまま操業し続ける砂の船の謎「旅人と砂の船が寄る波止場」、本好き少女が古本ねずみに裁判の判事を頼まれる「コヒヤマカオルコの判決」、ゴンドラに乗せて大切なものを流す町が舞台の青春&シスターフッド小説「ドナテルロ後夜祭」など、全七篇を収録。全篇、軽やかな法螺・与太と郷愁を誘う懐かしさが奔放な語りで縫い合わされている。現在との接点を感じさせながら、ここではないどこかにもつながっている、夢をそのまま活字にしたような独特の作品集だ。

BEST SF 2021

第16位

日本SFの臨界点 新城カズマ 月を買った御婦人

伴名 練＝【編】

——ハヤカワ文庫JA

多彩なキャリアをもつ著者の魅力が的確に集められた一冊

《日本SFの臨界点》個人短篇集シリーズ第二弾。個人情報を売って他人の遺伝情報を買う少女たち「アンジー・クレーマーにさよならを」、学校の授業がきっかけで始まった少女と死刑囚の文通を描くサスペンスフルな書簡体小説「ジェラルド・L・エアーズ、最後の犯行」、公爵家の娘が結婚の条件として月を所望したことから歴史が書き換わってゆく表題作、生活の困窮から自然人ではなく法律上の〝架空人〟となった一家「雨ふりマージ」他、全十篇を収める。まとめられる機会がなかった作者の短篇から、おいしいところを的確にセレクト。スケールの大きなSFから巧みな語りのミステリまで、才人の魅力を浮き彫りにする。PBM（プレイバイメール）『蓬莱学園』の時代から現在に至るまで、著者の作家歴を詳細に追った編者による巻末解説も読み応え十分。

BEST SF 2021
第17位
彼岸花が咲く島
李琴峰
文藝春秋

女性たちの島と言語を描いた芥川賞受賞作

二〇二一年上半期の芥川賞受賞作。彼岸花が咲き乱れる砂浜に流れ着いた少女は、記憶を失っていた。地元の娘に助けられた彼女は〈宇実(うみ)〉という名を得て、その地で暮らし始める。そこは女性が統治する島国らしいのだが、宇実の知る〈ひのもとことば〉とは少し異なる〈ニホン語〉と、歴史を語り継ぐ女性だけが話す〈女語(じょご)〉が話されていた。本来よそ者である宇実も〈女語〉を習得して〈ノロ〉になれば、島に残ることを許されるというのだが……。現実と地続きのフェミニスト小説としてはもちろん、〈島〉の謎をめぐる物語には文化人類学SF的なおもしろさもある。

BEST SF 2021
第18位
ヴィンダウス・エンジン
十三不塔
ハヤカワ文庫JA

第八回SFコンテスト優秀賞の快作中国SF

韓国人青年が中国を舞台に最先端AIと駆け引きを繰り広げるアジアン・サイバーパンクの快作。静止したものが見えなくなる奇病ヴィンダウス症から寛解したキム・テフンは、その過程で得た特殊な能力を買われて、成都の都市機能を担うAIとの接続を持ちかけられるが……。これだけでも盛り沢山だが、さらに〈八仙〉に見守られた仮想世界〈仙境〉、強襲型仮想空間〈邯鄲枕(ハンダンジエン)〉、神経飛翔体(ニューロ・ブレーン)〈神剣(シェンジエン)〉など、魅力的なアイデアを次々に投入していく。器から具が溢れるほどの意欲作だ。十一位の『十億ゲット』とともに、第八回ハヤカワSFコンテスト優秀賞を受賞した。

BEST SF 2021
第19位
日本SFの臨界点
中井紀夫 山の上の交響楽
伴名練＝【編】
ハヤカワ文庫JA

抒情溢れる魅力が満載 解説も大充実の傑作選

《日本SFの臨界点》個人短篇集シリーズ第一弾。数千年がかりで演奏される交響楽の山場をめぐって起こる騒動を描いた表題作をはじめ、平行に伸びる二つの壁に挟まれた細長世界を旅する男「見果てぬ風」、多様な死生観を知る長命の人類学者が巻き込まれる愛の物語「花のなかであたしを殺して」など、全十一篇を収録する。奇抜な設定下での事件や冒険をその世界の日常に即して丁寧に描き、独特の抒情を醸し出す著者の魅力が満載。巻末の編者解説も、著者の読書遍歴やアマ時代の活動に始まり、執筆の背景となった九〇年代以降のSF界の動向までをカバーする労作だ。

BEST SF 2021
第20位
失われた岬
篠田節子
KADOKAWA

科学や文明の果を問う 細密な長篇サスペンス

好きな家具に囲まれて暮らす自然志向の主婦・清花(さやか)。しかし急に「嘘臭い感じがする」と言い出し、家や愛犬も捨てて限界集落に移り住むと、ついには失踪してしまった。友人の美都子(みつこ)はその足取りを追い、北海道の岬にたどりつく。世界的に評価の高いノーベル賞作家なども、その岬を目指して姿を消してしまうのだが……。二〇〇〇年代半ばから始まり戦時中から不穏な近未来まで、時代を前後しながら進む構成の長篇サスペンス。各時代の描写が細密で、微妙な空気の書き分けが見事だ。時代の流れと結びついた岬の謎を追いながら、現在の科学や文明が行き着く先を問い直す。

BEST SF 2021

第21位 蒸気と錬金 Stealchemy Fairytale

花田一三六 ——ハヤカワ文庫JA

蒸気錬金術(スチルケミー)が発達した十九世紀末。大英帝国の三文作家は、帽子型幻燈機(ファントムデバイス)に組み込まれた毒舌妖精ポーシャを相棒に、魔法の島アヴァロンへ取材旅行に向かうが……。異色のコンビの旅を描いたスチームパンク風冒険ファンタジイ。

BEST SF 2021

第22位 再着装(リスリーヴ)の記憶

〈エクリプス・フェイズ〉アンソロジー

ケン・リュウ、ほか＝【著】 岡和田晃＝【編】 ——アトリエサード

同名TRPG世界を舞台にしたシェアード・ワールド・アンソロジー。魂(エゴ)のデータ化が実現しバックアップ可、義体(モーフ)も交換できる——という設定のもと、ポストヒューマンSFならではの冒険と思索を描いた国内外の十四篇を収める。

BEST SF 2021

第22位 白鯨

夢枕獏 ——KADOKAWA

遭難したところをアメリカの捕鯨船によって救助されたジョン万次郎。彼を拾った捕鯨船がエイハブ船長のピークオッド号だったら……という海洋冒険小説。虚実を絶妙にブレンドし、本家とはまた違う迫力と緊張感を生み出す。

BEST SF 2021

第24位 涼宮ハルヒの直観

谷川流 ——角川スニーカー文庫

人気シリーズ九年ぶりの最新巻。中短篇三篇から成り、書き下ろしの「鶴屋さんの挑戦」は、ほとんどなんでもアリの《ハルヒ》世界で後期クイーン問題と戯れるという驚きの趣向。本格ミステリとしても読み応えのある一作だ。

BEST SF 2021

第25位 ジャックポット

筒井康隆 ——新潮社

言葉と音楽を突き詰めながら、現在を斬り過去を回顧し未来の老いを見つめる最新短篇集。言語遊戯小説「漸然山脈」や筒井版〝ポストコロナのSF〟の表題作は切れ味鋭く、亡き息子との対話を描いた「川のほとり」が胸を打つ。

BEST SF 2021

第26位 Genesis 時間飼ってみた

創元日本SFアンソロジー

小川一水・ほか ——東京創元社

SFアンソロジー・シリーズ第四弾。小川一水、川野芽生、宮内悠介、宮澤伊織、小田雅久仁、高山羽根子の新作と、創元SF短編賞正賞の松樹凛「射手座の香る夏」、優秀賞の溝渕久美子「神の豚」、バラエティ豊かな全八篇を収録。

BEST SF 2021

第27位 帝国の弔砲

佐々木譲 ——文藝春秋

昨年度十四位の『抵抗都市』と同じく、日本が日露戦争に敗れた世界線が舞台。ロシア開拓民の息子である主人公が、日露戦争からロシア革命に至る荒波をどう生きたかを描く波乱万丈の冒険小説で、要所で歴史改変が利いてくる。

BEST SF 2021

第27位 《日本SFの臨界点》

伴名練＝【編】 中井紀夫、新城カズマ、石黒達昌＝【著】 ——ハヤカワ文庫JA

全三巻が単独でランクインした日本SF短篇発掘アンソロジーが、シリーズ全体としても票を集めた。目配りの利いたセレクトで整えられた入口と丁寧かつ熱い解説が誘う出口を備えた、マニアにも初心者にもすすめられるシリーズだ。

BEST SF 2021

第29位 SFプロトタイピング

SFからイノベーションを生み出す新戦略

宮本道人＝【監修・編著】 難波優輝・大澤博隆＝【編著】 ——早川書房

現在からの演繹だけでなく、SF的な発想を生かして〝斜め上〟の未来を予測、ビジネスに生かそうという「SFプロトタイピング」ガイド本。実践している経営者や学者の座談会、編著者による論考、ブックガイドなどを収める。

BEST SF 2021

第29位 蒼衣の末姫

門田充宏 ——創元推理文庫

〝捨姫(すてひめ)〟と〝棄錆(きせい)〟——役立たずの烙印を押された少年少女が出会い、自らの意志で進む道を選び取る異世界冒険ファンタジイ。謎の生物〝冥凮(みょうふ)〟の襲来に備える社会の緻密な設定、生体機械的な仔凮(つあいふ)の利用など読みどころ盛りだくさんだ。

ランク外の注目作

BEST SF 2021 ―国内篇―

今年のアンソロジーは本当に豊作で、ランク外にもまだまだ注目作がある。大森望責任編集『**NOVA　2021年夏号**』（河出文庫）は、高山羽根子、新井素子、野﨑まどらによる十篇を収録。中でも世界が蜘蛛の糸に覆われる坂永雄一「無脊椎動物の想像力と創造性について」は年間ベスト級。池澤春菜の小説デビュー作も読める。集英社文庫編集部編『**短編宇宙**』には、西島伝法、宮澤伊織らが宇宙をテーマに七篇を寄稿。とつぜん土塊が天に昇る世界の歴史を描く深緑野分「空へ昇る」の奇想が秀逸。旅テーマの『**voyage想像見聞録**』（講談社）では、自転が止まった地球を舞台にした小川哲「ちょっとした奇跡」が切ない佳品だ。宮内悠介、藤井太洋らも参加。その他にも、西崎憲編《kaze no tanbun》シリーズの『**移動図書館の子供たち**』『**夕暮れの草の冠**』（ともに柏書房）、日本ファンタジーノベル大賞出身者が集う巨大アンソロジー第二弾『**万象ふたたび**』（惑星と口笛ブックス）、誰が何をどう絶滅させるかが楽しい『**真藤順丈リクエスト！　絶滅のアンソロジー**』（光文社）、同名VRゲームのスピンオフ小説を集めた『**ALTDEUS: Beyond Chronos　Decoding the Erudite**』（ハヤカワ文庫JA）などがあった。

短篇集では、日下三蔵編《日本SF傑作シリーズ》から、眉村卓の初期ショートショート集『**静かな終末**』、山田正紀の単行本未収録作品をまとめて読める『**フェイス・ゼロ**』（ともに竹書房文庫）が刊行された。過去作の発掘という意味でも貴重だし、内容的にも読み応えがある。はやせこう『**庶務省総務局KISS室　政策白書**』（ハヤカワ文庫JA）は、お役所SF連作集。上司と部下の軽妙な会話から、意表を突く発想が飛び出す。小林泰三『**逡巡の二十秒と悔恨の二十年**』（角川ホラー文庫）は、二〇二〇年に急逝した著者の単著未収録短篇を集めたもの。意外な代理母もののバイオSF「サロゲート・マザー」ほか全十篇を収録。SF短篇集というわけではないが、深緑野分『**カミサマはそういない**』（集英社）、平山夢明『**八月のくず　平山夢明短編集**』（光文社）などにも、SF寄りの設定やアイデアを生かした作品が含まれているので見逃せない。

もちろん長篇の注目作もある。万城目学の『**ヒトコブラクダ層ぜっと**』（幻冬舎）は、濃厚だが軽快な伝奇SFだ。特殊能力を持つ三つ子がメソポタミアの地で冒険を繰り広げる。山田宗樹『**存在しない時間の中で**』（角川春樹事務所）は、宇宙の創造者たる〝神〟の存在が示唆された後、変化してゆく人々と世界を描く。その他に、桜庭一樹が遺されたメモをもとに名作を書き継いだ『**火の鳥　大地編**』（朝日新聞出版）、相変わらずヘンテコ動植物が楽しい椎名誠の冒険SF『**階層樹海**』（文藝春秋）、統計をテーマに異種知性とのコンタクトを描く芝村裕吏『**統計外事態**』（ハヤカワ文庫JA）、三島浩司の正統派ロボット&青春SF『**クレインファクトリー**』（徳間文庫）などが出た。

シリーズものでは、アニメ化もされた宮澤伊織の《裏世界ピクニック》が『**裏世界ピクニック5　八尺様リバイバル**』『**裏世界ピクニック6　Tは寺生まれのT**』と順調に巻を重ねた。冲方丁『**マルドゥック・アノニマス6**』（以上ハヤカワ文庫JA）は、並行して語られてきたウフコック捜索篇と奪還篇が交わる第二部完結篇だ。

新人の作品としては、手垢のついた男女入れ替わりものをアップデートしてみせた君嶋彼方『**君の顔では泣けない**』（KADOKAWA）、芥川賞を受賞した石沢麻依のユニークな幻想小説『**貝に続く場所にて**』（講談社）も印象に残った。

特殊設定ミステリにも収穫が多かった。SFファンにもおすすめの作品として、ここでは、あるSF設定と孤島ものを掛け合わせた方丈貴恵『**孤島の来訪者**』（東京創元社）、潮谷験のタイムリープもの『**時空犯**』（講談社）の二作を挙げておきたい。

COMMENT

国内篇第1位

『異常論文』編者

樋口恭介 氏の言葉

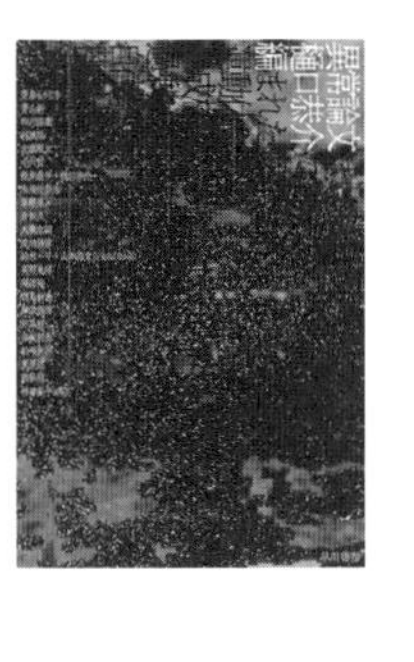

●Kyosuke Higuchi

1989年生まれ。岐阜県出身、愛知県在住。早稲田大学文学部卒、現在会社員。『構造素子』で第5回ハヤカワＳＦコンテスト大賞を受賞してデビュー。他の著書に評論集『すべて名もなき未来』『未来は予測するものではなく創造するものである―考える自由を取り戻すための〈SF思考〉』がある。

『異常論文』は、多くの人が関わる祝祭的な空気の中で、様々な必然と偶然が入り混じりながら生まれた本であるため、それらの全てを代表するような顔をして私がここで何かを語ることには違和感があるのですが、恐縮ながら感謝の言葉を述べさせていただきます。ありがとうございます。とてもうれしいです。

振り返るとこの本は、散文から散文性を取り戻す試みだったと言えます。散文性とは何か。それは、ある規定の枠組みから逸脱していく、混沌とした運動への志向性のことです。

私は昔から、ジャンルというものがよくわかっていませんでした。小説とエッセイと批評と論文にどのような違いがあるのかわかっておらず、また、どうして小説には純文学だとかSFだとか、ミステリだとかホラーといった細かい区分があるのか、よくわかっていませんでしたし、いまもよくわかっていません。ある散文を名指すためには、ジャンルやカテゴリではない、散文の特性にもっと寄り添った、動的な名づけによる動的な回路が必要だと思っていました。なぜなら散文とは動的なものだからです。

『異常論文』の帯には、「異常論文とは生命である」という一文が書かれていますが、これは半分冗談でありつつも、半分は本気です。散文というのは、一度書かれてしまえば書き手の意図や書き手の想定する範囲を超えて、自律的にどこかへ移動し、どこかで生態系を築いてしまう生命体だと思うからです。そして、散文が散文であるように制作された『異常論文』は、私の知る限り、ジャンルを超えて、世代を超えて、文化集団の垣根を超えて読まれています。

長くなりました。一言でまとめます。

散文は自由であり、私たちは散文の自由に魅了される。

『異常論文』はそうしたことを思い出させてくれる本になっていると思います。これからも、『異常論文』が散文の野蛮さを以て、あらゆる境界を破壊し続けていくことを、私は願っています。

BEST SF 2021

—海外篇—

ベスト30作品ガイド

冬木糸一

11 新しい時代への歌
サラ・ピンスカー／村山美雪＝【訳】／竹書房文庫

11 海の鎖
伊藤典夫＝【編訳】／国書刊行会・未来の文学
95点

13 ネットワーク・エフェクト　マーダーボット・ダイアリー
マーサ・ウェルズ／中原尚哉＝【訳】／創元ＳＦ文庫
92点

14 旱魃世界
J・G・バラード／山田和子＝【訳】／創元ＳＦ文庫
86点

15 サハリン島
エドゥアルド・ヴェルキン／北川和美・毛利公美＝【訳】／河出書房新社
84点

16 オベリスクの門
N・K・ジェミシン／小野田和子＝【訳】／創元ＳＦ文庫
80点

17 2000年代海外ＳＦ傑作選
橋本輝幸＝【編】／ハヤカワ文庫ＳＦ
79点

18 クララとお日さま
カズオ・イシグロ／土屋政雄＝【訳】／早川書房
74点

19 この地獄の片隅に　パワードスーツＳＦ傑作選
J・J・アダムズ＝【編】／中原尚哉＝【訳】／創元ＳＦ文庫
69点

20 人之彼岸（ひとのひがん）
郝 景芳（ハオ・ジンファン）／立原透耶，浅田雅美＝【訳】／新☆ハヤカワ・SF・シリーズ
67点

21 6600万年の革命
ピーター・ワッツ／嶋田洋一＝【訳】／創元ＳＦ文庫
66点

22 帝国という名の記憶（上・下）
アーカディ・マーティーン／内田昌之＝【訳】／ハヤカワ文庫ＳＦ
59点

23 複眼人
呉 明益／小栗山智＝【訳】／ＫＡＤＯＫＡＷＡ
58点

24 火星へ（上・下）
メアリ・ロビネット・コワル／酒井昭伸＝【訳】／ハヤカワ文庫ＳＦ
57点

25 中国・アメリカ　謎ＳＦ
柴田元幸，小島敬太＝【編訳】／白水社
52点

26 われはドラキュラ――ジョニー・アルカード（上・下）
キム・ニューマン／鍛治靖子＝【訳】／アトリエサード・ナイトランド叢書
50点

27 猫の街から世界を夢見る
キジ・ジョンスン／三角和代＝【訳】／創元ＳＦ文庫
49点

28 ビンティ―調和師の旅立ち―
ンネディ・オコラフォー／月岡小穂＝【訳】／新☆ハヤカワ・SF・シリーズ
45点

29 銀河帝国の興亡1　風雲編
アイザック・アシモフ／鍛治靖子＝【訳】／創元ＳＦ文庫
44点

30 インヴィンシブル
スタニスワフ・レム／関口時正＝【訳】／国書刊行会スタニスワフ・レム・コレクション
43点

2021年ベスト総括

BEST SF 2021 ——海外篇——

　今年度の海外篇1位を飾ったのは、中国SFを代表する作家、劉慈欣の『三体』三部作完結篇『三体Ⅲ　死神永生』。日本だけでも三部作の累計発行部数は六十一万部を超え、海外SFとしてもこの十年で最大の話題作といえるが、投票式のランキングでも結果を残すのは作品のおもしろさが〝本物〟の証だろう。ちなみに、訳者の一人である大森望は一九年度の『三体』、二〇年度の『息吹』に続いて三年連続でベストSF1位作品の訳者となっている。はたして四年連続を狙えるか!?

　そんな『三体』を筆頭に、この数年は毎年中国SFの強さが目立つが、今年も多数ランクインしている。まず、『三体』の二次創作小説でデビューした宝樹(バオシュー)による短篇集『時間の王』が8位。日本オリジナル編集の中国SF史アンソロジー『移動迷宮』は、近年中国SFを手掛けるようになった中央公論新社の刊行で10位となっている。中国SFは、今年二〇二二年に、早川書房から宝樹『三体X』、郝景芳『流浪蒼穹』、劉慈欣『球状閃電』。KADOKAWAからも劉慈欣の短篇集『流浪地球』(以上、すべて原題)が、中央公論新社からも新たな中国SFアンソロジーが予定されているなど、判明しているだけでもかなりの企画が動いており(今挙げたのも全体の一部)、中国SFの盛り上がりはしばらく止まりそうにない。

　中国SF以外で注目しておきたいのが、ランクインこそ一冊にとどまっているが韓国SFの盛り上がりだ。たとえば、ランキングで4位を飾った『わたしたちが光の速さで進めないなら』は、これがデビュー作の期待の新鋭キム・チョヨプによる極上のSF短篇集だし、『保健室のアン・ウニョン先生』などで知られるチョン・セランの『声をあげます』も地球の滅亡や感染症をテーマにした本格的なSF短篇集で素晴らしかった。他にも、ソウル全域を食人ウイルスが襲うゾンビ短篇などが含まれるイ・ラン『アヒル命名会議』。故障のため安楽死に瀕した競走馬と、下半身が壊れ廃棄が決まったヒューマノイド騎手。社会から排除されかけた二人がもう一度レースへの出場を志す、感動長篇のチョン・ソンラン『千個の青』、一九八二年と二〇一六年の間で、時を超えた文通が少女間で繰り広げられる長篇、イ・コンニム『世界を超えて私はあなたに会いに行く』など、さまざまな出版社から多様な韓国SFが刊行されている。

　初登場の作家で注目しておきたいのは、本邦初訳ながらも2位にランクインした『時の子供たち』とその著者エイドリアン・チャイコフスキーだ。これが初のSF長篇だというが、壮大なスケールでド真ん中のSFを描き出していて、今後の作品に期待がかかる。また3位の『こうしてあなたたちは時間戦争に負ける』はアマル・エル＝モフタール、マックス・グラッドストーンの共作だが、二人とも本格的なSF作品は邦訳されておらず、今後の翻訳が待ち遠しい作家である。

　新型コロナウイルスが一年以上にわたって蔓延し自粛が続く状況下で、感染症テーマの海外SFが目立ったことにも触れておこう。11位のサラ・ピンスカーによる予言的なSF長篇『新しい時代への歌』を筆頭に、リン・マーによる中国から未知の感染症が世界に広まっていく『断絶』、投票期間外だが二一年の年末に刊行された『最後のライオニ　韓国パンデミックSF小説集』などである。

　最後に、海外SFのトピックとして嬉しかったことの一つとして、橋本輝幸によって十八年ぶりに海外SFの年代別傑作選が復活したことも挙げておきたい。『2000年代海外SF傑作選』(17位)、『2010年代海外SF傑作選』が連続で刊行され、現代の海外SFの多様性の見取り図、その一端が把握できるようになった。橋本輝幸は〈SFマガジン〉二〇二二年二月号に、近年欧州を中心に盛り上がりつつある作品スタイル「ホープパンク」の解説を書いており、こちらも要注目。混迷極まる世界にあって、SF、文芸も大きな変化を迎えていくことは間違いない。

BEST SF 2021

第1位

三体Ⅲ 死神永生（上・下）

劉慈欣

大森望、ワン・チャイ、光吉さくら、泊功＝【訳】

早川書房

限りなく壮大なスケールで展開した三部作完結篇にして歴史に残る傑作

海外ＳＦ１位を大差で制したのは、中国ＳＦ界を代表する劉慈欣による『三体』三部作の完結篇！　三部作の全世界総発行部数は二千九百万部を超え、開幕篇の『三体』はアジア人初のヒューゴー賞を受賞するなど、輝かしい経歴を挙げたらきりがないが、中身もそれに劣らない、歴史に残る傑作だ。

物語は、文化大革命からはじまって、異種知性（三体星人）とのファーストコンタクトが描かれる第一部、地球侵略が確定した三体星人に対抗するため人類最高峰の知性を集め、彼らに人類の全リソースを託すことで対抗策を練る第二部へと続く。第三部では、三体星人に捕獲・復元されることを前提に人間の脳みそをスパイとして送りつける階梯計画を発端とし、この全宇宙と知的生命の運命をまるごと扱うスケールで物語が展開する。たとえば、地球から宇宙の全生命に向けて自分たちは完全に無害であると宣言する〝安全通知〟を送ることは可能なのか？　といった問いかけが、無尽蔵とも思えるアイデアとともに語られていくのだ。

大風呂敷を広げながらも、そこにしっかりと科学的理屈を乗せることで、本作はバカバカしいほどに壮大でありながらも地に足のつく、奇跡的なバランスを成立させた。読めば必ず、忘れられない作品になるだろう。

BEST SF 2021

第2位

時の子供たち（上・下）

エイドリアン・チャイコフスキー

内田昌之＝【訳】

竹書房文庫

知性を獲得した蜘蛛たちの進化 多様な魅力が詰まったＳＦデビュー作

イギリスの作家エイドリアン・チャイコフスキーによる初のＳＦ長篇。二〇一六年のアーサー・Ｃ・クラーク賞受賞作でもある。人類がばらまいたウイルスによって知性を獲得したハエトリ蜘蛛の視点を通して、数千年にわたる世代交代・進化の過程を丹念に追っていく。

物語は、主に地球から約二十光年離れた惑星で展開する。人類はその惑星に対してテラフォーミングを行い、猿の知性を特殊なナノウイルスで進化させる計画だったが、反乱者の妨害によって、ナノウイルスは猿ではなくハエトリ蜘蛛や蟻など、他の動物に影響を与えてしまう。蜘蛛は物語開始当初は体長わずか八ミリ、脳の神経細胞も六万しかないちっぽけな存在だ。だが、ナノウイルスの恩恵もあって体は次第に巨大化。視覚と振動による独自言語や科学的プロセスを生み出し、世界への理解を増していく。他種属との戦争、蟻の群れを計算機のように扱う手法の発見、致死的な疾病が流行し、「免疫」の概念を理解する瞬間など、〝異なる成り立ちを持った種属が次第に発展していく〟歴史を早送りで見ていくおもしろさがある。ある時彼らは、軌道上をまわる人間の人工衛星の存在にも気がつくのだ。冒険、戦争、ファーストコンタクトなど、多様な魅力が詰まった傑作である。

BEST SF 2021

第3位

こうしてあなたたちは時間戦争に負ける

アマル・エル＝モフタール、マックス・グラッドストーン
山田和子＝【訳】
――新☆ハヤカワ・SF・シリーズ

エージェント同士の文通で展開する数多の賞に輝いた時間SF

ヒューゴー賞、ネビュラ賞、ローカス賞、英国SF協会賞などメジャーどころの賞（ノヴェラ部門）を根こそぎ受賞した、共作によるエモーショナルな時間SFだ。舞台は時間移動が可能な〈エージェンシー〉と〈ガーデン〉の二大勢力が覇権を競っている世界で、別々の勢力に属する二人の女性エージェントを中心に物語は展開していく。

スタイルとしての特徴は、主に二人の文通で物語が進行していく点にある。〈ガーデン〉に属するブルーが戦場で見かけた高い能力を有する敵エージェントであるレッドに手紙を残していったことをきっかけとし、文通がスタートする。最初こそ敵意が含まれたやりとりなのだが、その内容はすぐに親密さと情熱を増し、自分が抱える孤独を語り、好きな本や思想を紹介し、はやく返信がほしいと葛藤がにじむようになる。とはいえ二人は敵同士。永遠に仲良しこよしの手紙のやりとりを続けられるわけもなく――とクライマックスへとなだれ込んでいく。

二人が交わす手紙はたくみに韻を踏むだけではなく、詩や文学、歴史の引用に満ちていて、イマジネーションを広げてくれる。返信があるまでの時間を、相手の顔を想像しながら悶々と過ごすなど、手紙というメディアの醍醐味を存分に引き出している一冊だ。

BEST SF 2021

第4位

わたしたちが光の速さで進めないなら

キム・チョヨプ
カン・バンファ、ユン・ジヨン＝【訳】
――早川書房

躍進めざましい韓国SF定番ながらも新鮮な瑞々しい短篇集

近年は韓国SFの躍進も目覚ましいものがあるが、その中でも最注目の作品が本短篇集である。著者は一九九三年生まれで本短篇集がデビュー作の新人作家だが、技術的には円熟の域に達していて、ファーストコンタクト、コールドスリープ、マインドアップロードなど、SFではド定番のネタを毎回新鮮な形で演出して驚かせてくれた。

争いのない平和な村から「始まりの地」と呼ばれる場所へと向かった人々の中に、〝帰らないことを選ぶ人がいる理由をミステリ的に描き出す「巡礼者たちはなぜ帰らない」。ファーストコンタクト、異星種属の未知の言語と意識の関係を扱うなどてんこもりな「スペクトラム」。愉快やときめきといった感情が触っただけで味わえる石にまつわるシンプルなアイデアストーリー「感情の物性」。ワームホール技術の確立によって、もはや使われることのなくなったコールドスリープを用いた移動船を待ち続ける老人の人生を描き出す表題作。好奇心と信念のために、世間からいかに批判されようとも自分の行動を曲げなかった頑固な宇宙飛行士の姿を描き出す「わたしのスペースヒーローについて」など、一般的な価値観から乖離し、時に非難されながらも自分の道を追い続ける人々の姿がエモーショナルに描き出されている。

BEST SF 2021

第5位

宇宙の春

ケン・リュウ
古沢嘉通＝【編訳】
――新☆ハヤカワ・SF・シリーズ

リュウの短篇作家としての魅力が炸裂
質の高い物語が揃った第四作品集

ベストSFランキング上位常連のケン・リュウ、今年は日本オリジナル短篇集の第四弾で五位にランクイン。分厚かった第二、第三弾短篇集と比べると全十篇・三百ページとコンパクトになったが、そのぶん質の高い短篇が凝縮されている。

たとえば巻頭の表題作は、宇宙は収縮→衝突→ビッグバン→膨張→収縮のサイクルを繰り返すとするサイクリック宇宙モデルを採用し、壮大な宇宙の歴史を四季にたとえて詩的に描き出した逸品だ。続く「マクスウェルの悪魔」は、霊体を用いたマクスウェルの悪魔実現に向けた実験を手伝わされる日系移民二世の女性を描き出していく。オカルトと科学の配分が絶妙で、ケン・リュウの技の冴えを堪能させてくれる。

特にオススメしたいのは、「歴史を終わらせた男――ドキュメンタリー」という歴史×時間ものの一篇。特殊な粒子を用いることで過去の映像を目撃、体験できるようになった世界を舞台に、満州でおぞましい人体実験を繰り返したとされる日本の七三一部隊の「真実」がテーマとなっていく。歴史が目撃できる時、歴史問題、責任は、誰がどのように引き受けるべきなのか。難しい問題を単純化せずに扱っていて、ケン・リュウの短篇作家としての力量が遺憾なく発揮されている。

BEST SF 2021

第6位

時の他に敵なし

マイクル・ビショップ
大島豊＝【訳】
――竹書房文庫

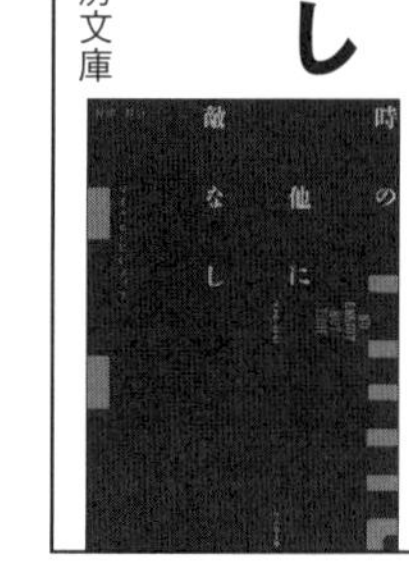

長年未訳だった名作がついに邦訳刊行
技巧に満ちたタイムトラベル&ロマンス

一九八二年に刊行されネビュラ賞も受賞した、本邦初訳のタイムトラベル&ロマンスのSF長篇。語り手は、幼い時から太古の時代の夢を見ていた黒人の少年ジョシュア。実は彼が見ていたのはリアルな地球の過去の姿で、その事実が研究者によって明らかになると、彼の能力を利用した時空転移装置を使って彼を夢の時代（更新世の初期）へ送り込み、人間の祖先について調査するプロジェクトがスタートすることになる。

そうして辿り着いた時代で、ジョシュアはホモ・ハビリスの一群と遭遇し、彼らと生活をともにするのだが、この描写が凄い。ハビリスらは言葉を喋れないから会話は一切なく、ジョシュアは無言で彼らの生態――何を狩り、どのように性交し、食べ、寝て、移動するのか――を描写し続けるのだ。さらに、ジョシュアはハビリスの女性ヘレンと出会い、愛情を育んでいく。本作は言葉と時代どころか種すらも超えたラブロマンスであり、ジョシュアが黒人で差別された歴史を持つこともあって、「壁を乗り越えること」の物語でもある。パズルのように時系列がバラバラになっていて、一度読んだだけでは全貌がよくつかめない複雑な構成の作品でもあるのだが、複数回の通読が苦ではないほどに、伏線と技巧が詰め込まれている。

BEST SF 2021

第7位

町かどの穴

ラファティ・ベスト・コレクション1

R・A・ラファティ
牧 眞司＝【編】
伊藤典夫・浅倉久志・他＝【訳】
――ハヤカワ文庫SF

アヤシイ魅力の詰まった作品ばかり
唯一無二の作家のベスト・コレクション

独自の立ち位置、ヘンテコな世界観でファンを魅了し続ける作家ラファティの作品を精選したベスト・コレクション第一弾。単純に代表作を時系列順に並べているわけではなく、今回は「アヤシイ篇」としてアヤシイ世界を描き出す短篇を十九篇集めている。これまで短篇集未収録だった六篇が収録されているのも嬉しいポイントだ。

収録作には、町かどに出現した穴のせいで、一人の人間が少しずつ姿を変えて複製されて出現する不可解な状況をユング心理学などを援用して強引に理屈づける表題作。人間の周りを飛び回り、食料だけでなく記憶までもを盗んでいく動物との邂逅を描く「どろぼう熊の惑星」。世界のムードと傾向を支配する、秘密結社組織網のトップに位置する秘密結社〈鰐〉と、その仕掛けを意図せずにことごとく無力化する三人との戦いを描く秘密結社テーマの傑作「秘密の鰐について」。人間を消そうとするいたずらが意外な結末をもたらす「いなかった男」。石灰岩の台地で発掘作業を続けると、さまざまな時代の恋愛詩が掘り起こされる、奇妙な時間感覚を描き出す著者の代表作「つぎの岩につづく」など、現代にいたってなお唯一無二のスタイルを堪能させてくれる作品ばかり。未読者の入門にもうってつけだ。

BEST SF 2021

第8位

時間の王

宝樹
稲村文吾・阿井幸作＝【訳】
――早川書房

多様な手管で楽しませるユニークな物語群
中国発の時間SF短篇集

『三体』の二次創作小説『三体X』が大きな話題作となり、それが『三体』著者・劉慈欣公認で刊行されたことでデビューした宝樹による、時間SF短篇集である。すでに本邦でも宝樹の短篇はいくつか中国SFアンソロジーに訳出されていて、その実力は知れ渡っていたが、その期待を大きく超えてくる一冊だ。学生のラブロマンスもあれば、相対性理論にもとづく時間の流れのズレをテーマにしたものもあり、多様な手管で楽しませてくれる作品が揃っている。

たとえば、紀元前一億四千万年から始まって、超ロングスパンで地球に住む動物、そして人類の行末を綴った、〝長大な時間の流れ〟がテーマの時間SF「穴居するものたち」。有名な魚介麺チェーン創業者の娘が、タイムトラベルで過去へ戻って曹操に自社の魚介麺を食べさせて命を救うことで箔をつけようとし、ドタバタに巻き込まれていく時間SF×コメディな「三国献麺記」。自分の記憶の中の世界を自由に行き来し、無数の可能性を幻視することのできる〝時間の王〟と、彼の記憶の中の少女との、ありえたかもしれない甘い交流が描かれる表題作など。二次創作出身なせいもあってか作品によってはノリが非常にコミカルで、邦訳済みの中国SF全体の中でもとっつきやすい作家・作品である。

BEST SF 2021

第9位

過ぎにし夏、マーズ・ヒルで

エリザベス・ハンド
市田 泉＝【訳】
――創元海外ＳＦ叢書

恐怖や孤独にも丁寧に寄り添う名手が贈る叙情あふれるＳＦ中短篇集

幻想文学やＳＦ・ファンタジィの名手として知られる米国の作家エリザベス・ハンドの作品の中から、ネビュラ賞・世界幻想文学大賞を受賞した四篇を集めたＳＦ中短篇集だ。表題作はネビュラ賞と世界幻想文学大賞を受賞。メイン州沿岸のスピリチュアリストのコミュニティであるマーズ・ヒルを舞台に、母親を乳癌で失おうとしている少女ムーニーを描き出していく。ムーニーの母親はスピリチュアル――ホロスコープやムーンサークル――にはまり込んでいて、ムーニーは母親を心配するがゆえにそのことに苛立っている。だが、この土地ならではの伝承である特殊な力を持った妖精のような存在と電撃的に出会い、すべてが一変していく。

何らかの理由で世界が破滅にさしかかっている気配を感じながら犬と小島で暮らし、かつての恋人を想い続ける孤独な女性を描く、美しくも終末的な「エコー」。乳癌で死を迎えつつあるかつての上司のために、元スミソニアン博物館勤務の男たちが集まり、今は存在しない飛行機、その焼失した記録映像の再現に挑む「マコーリーのベレロフォンの初飛行」。親しい人を失う恐怖、誰かを思いながら一人で過ごす孤独感など誰の身にも起こり得る状況とその感情を丁寧にすくいとる、抒情的な作品が揃っている。

BEST SF 2021

第10位

移動迷宮
中国史ＳＦ短篇集

大恵和実＝【編訳】
――中央公論新社

中国史テーマの短篇を精選 大量の注釈も魅力なアンソロジー

本作は中国ＳＦ短篇の中でも、特に中国史を扱い、二十一世紀に発表の作品を精選した日本オリジナルアンソロジーだ。作品としては、孔子や老子といった中国思想を中心に据えたもの、春秋時代を扱ったものから近現代ものまでありと、時代も題材も広がっている。伝わらなそうな細かい歴史ネタも多いのだが、大量の注釈をつけて解説していて、中国史の重みを堪能させてくれる。巻頭の「孔子、泰山に登る」はその好例で、春秋時代を舞台に、孔子や墨子といった中国の思想家が続々と登場し〝道〟や〝能〟、〝器〟とは何かについての議論を重ねていく、ディープな短篇である。

続く馬伯庸（マー・ボーヨン）「南方に嘉蘇あり」は、コーヒーが中国に伝来したのは本来十九世紀のことだが、もしそのずっと前に中国に来ていたら――というｉｆを描き出す、笑える偽史もの。表題作は相次ぐ反乱によって国力が低下しつつあった十八世紀末の中国と、当時絶好調だった大英帝国の交錯を、中国人が作り出した有限の時空に無限の宇宙を詰め込んだような迷宮を通して描き出す、表題作にふさわしい美しい一篇だ。編者大恵和実による解説も、中国史ＳＦの概要紹介にとどまらず日本史ＳＦとの比較まで行われている本格的なもので、良質なＳＦを掘る良いガイドになってくれる。

BEST SF 2021
第11位
新しい時代への歌
サラ・ピンスカー
村山美雪＝【訳】
竹書房文庫

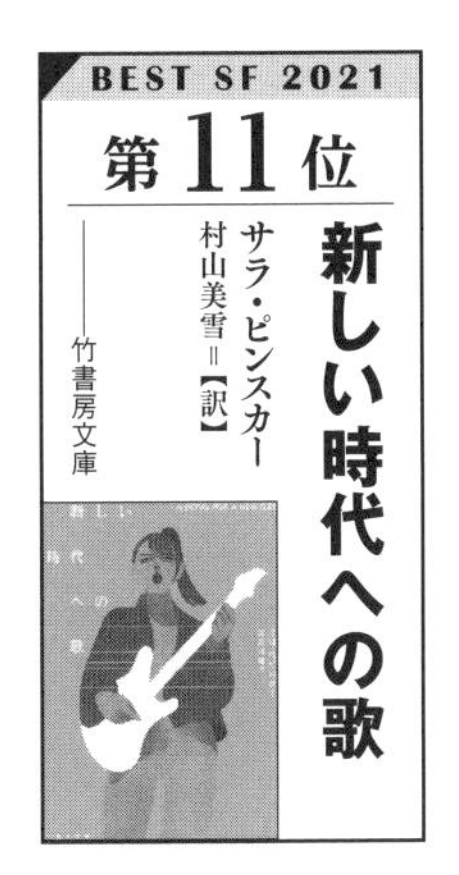

テロと感染症下の近未来
時代をとらえた予言的な一作

二十一年も新型コロナウイルスによる自粛が続く日々だったが、本作はテロと感染症の影響によって、集会が禁止され対面接触が極端に減少した近未来を描き出す予言的なＳＦ長篇（原書は二〇一九年刊行）だ。この世界では学校や仕事、買い物まですべてオンライン。物資の購入は通販で、輸送はドローンが担当している。子どもたちは幼いときからそれが当たり前なので、疑問にも思わない。物語では、仮想空間上でライブを行うアーティストの発掘を担当するローズマリーと、あくまでもリアルでのライブにこだわり、違法なライブハウスを運営する伝説のアーティストであるルースの関わりを通して、接触やライブの意味、世界は本当にこのままでいいのだろうか？　と問いかけがなされていく。今こそ読んでおきたいタイムリーな作品だ。

BEST SF 2021
第11位
海の鎖
伊藤典夫＝【編訳】
国書刊行会・未来の文学

秀逸かつ攻めた作品が揃う
伊藤典夫編訳のアンソロジー

国書刊行会のＳＦシリーズ《未来の文学》の完結巻となる伊藤典夫編訳のＳＦアンソロジー。収録作は全八篇で、そのほとんどは五〇～八〇年代に発表されたもの。たとえば、第二次世界大戦も核の脅威も忘れ去られた二〇四四年に核の時代百年を記念し、ヒロシマに核爆弾を再度投下しようとする人々を描いた不謹慎作、ブライアン・Ｗ・オールディス「リトル・ボーイ再び」。人間に擬態した異星人が地球文明を侵略しにくる定番パターンを科学や医学を用いて異星人をあぶり出す頭脳バトルに仕立て上げたアラン・Ｅ・ナース「偽態」。エイリアンが襲来し、地球文明が破滅に向かう過程を、特殊なものを見る能力を持った少年の目を通して描き出していく表題作など、時代性を感じさせる作品ばかりだが、攻めた短篇が揃っている。

BEST SF 2021
第13位
ネットワーク・エフェクト
マーダーボット・ダイアリー
マーサ・ウェルズ
中原尚哉＝【訳】
創元ＳＦ文庫

警備ユニット〝弊機〟が活躍
話題の冒険シリーズ第二作

ヒューゴー賞、ネビュラ賞、ローカス賞の三冠を達成したノヴェラを含む中篇集『マーダーボット・ダイアリー』。本作はその続篇にしてシリーズ初の長篇となり、こちらも三冠を達成している。人類が外宇宙に進出した遠未来を舞台に、自分のことを〝弊機〟と呼ぶ一体の人見知りでナイーブな警備ユニットの日々を描き出すシリーズで、前作では大量殺人事件を犯したとされる弊機の過去を解き明かす冒険や、依頼主と本当の仲間になっていく過程、真の自由を取り戻すまでが描かれた。続く今作では、異星文明の異物をめぐり複数勢力入り乱れる、より大規模で過酷な状況に放り込まれることになる。監視カメラやハッキング、ドローンを駆使した現代的なアクションが醍醐味で、受賞歴も含め、今一番波に乗っている冒険ＳＦシリーズだ。

BEST SF 2021

第14位

旱魃世界

J・G・バラード
山田和子＝【訳】
——創元SF文庫

破滅的な世界の情景を謳う著者の代表作の完全版

バラードの《破滅三部作》の第二作目『燃える世界』を改題・改稿した完全版の本邦初訳となる。基本的に内容は同一だが、全十五章だったものが全四十二章と倍増し、テンポよく場面を区切りながら鮮やかに展開していく。舞台は、書名が示すように、世界中の海洋が工業廃棄物によって生成された薄膜で覆われ、水が蒸発せずに雨が降らなくなり、地面どころか記憶や古臭い感情、何もかもが干上がりつつある破滅的な旱魃世界。医師ランサムは購入したハウスボートの船上や自宅から、銃撃戦に火災、消えゆく湖、海へ向かう人々の姿など、じわじわと真綿で締められるように追い詰められていく世界の情景をとらえていく。バラードが「内宇宙への道はどちらか?」で示した〝最初の真のSF小説〟を体現する、代表作といえる作品だ。

BEST SF 2021

第15位

サハリン島

エドゥアルド・ヴェルキン
北川和美・毛利公美＝【訳】
——河出書房新社

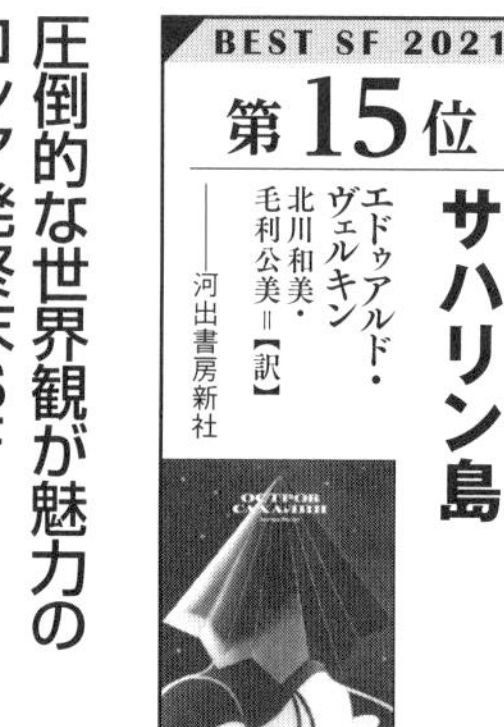

圧倒的な世界観が魅力のロシア発終末SF

ロシアのメディアで「この十年で最高のロシアSF」とまで評された終末SF長篇。過大な褒め言葉に思えるが、読んでみるとそう誇張された表現ではないことがわかる。この世界では北朝鮮発の核戦争が世界で巻き起こり、時を同じくして移動性恐水病と呼ばれる感染症も発生、世界は終末へとまっしぐら。だがしかし、日本だけは真っ先に鎖国政策をとり先進工業国としては唯一生存に成功、周辺国の狂乱を鎮圧し、サハリン島は犯罪者などの望ましからぬ輩を押し込む受け皿になっている。物語は島の刑務所や経済状態を調査にやってきた未来学者の女性シレーニを中心に展開するが、なぜ日本が支配しているのに島の名前はサハリン島のままなのか? など細かな設定が緻密になされており、圧倒的な世界観、その情景で魅せてくれる傑作だ。

BEST SF 2021

第16位

オベリスクの門

N・K・ジェミシン
小野田和子＝【訳】
——創元SF文庫

世界の謎が明かされ始める破滅SF三部作の二作目

数百年ごとに〈第五の季節〉と呼ばれる文明崩壊レベルの天変地異が起こる過酷な環境で生きる人々の姿を描き出す破滅SF《破壊された地球》三部作で、『第五の季節』に続く二作目。世界にはオロジェンと呼ばれる熱エネルギー操作能力を有する人々も存在し、人類はかろうじてその命脈を保ってきたが次の〈第五の季節〉は本当の終わりになる可能性があるという。前作ではエッスンというオロジェンとその娘を中心に物語が展開し、なぜ第五の季節は存在するのか? などの世界の謎はほとんど明らかにならなかったが、今作では各地で破局的な地殻変動が起こり、オロジェン同士の大地を揺るがす戦いも展開。他の天体をも巻き込んだ壮大なスケールも垣間見えてきて、世界の謎がガンガン明らかになる。今、最も続きが待ち遠しいシリーズだ。

BEST SF 2021

第17位

2000年代海外SF傑作選

橋本輝幸＝【編】

ハヤカワ文庫SF

ゼロ年代短篇で味わうSFの醍醐味

『90年代SF傑作選』から十八年ぶりとなる海外SFの年代別傑作選。編者は橋本輝幸に代わり、『2010年代海外SF傑作選』と二カ月連続刊行となった。収録作は全九篇で、テクノロジーが社会を変革する力とその恐怖を同時に捉えた劉慈欣「地火」、確率の低い事象が起こるようになったニューヨークを描き出すN・K・ジェミシン「可能性はゼロじゃない」のほか、終末系、脳科学系、宇宙SF、クトゥルフと題材的にも幅広い。ゼロ年代の海外SFの様相がわかるだけでなく、SFの醍醐味を味わえる一冊に仕上がっている。本邦初訳の作品が三篇含まれているのも嬉しい。

BEST SF 2021

第18位

クララとお日さま

カズオ・イシグロ

土屋政雄＝【訳】

早川書房

少女とアンドロイドの絆を描くロボットSF

カズオ・イシグロのノーベル文学賞受賞後第一作目。人工親友として子供の友達となるべく生み出されたアンドロイドの視点から、少女との交流が描き出されるロボットSFだ。語り手であるクララはアンドロイド販売店のウィンドウで道行く人を毎日外を眺めていたが、少女ジョジーとその一家に買われることで、少しずつ世界と人間について学んでいく。クララは太陽光充電を用いるせいか、太陽信仰とでもいうべきものを構築しており、独自のロジックで世界をみる。そんなAIという〝人でないもの〟の視点を通すことで人の特質を浮き彫りにした、鮮やかな長篇だ。

BEST SF 2021

第19位

この地獄の片隅に
パワードスーツSF傑作選

J・J・アダムズ＝【編】

中原尚哉＝【訳】

創元SF文庫

特殊パワードスーツの魅力あふれる作品集

パワードスーツを扱った短篇を集めた特殊テーマアンソロジー。原書の二十三篇から訳者の中原尚哉によって十二篇が選抜されているが、それでも四百ページ近くあり、ボリューミーだ。パワードスーツといえば真っ先に思いつくミリタリーテーマの作品（ジャック・キャンベルによる表題作）もあれば、アーマーが心の距離として象徴的に描かれるラブロマンスもの（デヴィッド・バー・カートリー「アーマーの恋の物語」）など、幅広い作品が揃っている。また、水中機動ができるものから蒸気機関アーマーまで、特殊なパワードスーツの描写がたくさん読めるのもたまらない。

BEST SF 2021

第20位

人之彼岸

郝　景芳

立原透耶・浅田雅美＝【訳】

新☆ハヤカワ・SF・シリーズ

リアルな未来を描くAIテーマ短篇集

「折りたたみ北京」を筆頭に、高い評価を受ける郝景芳のAIテーマの作品を集めた短篇集。利用者の分身となるAIサービスを提供する会社の代表が、多忙にかまけてAIに恋人の相手をさせるうちに、恋人の怒りが増幅していく悲劇を描く「あなたはどこに」。患者がどんな重病でも全快して出てくる、奇跡のような病院の秘密を暴くホラーSF短篇「不死病院」。AIが広まった結果、人間もAIのように感情を露わにすることは恥ずかしいことだとする価値観が広まった社会を描く「愛の問題」など、現代のAI技術の限界を正確にとらえ、一歩先のリアルな未来を描き出している。

BEST SF 2021

第21位 6600万年の革命

ピーター・ワッツ
嶋田洋一＝【訳】
――創元SF文庫

ワームホールゲート網を構築する恒星船で起こる、船を制御するAIと人類の攻防を描く宇宙SF。人間サイドは数千年に一度しか冷凍睡眠から目覚めることができず連帯を取ることが難しいなど、極端な制約下で展開するサスペンスが魅力。

BEST SF 2021

第22位 帝国という名の記憶（上・下）

アーカディ・マーティーン
内田昌之＝【訳】
――ハヤカワ文庫SF

宇宙を支配する銀河帝国とその宮廷で繰り広げられる陰謀劇を描くポリティカル・サスペンス長篇。人格を他者にインプラントする不死関連技術が皇位継承をめぐる闘争に絡んできたりと、SF要素とサスペンスが見事に融合している。

BEST SF 2021

第23位 複眼人

呉明益
小栗山智＝【訳】
――KADOKAWA

台湾の作家呉明益の代表作のひとつ。資源の問題から次男が追放されてしまう神話的な島の物語、夫と息子を山で亡くし日々自殺を考えながら暮らす女性など複数の視点が〝漂流するゴミでできた島〟を通して交錯する、幻想長篇だ。

BEST SF 2021

第24位 火星へ（上・下）

メアリ・ロビネット・コワル
酒井昭伸＝【訳】
――ハヤカワ文庫SF

女性パイロットが初期から活躍するifの宇宙開発史を描く『宇宙（そら）へ』の続篇。火星への有人探査ミッションが描かれるが、前作のツッコミどころを意識的に塞ぎ、宇宙での人種不均等の問題を描くなど主題をより先へと進めている。

BEST SF 2021

第25位 中国・アメリカ 謎SF

柴田元幸・小島敬太＝【編訳】
――白水社

編者二人が米国と中国から知られざるSF短篇を持ち寄った合作アンソロジー。砂糖を必要とする謎のパソコンの秘密が暴かれる「マーおばさん」、表面温度八百度の惑星上で豚バラ肉が踊る「焼き肉プラネット」など、逸品揃い。

BEST SF 2021

第26位 われはドラキュラ ――ジョニー・アルカード（上・下）

キム・ニューマン
鍛治靖子＝【訳】
――アトリエサード・ナイトランド叢書

《ドラキュラ紀元》シリーズ第四弾にして、本邦初訳の中短篇集。吸血鬼が実在する世界で、コッポラが『吸血鬼ドラキュラ』を映画化する「コッポラのドラキュラ」など、映画をテーマにニューマンのオタク性が暴れまわっている。

BEST SF 2021

第27位 猫の街から世界を夢見る

キジ・ジョンスン
三角和代＝【訳】
――創元SF文庫

時系列や空間の配置が異なり、気まぐれな神が存在する〝夢の国〟を、〝覚醒する世界〟の住人である女性教授が冒険する幻想中篇。ラヴクラフト作品を下敷きにし、生々しくも幻想的な筆致で異形の怪物たちを描写している。

BEST SF 2021

第28位 ビンティ ――調和師の旅立ち――

ンネディ・オコラフォー
月岡小穂＝【訳】
――新☆ハヤカワ・SF・シリーズ

アフリカ系アメリカ人である著者が、ナミビアに実在するヒンバ族の少女の冒険を描き出すスペースオペラ。思想や文化の異なる種族の接触、その際不可避的に発生する文化摩擦を描きながら、少女の成長譚として手堅くまとめている。

BEST SF 2021

第29位 銀河帝国の興亡1 風雲編

アイザック・アシモフ
鍛治靖子＝【訳】
――創元SF文庫

一万年以上の繁栄を謳歌した銀河帝国が心理歴史学と呼ばれる理論によって滅亡が予見され、それに対抗する過程が描かれるアシモフの《銀河帝国の興亡》三部作、第一部の新訳版。二一年にApple TV+にて実写ドラマも始まった。

BEST SF 2021

第30位 インヴィンシブル

スタニスワフ・レム
関口時正＝【訳】
――国書刊行会
スタニスワフ・レム・コレクション

《スタニスワフ・レム・コレクション》第二期の第一回配本作品にして、『砂漠の惑星』と題されていた作品の、ポーランド語からの直訳になる。レムの『エデン』、『ソラリス』に続くファーストコンタクトテーマの到達点のひとつ。

ランク外の注目作

BEST SF 2021 ―海外篇―

　ランク外にもおもしろい作品はまだまだある！　その筆頭が、ザック・ジョーダンのデビュー作『**最終人類（上・下）**』（中原尚哉訳／ハヤカワ文庫ＳＦ）だ。さまざまな種族が宇宙にひしめくも、何らかの理由で人類が滅ぼされてしまった遠未来が舞台。しかし、人類の少女がたった一人、種族を偽装してまだ生き残っていて――と、少女の冒険譚から始まって、次第にベイリーや『グレンラガン』ばりの大スケールの物語に発展していくことになる。本格宇宙ＳＦとしては、数学によって導出された暦法によって通常の物理法則を逸脱した科学体系が使用可能になる特殊な世界観の《六連合》三部作の第二部、ユーン・ハ・リーの『**レイヴンの奸計**』（赤尾秀子訳／創元ＳＦ文庫）もオススメ。

　他にも王道どころとしては、気候変動によって海面上昇が進んだ近未来、北極圏に建てられた洋上巨大建築物を舞台に展開するサム・Ｊ・ミラー『**黒魚都市**』（中村融訳／新☆ハヤカワ・ＳＦ・シリーズ）も良い。感染症の蔓延、分断された世界、ＡＩによる政治など現代の諸問題がぎっしりと詰め込まれた快作だ。

　続いて、ファンタジイ系の作品で今年最も楽しませてもらったのが、アンドルス・キヴィラフク『**蛇の言葉を話した男**』（関口涼子訳／河出書房新社）。蛇や熊と言葉をかわし、強制的に命令を発することもできる〝蛇の言葉〟を扱う森の住民たちと、そうした古の文化を忘れ、科学技術を用いて新しい社会を築き上げる近代社会との摩擦、闘いの話であり、エストニア発の物語だけあってその土地の歴史も色濃く織り込まれている。

　文学系の作品にも収穫が多かった。まず、リン・マーによる『**断絶**』（藤井光訳／白水社エクス・リブリス）は中国が発生源である未知の病〝シェン熱〟が蔓延し、文明が崩壊していくアメリカを描き出す終末ロードノベル。11位にランクインした『新しい時代への歌』とあわせて読みたい。『保健室のアン・ウニョン先生』などで知られる韓国作家チョン・セラン『**声をあげます**』（斎藤真理子訳／亜紀書房）は、二百メートルもの体長を持った巨大ミミズが地球に降臨し都市を土に戻してしまった世界で、環境問題と絡めながらミミズの現れた意味を問う「リセット」など、本格的なＳＦを集めた短篇集。既存の韓国ＳＦの中でもトップクラスにおもしろかった。

　「折りたたみ北京」の郝景芳による『**1984年に生まれて**』（櫻庭ゆみ子訳／中央公論新社）は、実際に八四年生まれである著者が、中国が大きな発展と変化を遂げた二十世紀末〜二十一世紀初頭の激動の時代に感じたことや経験を別の外面的イベントに乗せ、フィクションとして描く「自伝体小説」だ。気鋭の中国作家が、統治と自由について何を語るのか。読んで確かめて欲しい。ノーベル文学賞受賞作家ジョゼ・サラマーゴによる『**だれも死なない日**』（雨沢泰訳／中央公論新社）は、突然だれも死ななくなってしまい、葬儀社は商売あがったりになり、老人ホームはパンクし……と大混乱に陥るさまを通して、社会にとっての死の意味を深掘りしていく思考実験的長篇。鮮やかなプロットが堪能できる逸品だ。

　経済や政治の専門家がＳＦを通して未来を描く作品も印象に残った。たとえばギリシャの財務大臣も務めた経済学者ヤニス・バルファキスによる資本主義以外の選択肢を模索する経済ＳＦ『**クソったれ資本主義が倒れたあとの、もう一つの世界**』（江口泰子訳／講談社）。大学長や博物館館長を歴任してきたばりばりの地質学者ジェームズ・ローレンス・パウエルによる、地球温暖化がこのまま進むと未来の世界に何が起こるのかを描き出す『**2084年報告書　地球温暖化の口述記録**』（小林政子訳／国書刊行会）など。

COMMENT

『三体Ⅲ　死神永生』原書カバー

海外篇第1位

『三体Ⅲ　死神永生』著者

劉慈欣氏の言葉

●りゅう・じきん／リウ・ツーシン

1968年、山西省陽泉生まれ。発電所でエンジニアとして働くかたわら、SF短篇を執筆。『三体』が、2006年から中国のSF雑誌《科幻世界》に連載され、2008年に単行本として刊行されると、人気が爆発。中国全土のみならず世界的にも評価され、2015年、翻訳書として、またアジア人作家として初めてヒューゴー賞を受賞した。

このたび『三体Ⅲ　死神永生』が「ベストSF2021【海外篇】」の第一位に選出され、たいへんうれしく思います。本書の日本での出版に御尽力いただいた関係者のみなさま、日本語版を出版してくださいました早川書房様、そして本書の翻訳にあたって、すばらしいお仕事をしていただいた翻訳者のみなさまに心より感謝申し上げます。また、前回の受賞時と同じように、一番感謝申し上げたいのは、やはり日本の読者のみなさまです。この四十年間、日本のSF小説は中国でも大量に翻訳され、たくさんの読者を獲得してきました。わたしも本書を創作する際には、小松左京氏の作品から大きな影響を受けています。今また本書という中国発のSF小説を日本の読者にも読んでいただいていることを、とても喜ばしく思っています。そしてこれからの中国と日本が、SF小説の分野でますます活発に交流できますように願っています。

わたしはこれまでずっと、ある意味ラッキーだったという感覚を抱いてきました。幸いにもエイリアンがわれわれの世界にやって来る前にこの小説を書き終え、出版できたのですから。エイリアンの降臨が人類にとって禍福のどちらにころぶか、今のところ誰にもわかりません。しかし、この小説にとって、それはきっと大きな災難となるでしょう。そのときにはこの本に書いてあるすべてのことが、ありきたりで陳腐なものになってしまいますから。ほかのSF的題材にくらべると、エイリアンは最大限の不確実性を持っています。ただエイリアンという古くからあるSF的イマジネーションは、いつでも現実へと変わる可能性があります。ちょうど今、わたしたちが新型コロナウイルス感染症の流行に直面しているように。コロナ禍は世界的規模で現実化したSFと言えるもので、大いなる災難となって人類を茫然とさせています。そして、これまで読んだ多くのウイルス感染系SF小説を、相当部分ありきたりなものに変えてしまいました。

すべての災難が永遠にSF小説の中に封印されていますように。最後にみなさまのこの一年の御健康と御多幸をお祈り申し上げます。万事如意（ワンシールーイー）、謝謝（シエシエ）！

（泊功訳）

三体

劉慈欣
三体

上
劉慈欣
三体
II
黒暗森林

下
劉慈欣
三体
II
黒暗森林

上
劉慈欣
三体
III
死神永生

下
劉慈欣
三体
III
死神永生

海外篇１位『三体Ⅲ　死神永生』

日本版《三体》三部作完結によせて

大森 望

「ベストＳＦ2021［海外篇］」の１位に輝いた劉慈欣『三体Ⅲ　死神永生』。2006年に中国のＳＦ雑誌〈科幻世界〉に連載された『三体』は、2008年に原著となる単行本が、2014年にケン・リュウによる英訳が刊行され、2015年にアジアで初めてヒューゴー賞長篇部門を受賞。日本では2019年７月に三部作の第一部である『三体』が、20年６月に第二部『三体Ⅱ　黒暗森林』が、そして21年５月に完結篇である第三部『三体Ⅲ　死神永生』が刊行されました。
訳者として『三体』一部から三部までを駆け抜けてきた大森望氏に、翻訳中の思い出から作中の気になる内容についてまで、振り返る記念エッセイをお寄せいただきました。（編集部）

劉慈欣《三体》三部作（《地球往時》三部作）の完結篇にあたる『三体Ⅲ　死神永生』が、めでたく「ベストＳＦ２０２１」第１位を獲得したということで、記念エッセイを書けとの指令が下った。

「『三体』翻訳を完走されてのご感想をはじめ、いちばんたいへんだった部分、忘れられない思い出などなど、大森さま的『三体』戦記をお願いできますとたいへんありがたく存じます」とのことなんですが、ご承知のとおり、もともとゼロから翻訳したわけではなく、《三体》翻訳チームのチームメイトのみなさん（光吉さくら、ワンチャイ、立原透耶、上原かおり、泊功の各氏）が中国語の原文から日本語に翻訳したテキストをリライトする立場だったので、《三体》を訳したと言えるのかどうかも定かではない。とはいえ、実際に作業しているときの感覚は英語のＳＦを訳しているときとほとんど変わらない。訳文を原文および英訳と対照し、解釈に悩む原文（中国語）の一部をＡＩ翻訳（DeepLやgoogle翻訳や騰訊翻訳君）にかけて確認する工程が加わるくらいでしょうか。著者の頭に黄金時代の英米ＳＦの文法が刷り込まれているからか、ＳＦが共通言語になってくれたおかげで、解釈の森に迷い込む頻度は思ったより低かった。

結果的に〝翻訳〟作業は順調に進み、当初の予定どおり、二〇一九年七月に『三体』を出したあと、コロナ禍にもかかわらず（いやむしろ、コロナ禍で仕事場から出られなかった効果もあって）二〇年六月に『三体Ⅱ　黒暗森林』、二一年五月に『三体Ⅲ　死神永生』を邦訳刊行することができた。

《三体》チームのモチベーションが高かったのは、予想をはるかに上回る反響のせいもある。日本語版『三体』は刊行前から話題になり、発売たちまち翻訳ＳＦとしては記録的な刷り部数に到達。それから二年半が過ぎて、二〇二二年一月現在、紙版『三体』の累計発行部数十五万三千六百部。電子版、オーディオ版を加えると、たぶん二十万部を超えるのではないか。昨年十二月二日放送の「アメトーーク」読書芸人回で紹介されてからまたガンガン売れはじめ、年明けの各書店の文芸書週間ベストセラーに食い込む健闘を見せている。売れ行きだけでなく評価も高く、「ベストＳＦ」海外部門では、『三体』が二〇一九年の1位。続く『三体Ⅱ　黒暗森林』は二〇二〇年の2位（1位はテッド・チャン『息吹』なので、実質1位というか、長篇としてはいちばん票を集めた）。また、星雲賞の海外長編部門は、二〇年と二一年、『三体』『黒暗森林』が連続で受賞している。ラストを飾る『死神永生』は三部作の中で最長となる上下巻合計九〇〇ページ。四百字換算で一六五〇枚を読み切って投票してくれた方が多かったことは、三部作が全体として評価されたということでもあり、《三体》チームの一員としてほっとしている。

最初に『三体』を（ケン・リュウの英訳で）読んだ時点では、最後がこんなものすごいことになるとは思いもしなかったんですが、あらためて三部作をふりかえってみると、じつは第一作から伏線は張られている。

【以下、三部作の内容に言及するので、未読の方はご注意ください】

三体文明が地球侵攻作戦の切り札として進める智子（ソフォン）プロジェクトがそれ。九次元構造を持つ陽子を二次元に展開して回路を焼きつけ、スーパーインテリジェントなコンピュータに改造。この智子を四体作成し、量子もつれ効果によって智子フォーメーションを組ませた上で、侵略艦隊に先駆けて光速で太陽系に送り、地球文明の科学技術の発展を阻害しようというのである。これだけでもめちゃくちゃぶっ飛んだアイデアだが、その開発場面がさらにすごい。

三体文明の科学執政官がプロジェクトの指揮を執るのだが、元首の前で行われた最初の低次元展開では、次元の数を減らしすぎて一次元に。陽子一個が推定一・五光年の長さの限りなく細い線となり、それが大気圏に落ちてきて太陽光を反射してきらきら光るので邪魔なことこのうえない。三体文明の元首いわく、「これはまったく鬱陶しいな」「いつも顔がかゆくなる」。

訳しながら、この執政官はまるでスーパー戦隊の怪人みたいだ（首領に命じられて地球侵略の秘密兵器を開発するが、失敗して怒られる）と思ったもんですが、この爆笑ネタがただのギャグに終わらず、『死神永生』では太陽系を滅ぼす攻撃手段として再利用されるばかりか、宇宙全体の根幹にまで関わってくる。太陽系が端から（？）平面になってゆく超絶スペクタクルの前フリが、あのマヌケすぎる智子開発エピソードだったとは……。

もっとも、『三体』における三体世界の描写は、三体文明側から地球にもたらされた膨大な量の情報を翻訳した文書（を主人公の汪淼（ワン・ミャオ）が読んでいる）という体裁なので、実際にそのとおりのことがあったのかどうかはわからない。一部で流行語になった三体人の〝脱水〟にしても、三体人が地球人のために開発したＶＲゲーム中の設定だという留保がある。『三体』では、さまざまな謎に対する答えらしきものは示されるものの、それが正解かどうかの答え合わせをしないまま物語をぐいぐい進めていく手法が採用されている。

　その一方、冒頭の文化大革命下の学園紛争や糾弾集会は圧倒的な迫力とリアリティでのっけから読者の度肝を抜く。葉文潔（イエ・ウエンジエ）が山間部の村の元猟師の家でしばらく生活する場面の美しさも忘れがたい。

『黒暗森林』では、羅輯（ルオ・ジー）が想像上の恋人とホンダ・アコードに乗ってドライブ・デートするくだりがえんえん描かれて、ドン引きしたとの声もあるが、その途中で羅輯が目にする斑雪（はだれゆき）はじめ、のちに重要な意味を持つ要素が随所にちりばめられている。途中で立ち寄った村で、羅輯が無人のステージに上がって（そこにはいない）恋人のために「ウラルのぐみの木」を歌う場面（上巻109ページ）もそのひとつ。もの悲しいメロディーと、唯一の観客さえ実在しないことを考えるとかなり不気味だが、この「ウラルのぐみの木」は、『黒暗森林』のラスト近く、羅輯が三体文明を相手に乾坤一擲の大勝負を挑む見せ場の直前にもう一度登場し、切なすぎるBGMとしてすばらしい効果をあげている（下巻315ページ）。いかにもロシア民謡風だが、実際はソ連時代（一九五〇年代）につくられた青春歌謡。同じ工場で働く青年二人から思いを寄せられる女性の歌らしい。当時の中国にはロシア民謡やソ連の歌謡曲が大量に流入し、中国語で歌われたとか。「ウラルのぐみの木」も「サンザシの木」の題名で中国語のヒット曲になっている。それを劇中歌に使ったのが張芸謀（チャン・イーモウ）監督の『サンザシの樹の下で』。こちらは文革期の悲恋を描いた青春映画だが、公開は二〇一〇年で、『黒暗森林』の原書刊行後。『黒暗森林』の影響とも思えないので、この曲がそれだけ中国で愛された歌だったということだろうか（ちなみに原曲のリャビーナの木はぐみでもサンザシでもなくナナカマドだそうです）。

　その後、羅輯が実際に結婚する荘顔（ジュアン・イエン）は、想像上の恋人のそっくりさんとして史強が探し出してきた〝都合のいい女〟で、著者の女性観の象徴として（『死神永生』の程心（チエン・シン）とともに）しばしば槍玉に挙げられる（たとえば李琴峰氏は、〈文學界〉二〇年十月号掲載の《三体》論の中で、「独立した人生を持つ一人の女性としてではなく、羅輯の幻想を満足させ、彼を奮起させるための道具としてしか描かれていない」と批判している）。その荘顔と羅輯の初デートは、パリのルーヴル美術館。ルーヴルを選んだのは、続く『死神永生』の核が〝二次元化〟なので、そのネタ振りだろうか。実際、デート場面に登場するダ・ヴィンチの『モナリザ』は、『死神永生』のラスト近くでも効果的に用いられ、長すぎた人生の後半に羅輯が荘顔を偲ぶようすがとなる（もっとも、『死神永生』でいちばん印象的な絵画はゴッホの『星月夜』だろう。黒々としたうねる糸杉と、異様に大きく描かれた夜空の星々が特徴だが、『死神永生』ではそれが宇宙の本質を幻視した作品として大きくクローズアップされる）。

　女性描写問題についていくらか弁護すれば、著者は再三、自分はキャラクターを描くことには興味がなく、登場人物は道具でしかないと発言している。『死神永生』の程心は、人類の選択を代表させるためのキャラなので、内面的な奥行きなど存在しない（あったら困る）というわけだ。そもそも当初の設定では、程心のキャラは男性だったが、「前作の主人公も男性だったから、今度は女性にしたらどうですか」と担当編集者に言われて変更したとも語っている。それが事実かどうかはともかく（登場人物について質問されすぎてうんざりしているだけかもしれない）、登場人物の内面に頓着しないところが昔気質のSF作家らしいと言えなくもない。

　キャラクターがフラットであることに関しては、『死神永生』に至って、小説のテーマと合体する。二次元化攻撃危機を程心に伝えるため、雲天明（ユン・ティエンミン）は（三体人に真意をさとられないように）おとぎ話の中に隠して宇宙の秘密を伝えるのだが、そのおとぎ話では、〝物語のない王国〟に現れた若き絵師が、王子の命を受けて邪魔な国王や王妃たちの肖像を描く（二次元化する）ことで絵の中に閉じ込めてしまうのである。このメッセージは結局うまく伝わらず、太陽系はあえなく二次元化されるわけだが、それによって人類文明の痕跡が永遠に失われてしまうのを避けるため芸術作品を宇宙に撒くことになり、羅輯はその流れで前述したように『モナリザ』と再会し、元妻に思いを馳せることになる。

こうして見ると、荘顔の扱いはまだいいほうだろう。羅輯と荘顔の娘など、名前さえ与えられず、実在が疑われるレベル（さすがに不自然すぎると思ったのか、ジョエル・マーティンセンの英訳では独自に名前をつけている）。それを言うなら、『三体』の主役の汪淼に妻と息子がいたことを覚えている読者がどのくらいいるだろう。史強（シー・チアン）と楽しく冒険しているあいだ、汪淼は家族を思い出すことさえない。男女を問わず、《三体》三部作のキャラクターは全員ほぼ〝役割〟なのである（葉文潔はその例外にも見えるが、役割の重大さに鑑みて、さまざまな体験を肉付けされた結果、人物に奥行きが生まれたのかもしれない）。

それはともかく、『死神永生』では、人類がこの宇宙に存在した証をどうやって残すかがテーマになる。同じテーマを扱うテッド・チャン「息吹」や高山羽根子「首里の馬」と並べて比較検討したり、〝置き手紙〟SFの系譜についてじっくり語ったりしたいところだが、もう紙数がない。劉慈欣関連作品の今後の刊行予定について触れろというお達しなので、手短に。

二〇二一年一月現在、『円』につづく劉慈欣短篇集の翻訳がKADOKAWAで進行中。これは『中国オタク文化史研究』でおなじみの古市雅子さん（北京大学助教授）との共訳。ラインナップは、英語版短篇集 *The Wandering Earth* の初刊本と同じ（中篇版が単独で書籍化されたためか現行版には収録されていない「白亜紀往時」短篇版が入っている）。映画「流転の地球」の原作にあたる「放浪地球」（別題「さまよえる地球」）のほか、『円』に収録された「詩雲」の前日譚にあたる「呑食者」、『折りたたみ北京』に英訳からの邦訳（中原尚哉訳）が収録された「神様の介護係」（「扶養上帝」）とその続篇「人類の介護係」（「扶養人類」／未邦訳）、バリントン・J・ベイリーもかくやの超絶バカSF「山」と「地球大砲」、宇宙開発の未来を謳い上げる「中国太陽」など全十一篇。邦訳すると総枚数が九百枚を超えるので、二冊に分けて出すことになりそうです。

一方、早川書房では、《三体》三部作の二次創作というか、半ば公式認定されている宝樹によるスピンオフ連作集『三体X　観想之宙』の邦訳が夏ごろ刊行予定（大森望、光吉さくら、ワン・チャイ訳）。『死神永生』を読み終えて、さまざまな疑問が頭に渦巻いている人もいるでしょうが、そういう疑問にびしばし（あとづけで）答えていく、いわば「謎解き死神永生」的なファンブック。「おかげで謎が解けてすっきりしました！」「三体ロスが癒やされました」などの讃辞を浴びる一方、「こんな本が出たせいで劉慈欣が三部作の続きを書く可能性がゼロになった」とか「キャラが違いすぎる」とか、罵倒する声も多数。毀誉褒貶がこれほど両極端な本も珍しいが、個人的にはなるほどねえと感じさせられる部分も多く、《三体》三部作を楽しんだ人にとっては意外なボーナスというかオマケとして楽しんでもらえると思う。

『三体X』のあとは、『三体』の前日譚にあたる『球状閃電』が待機中。こちらは年内に出るかどうか……というところで、来年には劉慈欣の第一長篇『超新星紀元』の邦訳も予定されている。ということで、あと二年くらいは中国SF沼から抜けられそうにありません。今後ともご贔屓にひとつ。

全アンケート回答96名

（回答者50音順）

SF界で活躍する作家・評論家・翻訳家の方々に、2021年度（2020年11月～2021年10月）の新作SFから、印象に残った国内作品5点を選んでもらいました。

掲載作品については、174ページからの「2021年度SF関連書籍目録」に書誌情報の記載があります。また、右記の期間外の作品については、※印をつけ集計の対象外としました。

縣 丈弘

──ときどきライター

①『日本SFの臨界点　新城カズマ　月を買った御婦人』伴名練＝編
②『異常論文』樋口恭介＝編
③『七十四秒の旋律と孤独』久永実木彦
④『万博聖戦』牧野修
⑤『八月のくず　平山夢明短編集』平山夢明

①には見事なセレクションと充実の解説で新城カズマ愛を蘇らせていただいた。新城さんの新作SFが読みたいとしみじみ思う。②もまた熱気あふれるまさに異常な作品集で堪能した。③は近年の新人では最も共感できる作風。④待望の新作長篇だったが牧野修はまったくブレない。⑤はホラーが主体だが、著者の独自の言語センスがたっぷり味わえる作品集。

秋山 完

──作家

●『創るためのAI　機械と創造性のはてしない物語』徳井直生
●『ヴィンダウス・エンジン』十三不塔
●『人工知能で10億ゲットする完全犯罪マニュアル』竹田人造
●『アイの歌声を聴かせて』乙野四方字＝著／吉浦康裕＝原著（講談社タイガ）
●『城の少年』菊池秀行＝作／Naffy＝絵

二〇二〇年の邦画『AI崩壊』が契機なのか、AIを扱う作品が目立つ。しかしNHKの番組『2030未来への分岐点（5）「AI戦争　果てなき恐怖」』（二〇二一）に描かれた現状（実態はもっと進化しているはず）を見ると、いまやSFが現実を後追いしている印象だ。「AI＝人型ロボット」の固定観念で、「感情こそ人類の証」と慢心しているうちに、AIは人知れず静かに、すでに愛も憎悪も手に入れているかもしれない。

天野護堂

──SF愛好家

①『まぜるな危険』高野史緒
②『機龍警察　白骨街道』月村了衛
③『異常論文』樋口恭介＝編
④『ランペシカ』菅野雪虫（講談社）
⑤『ぽんこつポン子』矢寺圭太（コミック／小学館ビッグコミックス）

人生も後半に入ると良くないことが波状攻撃の様に次々と降り掛かり読書の時間が取れなくなってしまい、特に国内作品は例年の半分位しか読めませんでした。しかし低調な時だからこそ、SFを読んで自身のモチベーションを維持出来たのだと思います。ですから、作家の皆様にはこのような素晴らしい作品を世に出してくれてとても感謝しております。どうもありがとうございます。他に気になった作品として、『フェイス・ゼロ』『マルドゥック・アノニマス6』『一度きりの大泉の話』『SCIS科学犯罪捜査班Ⅳ』『Y田A子に世界は難しい』『クレインファクトリー』『涼宮ハルヒの直観』『錬金術師の消失』『記憶翻訳者　みなもとに還る』『青い砂漠のエチカ』『われら滅亡地球学クラブ』『アンデットガール・マーダー・ファルス3』などがありました。

安野貴博 ―作家

①『テスカトリポカ』佐藤究
②『機龍警察　白骨街道』月村了衛
③『異常論文』樋口恭介＝編
④『人工知能で10億ゲットする完全犯罪マニュアル』竹田人造
⑤『レオノーラの卵　日高トモキチ小説集』日高トモキチ

①も②も、今の国際社会、テクノロジーと巧妙にシンクロしながらも、超上質なエンターテイメント作品となっており、大変楽しめました。③は異常論文ならではの読み味を連続して感じることができ、非常に味わい深かったです。〝異常論文〟というワード自体の強さも好きです。

池澤春菜 ―声優・書評家

①《日本SFの臨界点》伴名練＝編
②『感応グラン＝ギニョル』空木春宵
③『七十四秒の旋律と孤独』久永実木彦
④『記憶翻訳者　みなもとに還る』門田充宏
⑤『彼岸花が咲く島』李琴峰

①、シリーズ扱いはズルいですよね、と思いつつ選べなかったので三冊まとめて入れちゃいます、許して。②、③、④は新しい世代のSF。透明感、傷み、丁寧に人を描くこと、それぞれのSF感が出ていて、幅の広さが頼もしい（だから本当は同率2位）。⑤はこの物語を生み出すには、SFという枠組みを借りないといけなかったんだと思う。さまざまな境界を可視化し、越えていこうとする、正にスペキュレイティヴな作品。

石和義之 ―SF評論家

●『ポストコロナのSF』日本SF作家クラブ＝編
●『日本SFの臨界点　石黒達昌　冬至草／雪女』伴名練＝編
●『異常論文』樋口恭介＝編
●〈現代思想〉二〇二一年十月臨時増刊号　総特集：小松左京（青土社）
●『本心』平野啓一郎

コロナ禍元年において、小松左京の『復活の日』が脚光を浴びたが、小松作品はカミュの『ペスト』がそうであるように、戦争体験を背景としていた。両作品はアンチ＝ゼロ・コロナを目指していたのに対し、令和のコロナSFはウィズ・コロナを前提としており、状況を克服するよりも適応を志向する。今年は小松左京没後十年であった。十年前選者は「日本沈没論」を書いたが、自分は『日本沈没』を司馬遼太郎作品のように読んだと気づいた。

いするぎりょうこ ―SF&ファンタジー・ファン

①『WOMBS CRADLE』白井弓子（コミック／双葉社アクションコミックス）
②『感応グラン＝ギニョル』空木春宵
③『大奥』よしながふみ（コミック／白泉社ヤングアニマルコミックス）
④『イスランの白琥珀』乾石智子
⑤『男の子になりたかった女の子になりたかった女の子』松田青子（中央公論新社）

二十世紀の常識を生きている身には、世界に開かれたモバイル端末を万人が持ち歩く二十一世紀はほとんどSFだが、めまぐるしい技術革新の嵐とパンデミックの恐怖に翻弄されるこの現実を生きるのは、とっても難儀。それでも、個人的なこととして抱え込んできた人の世の生きづらさの外的要因が、可視化され理論化されてクリアになってきたのは嬉しく、『るるぶ宇宙』の、SFではなく実用書としての刊行には感無量。

礒部剛喜 ―UFO現象学者

①『高天原黄金伝説の謎』荒巻義雄
②『白鯨』夢枕獏
③『ポストコロナのSF』日本SF作家クラブ＝編
④『再着装(リスリーヴ)の記憶 〈エクリプス・フェイズ〉アンソロジー』ケン・リュウ、他／岡和田晃＝編
⑤『ポストヒューマン宣言』海老原豊

なにかと閉塞感が強いこのごろではあるが、文学性とエンタテインメントの双方を満たす作品が少なくない。夢枕獏『白鯨』は史実と虚構を巧妙に配置した歴史小説だが、メルヴィルの古典的な文学への挑戦という意味だけでなく、半村良『産霊山秘録』の系譜に属したSFの領域にも重複する作品といえるだろう。

市田泉 ―翻訳家

①『山の人魚と虚ろの王』山尾悠子
②『るん（笑）』西島伝法
③『感応グラン＝ギニョル』空木春宵
④『まぜるな危険』高野史緒
⑤『日本SFの臨界点 石黒達昌 冬至草／雪女』伴名練＝編

『山の人魚と虚ろの王』の謎めいたストーリーを読み解こうと何度も精読したのは、たいへん楽しく贅沢な時間だった。『るん（笑）』は異形の社会を描いているようでいて、徐々に〝知ってる感じ〟が積もっていくのが恐ろしかった。痛々しく残酷なのに読後感は暗くない『感応グラン＝ギニョル』では「Rampo Sicks」と「徒花物語」が特に好き。

伊藤階 ―漫画家

● 『日本SFの臨界点 石黒達昌 冬至草／雪女』伴名練＝編
● 『テスカトリポカ』佐藤究
● 『機龍警察 白骨街道』月村了衛
● 『るん（笑）』西島伝法
● 『ポストコロナのSF』日本SF作家クラブ＝編

石黒達昌を新刊として令和にまた読める！ SFを狭い意味で見たなら今年一番心躍ったのは間違いなくこの件で、他の石黒作品も改めて世に出して貰えないものかと欲さえ湧いてしまいます。日本と海外の交差点に力強い物語を産んだ『テスカトリポカ』『機龍警察 白骨街道』、疫病とポストトゥルースの時代に『るん（笑）』『ポストコロナのSF』を読めた幸せ。他にも様々な作品に楽しませて頂きました。ありがとうございました。

井上彼方 ―編集／ウェブメディア

● 『kaze no tanbun 夕暮れの草の冠』西崎憲＝編著
● 『kaze no tanbun 移動図書館の子供たち』西崎憲＝編著
● 『Genesis 時間飼ってみた』小川一水、他
● 『ジュリアン・バトラーの真実の生涯』川本直
● 『偶然の聖地』宮内悠介（講談社文庫）※順不同。

ままならぬことばかりの現実社会の中で、短篇小説に救われた一年間でした。《kaze no tanbun》シリーズは、シリーズものの アンソロジーの新しい可能性を展開されていたと思います。〈SFマガジン〉や〈文藝〉の各号に掲載されたSF短篇小説も楽しませていただきました。

岩郷重力 ―グラフィック・デザイナー

● 『山の人魚と虚ろの王』山尾悠子
● 『統計外事態』芝村裕吏
● 『ポストコロナのSF』日本SF作家クラブ＝編

●『山猫サリーの歌』野田昌宏
●『異常論文』樋口恭介＝編

卯月鮎　—書評家・ゲームコラムニスト

●『異常論文』樋口恭介＝編
●『感応グラン＝ギニョル』空木春宵
●『るん（笑）』西島伝法
●『テスカトリポカ』佐藤究
●『地べたを旅立つ　掃除機探偵の推理と冒険』そえだ信

『異常論文』は、文章が持つ凄みの結晶。豪腕と熱量が混沌へと引きずり込む。『感応グラン＝ギニョル』は、乱歩とSFが出会い、美と醜と痛の乱調が主観をゆさぶる。『るん（笑）』は、西島作品のなかでは日常に近いはず……なのに異形の言語世界が広がる。『テスカトリポカ』は、血なまぐさい濁流に荘厳な光が射す。『地べたを旅立つ』は、ルンバ探偵。身体拡張の新たな視点でミステリはどこに進む？

榎本秋　—著述業

①『蒸気と錬金　Stealchemy Fairytale』花田一三六
②『帝国の弔砲』佐々木譲
③『播磨国妖綺譚』上田早夕里
④『青い砂漠のエチカ』高島雄哉
⑤『龍ノ国幻想1　神欺く皇子』三川みり

1位は大スケールの事件に巻き込まれる主人公とヒロインの掛け合いが楽しい作品。待望の新作。次回作も早く読みたい。「日露戦争で日本が負けたｉｆ」という著者の世界作りの妙がさすがな2位、独特の雰囲気に引き込まれた3位と来て、4位は「感染症の恐怖に晒される世界」というリアルと重なる青春が美しい作品。最後に5位は無数の謎と理不尽なしきたりに満ちた世界で戦う主人公の姿に惚れた作品を。

海老原豊　—評論家

●『地べたを旅立つ　掃除機探偵の推理と冒険』そえだ信
●『ポストコロナのＳＦ』日本ＳＦ作家クラブ＝編
●『七十四秒の旋律と孤独』久永実木彦
●『ＳＦプロトタイピング　ＳＦからイノベーションを生み出す新戦略』宮本道人＝監修・編著／難波優輝、大澤博隆＝編著
●『感応グラン＝ギニョル』空木春宵

コロナ禍でＳＦは何を想像できるのか考えていた一年だった。プロトタイピングという発想を知れた一年でもあった。

大倉貴之　—文筆家

①『白鯨』夢枕獏
②『まぜるな危険』高野史緒
③『日本ＳＦの臨界点　石黒達昌　冬至草／雪女』伴名練＝編
④『万博聖戦』牧野修
⑤『異常論文』樋口恭介＝編

伴名練編の《日本ＳＦの臨界点》は中井紀夫氏と新城カズマ氏もよかった。石黒達昌氏のそれを代表として挙げた。荒俣宏『妖怪少年の日々　アラマタ自伝』、菊池秀行作／Ｎａｆｆｙ絵『城の少年』も忘れがたい収穫。そして、眉村卓氏の『静かな週末』を筆頭にして日下三蔵氏の仕事の成果を評価したい。

大阪大学ＳＦ研究会　—大学サークル

①『感応グラン＝ギニョル』空木春宵
②『異常論文』樋口恭介＝編
③『涼宮ハルヒの直観』谷川流
④『ヴィンダウス・エンジン』十三不塔
⑤『ポストコロナのＳＦ』日本ＳＦ作家クラブ＝編

〈ＳＦマガジン〉二〇二一年六月号で爆発的に流行した「異常論文」は今年を代表するジャンルと言ってもいいだろう。コロナ禍という虚構のような現実が顕現するとともに、非

現実が異常論文の形で超現実へと昇華したのかもしれない。《涼宮ハルヒ》シリーズの新刊も記憶に新しい。時代は令和に移ったが、ハルヒは相変わらずであった。

大迫公成

——技術翻訳・CONTACT Japan代表

●『ネオウイルス学』河岡義裕

地球上には十の三十一乗のウィルスが存在するなんて知らなかった。様々な分野の専門家二十名が解説するウィルス研究についての非常に有意義な教科書だ。この分野における総合科学（ネクシャリズム：『宇宙船ビーグル号の冒険』）そのものである。このような研究の業績は日本人として誇りに思う。

大野典宏

——ただの一読者

①『播磨国妖綺譚』上田早夕里
②『失われた岬』篠田節子
③『月とライカと吸血姫（ノスフェラトウ）』シリーズ　牧野圭祐
④『Genesis　時間飼ってみた』小川一水、他

もともと雑食派なのですが、この一年はライトノベルにハマりまして。

大野万紀

——SF翻訳家・書評家

①『ジャックポット』筒井康隆
②『感応グラン゠ギニョル』空木春宵
③『万博聖戦』牧野修
④『テスカトリポカ』佐藤究
⑤『異常論文』樋口恭介゠編

読書の速度が遅くなり今年も読めていない本が多数あるので、あくまで読み終えた中でのベストである。①は八十代後半となった著者の覚悟が見える傑作短篇集。すごい。②は痛みと呪いに満ちた、しかし耽美でSF的深みもある短篇集だ。③は万博の狂騒を時間論SFとしても描く傑作長篇。④はSF味は薄いが（でもスーパーヒーローもの？）暴力的で神話的な力のある直木賞受賞作である。⑤は玉石あるが企画ものとして面白かった。

大森 望

——翻訳・書評業

①『異常論文』樋口恭介゠編
②『万博聖戦』牧野修
③『るん（笑）』西島伝法
④『感応グラン゠ギニョル』空木春宵
⑤『七十四秒の旋律と孤独』久永実木彦

①は二〇二一年の話題を独占したアンソロジー。②は大阪万博世代なら涙なくして読めない名作。③は読めば読むほど笑いと恐怖がこみあげてくる。④と⑤はともに創元SF短編賞出身作家のデビュー単行本。④は「地獄を縫い取る」の衝撃力がすさまじい。⑤は新しいタイプのロボットSF連作集。ちなみに次点は、なぜSFコンテストの大賞をとれなかったのか解せない竹田人造『人工知能で10億ゲットする完全犯罪マニュアル』でした。

岡田靖史

——飲食店主

①『感応グラン゠ギニョル』空木春宵
②『まぜるな危険』高野史緒
③『七十四秒の旋律と孤独』久永実木彦
④『レオノーラの卵　日高トモキチ小説集』日高トモキチ
⑤『るん（笑）』西島伝法

上位は不思議な話が集中した。それとやはり表現の深さ、広さ、新しさなど刺激的。他にも『万博聖戦』『大日本帝国の銀河』1〜4（まだ途中だが評価はかなり高い）『テスカポリトカ』（神話を読んでいるような気分）『異常論文』（大胆な発想の数々に目眩）『ポストコロナのSF』（今だからこそ書けて読める題材）『播磨国妖綺譚』（著者の魅力の一面）。

岡本俊弥

——SFブックレビュアー

●『万博聖戦』牧野修

●『ポストコロナのＳＦ』日本ＳＦ作家クラブ＝編
●『まぜるな危険』高野史緒
●『感応グラン＝ギニョル』空木春宵
●『異常論文』樋口恭介＝編

アンソロジーと短篇集中心のセレクトになった。ノンフィクションでも、標題に中味が負けていない『世界ＳＦ作家会議』や、私家版ながらエッセイから未収録短篇までを収め、内容が充実した『眉村卓の異世界通信』などが重要だろう。評論『星新一の思想』は意外な観点からの星作品論なのでお見逃しなく。《日本ＳＦの臨界点》で出た三冊の再評価作品集や《異形コレクション》の復活も喜ばしい。

岡和田晃
―ＳＦ評論家／ゲームデザイナー―

●『蒸気と錬金　Stealchemy Fairytale』花田一三六
●『ルパン三世ゲームブック　さらば愛しきハリウッド復刻版』吉岡平＝著／塩田信之＝編（双葉社）
●『記憶と人文学』三村尚（小鳥遊書房）
●『蝶として死す　平家物語推理抄』羽生飛鳥（東京創元社ミステリ・フロンティア）
●「Utopia」川嶋侑希（SF Prologue Wave）

国産・海外ともに、他の私の批評で取り上げたもの一作に、挙げられていなかったものを加えた。花田一三六がスチームパンクで復活。復活といえば、《ファイティング・ファンタジー・コレクション》の盛り上がりに刺激を受け、版権作品の国産ゲームブックが新装再刊されたのは事件。ゼーバルトとチャンを両方扱う理論書と新たなシェアード・ワールド。思緒雄二・問瀬純子ら他の作家の〈ナイトランド・クォータリー〉掲載作も要注目。

オキシタケヒコ
―ＳＦものかき―

●『万博聖戦』牧野修
●『るん（笑）』酉島伝法
●『オオカミライズ』伊藤悠（コミック／集英社ヤングジャンプコミックス）
●『絶対可憐チルドレン』椎名高志（コミック／小学館少年サンデーコミックス）

二〇二〇年の終盤を飾った特級品ふたつと二一年完結の漫画から順不同に。

忍澤勉
―ライター―

●『帝国の弔砲』佐々木譲
●『忘れられたその場所で、』倉数茂（ポプラ社）
●『感応グラン＝ギニョル』空木春宵
●『再着装（リスリーヴ）の記憶　〈エクリプス・フェイズ〉アンソロジー』ケン・リュウ、他／岡和田晃＝編
●『るん（笑）』酉島伝法

今年も感じたＳＦの想像力の幅の広さよ。緻密な歴史小説の書き手は、壮大な歴史改変小説の書き手でもあったことを実感し、静謐な物語にエンタメを付加させる手法はすでに円熟の域に達し、若き俊英による古風な描写に差し込まれる最新のレトリックに大いに頷き、ゲームとして構築された世界を楽し気に遊ぶ多くの作品に眩惑され、そして一つ一つの言葉の深さを再認識させられた新機軸に拍手。これら五冊、どうもありがとう。

尾之上浩司
―モンスター小説翻訳家―

①『涼宮ハルヒの直観』谷川流
②『創作講座　料理を作るように小説を書こう』山本弘
③『大日本帝国の銀河１』林譲治
④『再着装（リスリーヴ）の記憶　〈エクリプス・フェイズ〉アンソロジー』ケン・リュウ、他／岡和田晃＝編
⑤『裏世界ピクニック６　Ｔは寺生まれのＴ』宮澤伊織

待てば海路の日和あり。出たよ、出ましたよ〝ハルヒ〟の新刊が！　これで今年度のトップは決まり。②は、大ベテランが創作術を語る好企画。③は表紙を見た瞬間、まさしく胸が躍り震えた、一種の架空戦記シリーズ第

一弾。④は、斯界のホープが編み出したアクロバティックなアンソロジー。⑤は、JA文庫のエンタメ定番シリーズ最新刊。頭と殿（しんがり）がラノベというのは、まさにリアルタイムなSFベスト5だなと、自分でも思った。

小山正　ミステリ研究家

①『貝に続く場所にて』石沢麻依
②『ジャックポット』筒井康隆
③『老虎残夢』桃野雑派（講談社）
④『影踏亭の階段』大島清昭
⑤『異端の祝祭』芦花公園

怪奇幻想系の本にひたすら感心した一年。最も鮮烈だったのは芥川賞受賞作の①。時空を越える魂の触れ合いを見事に描いており、連環する貝の扱いも印象的。処女作とは思えぬ幻想純文学の傑作である。魂の交錯は②の短篇「川のほとり」でも描かれていて、これも深く胸に刺さった。③は幻想ミステリの快作。乱歩賞にしては久々に物語が華麗で心が躍った。④の不気味さも捨てがたい。あまりの忌まわしさに、読後念仏を唱えたほど。

風野春樹　精神科医兼レビュアー

①『るん（笑）』酉島伝法
②『ポストコロナのSF』日本SF作家クラブ＝編
③『人工知能で10億ゲットする完全犯罪マニュアル』竹田人造

今年は国内SFがあまり読めていないことを反省するばかりです。

片桐翔造　レビュアー

①『七十四秒の旋律と孤独』久永実木彦
②『エゴに捧げるトリック』矢庭優日
③『るん（笑）』酉島伝法
④『テスカトリポカ』佐藤究
⑤『人工知能で10億ゲットする完全犯罪マニュアル』竹田人造

香月祥宏　書評家

①『七十四秒の旋律と孤独』久永実木彦
②『感応グラン＝ギニョル』空木春宵
③『まぜるな危険』高野史緒
④『ハイスクール・オーラバスター・リファインド　最果てに訣す　the world』若木未生
⑤『あやとり巨人旅行記』稲葉祥子

短篇集やアンソロジーが豊作だった。とくに創元SF短編賞組の①②は、ともに単著デビュー作とは思えない読み応え。③は作者のリミックス技が次々と決まる快作。⑤はとぼけた感じと俗っぽさが混ざり合う、奇想短篇集の意外な収穫。④オーラバの完結は感慨深い。ともに青春時代を過ごしたキャラの魅力はもちろん、異世界FT全盛の時代に、半村良や平井和正の系譜を継ぐ伝奇&青春サイキック・バトルものとしても楽しませてくれた。

勝山海百合　小説家

①『彼岸花が咲く島』李琴峰
②『カミサマはそういない』深緑野分
③『るん（笑）』酉島伝法
④『邪教の子』澤村伊智（文藝春秋）
⑤『ヴィンダウス・エンジン』十三不塔

『彼岸花が咲く島』の最初のほうに、日本語から漢字や漢語を排除するが、不便なところは「さまざまな　くにで　コモン・ランゲージである　イングリシュ」で補うというおきてが出てきたところで目が離せなくなった。『カミサマ～』所収の「新しい音楽、海賊ラジオ」と『邪教の子』は傑作団地小説。

鼎元亨　一介のSF者

●『日本SFの臨界点　石黒達昌　冬至草／雪女』伴名練＝編
●『まぜるな危険』高野史緒
●『四元館の殺人　探偵AIのリアル・ディープラーニング』早坂吝

●『大日本帝国の銀河』林譲治
●『SFプロトタイピング　SFからイノベーションを生み出す新戦略』宮本道人＝監修・編著／難波優輝・大澤博隆＝編著

死の影と喧騒が世を覆った一年だったため、破滅や絶望を語る物語がSFの内外で流布した。しかし、SFではコロナ禍にもかかわらず新しい才能が数多く芽生えている。まだまだ主角の目立つところ多く、期待に留まるが、十年後のベストを席巻するであろう才能群に期待するところは大きい。SFとミステリの融合に見るところが多かった。そえだ信『地べたを旅立つ』が『いさましいちびのトースター』を連想して次点。

川合康雄

SFアート研究家

①『七十四秒の旋律と孤独』久永実木彦
②『まぜるな危険』高野史緒
③『播磨国妖綺譚』上田早夕里
④『万博聖戦』牧野修
⑤『白き女神の肖像』鴇沢亜妃子

今年もすごい作品ばかりで選び出すのが大変だったし、順位もつけがたい。それぞれの作品が自分の中の感性に訴えかけてくる。

北原尚彦

作家・翻訳家

①『万博聖戦』牧野修
②『るん（笑）』西島伝法
③『まぜるな危険』高野史緒
④『レオノーラの卵　日高トモキチ小説集』日高トモキチ
⑤『感応グラン＝ギニョル』空木春宵

短篇集好きですが、今年の1位は長篇①に決まり。炸裂するイマジネーションが凄い。以下は短篇集。②は「最も読みやすい西島伝法」かも。ロシア文学とSFをミックスした③は「小ねずみと童貞と復活した女」が圧巻。④はファンタスティックな、でもヘンテコな作品集。⑤は江戸川乱歩に通じる変態小説集。番外として盛林堂ミステリアス文庫の高井信編『石原藤夫ショートショート集成　単行本未収録作品集』と大橋博之編『光瀬龍ジュヴナイルSF未収録作品集』を。

日下三蔵

SF研究家

①『レオノーラの卵　日高トモキチ小説集』日高トモキチ
②『まぜるな危険』高野史緒
③『七十四秒の旋律と孤独』久永実木彦
④『感応グラン＝ギニョル』空木春宵
⑤『日本SFの臨界点　新城カズマ　月を買った御婦人』伴名練＝編

今年はまれにみる短篇集の当たり年であった。年間ベストが短篇集だけで埋まったのは久しぶり。才人・日高トモキチの初小説集となる①、贅沢にネタをぶち込んだ奇想短篇集の②が、甲乙つけがたいツートップ。創元SF短編賞からハイレベルな作品集の③と④が生まれたのもうれしい。伴名練さんの《日本SFの臨界点》が個人短篇集に発展したのも素晴らしい。長篇では牧野修『万博聖戦』と高島雄哉『青い砂漠のエチカ』が良かった。

草野原々

SF作家

①『ブランダム　推論主義の哲学』白川晋太郎（青土社）
②『脳の大統一理論　自由エネルギー原理とはなにか』乾敏郎、坂口豊（岩波科学ライブラリー）
③『物語論序説　〈私〉の物語と物語の〈私〉』遠藤健一（松柏社）
④『異常論文』樋口恭介＝編
⑤『ゲキドル』（アニメ）

今年はSF小説をあまり読んでいなかった。時代の流れに取り残されている気がするぞ。ということで、興味深い科学書・哲学書を中心に選出。①は哲学、②は脳神経科学の入門書であるが、両社とも「推論」を中心にするアプローチが共通していて面白い。⑤は一話と最終話で作品のジャンル自体が変わるという超展開SFであり、久しぶりに圧倒された作品。

鯨井久志 ―研修医兼レビュアー

①『るん（笑）』酉島伝法
②『感応グラン＝ギニョル』空木春宵
③『日本SFの臨界点 中井紀夫 山の上の交響楽』伴名練＝編
④『異常論文』樋口恭介＝編
⑤『闇の自己啓発』江永泉・木澤佐登志・ひでシス・役所暁

①は国家試験対策で頭がカチコチになってしまっている医学生に読ませたいSFオールタイムベスト第1位。自分が教授なら推薦図書にしてるかも。②は官能と耽美の色濃い良短篇集。《日本SFの臨界点》三作からどれを選ぶかは大変悩ましいが、日本SF＝ボルヘスの影響大説（伴名練）を支持したい身として③を。三作まとめて一票扱いなら1位にしてました。④と⑤は何となくセットで。

COCO ―釣り師ときどき絵描き

①『レオノーラの卵 日高トモキチ小説集』日高トモキチ
②『万博聖戦』牧野修
③『機龍警察 白骨街道』月村了衛

ノスタルジックなものに弱いが、①と②は年代的にもモチーフ的にもドンピシャ過ぎて震えて泣いた。③は常に最高傑作を更新してその運動の高潔さに胸を打たれる。

小谷真理 ―SF&ファンタジー評論家

①『一度きりの大泉の話』萩尾望都（河出書房新社）
②『白鯨』夢枕獏
③『ポストヒューマン宣言』海老原豊
④『SFプロトタイピング SFからイノベーションを生み出す新戦略』宮本道人＝監修・編著／難波優輝・大澤博隆＝編著
⑤『まぜるな危険』高野史緒

〈現代思想〉誌で小松左京特集が組まれたり、樋口恭介のユニークなアンソロジー『異常論文』が好評を博したりと、批評系の収穫が多く、SF思考とは批評的思考に通じることを改めて認識。古典的名作への批評的な読解を含んだ②と⑤には、マジで痺れた。

堺三保 ―文筆業・日曜映画監督

①『機龍警察 白骨街道』月村了衛
②『大日本帝国の銀河』林譲治
③『裏世界ピクニック（5・6）』宮澤伊織
④『統計外事態』芝村裕吏
⑤『逡巡の二十秒と悔恨の二十年』小林泰三（角川ホラー文庫）

番外として『異常論文』樋口恭介編。なんというか、最後の最後で『異常論文』に持っていかれた一年だったというか。いや、おもしろかったです。

坂永雄一 ―作家

●『日本SFの臨界点 新城カズマ 月を買った御婦人』伴名練＝編

坂村健 ―電脳建築家

①『大日本帝国の銀河』林譲治
②『機龍警察 白骨街道』月村了衛
③『アクティベイター』冲方丁
④『人工知能で10億ゲットする完全犯罪マニュアル』竹田人造
⑤『ユア・フォルマ 電索官エチカと機械仕掛けの相棒』菊石まれほ

『大日本帝国の銀河』は、著者が長く書いてきた仮想戦記モノと近作の「星間侵略に合理性」テーマの絶妙なブレンド。海外のファーストコンタクトSFで対置されるのは、個と種族の粒度がほとんどだが、本作は著者の仮想戦記で顕著だった組織論テーマがSFと絡むことで、日本的というか組織粒度でのファーストコンタクトとでも言うべきユニークなシリーズになっている。完結を目指して、今後の風呂敷の畳み方が楽しみだ。

佐々木敦　思考家

①『異常論文』樋口恭介＝編
②『闇に用いる力学』竹本健治
③『日本ＳＦの臨界点　石黒達昌　冬至草／雪女』伴名練＝編
④『るん（笑）』酉島伝法
⑤『ジャックポット』筒井康隆

『異常論文』は二〇二〇年代ニッポンの『危険なヴィジョン』である。続篇あるなら私も書きたい（ダメかな）。竹本健治の超大作は三冊併せてです。ミステリでもホラーでもない（ＳＦでもないかも）ジャンル分け不能の異常小説。《日本ＳＦの臨界点》は素晴らしいアンソロジーでした。伴名氏の解説も必読。寡作の天才、西島伝法の短篇集は嬉しかった。筒井さんの生産力はますます衰えを知らない。むしろペース上がってるのでは？

佐藤大　脚本家

①『異常論文』樋口恭介＝編
②『大日本帝国の銀河』林譲治
③『日本ＳＦの臨界点　石黒達昌　冬至草／雪女』伴名練＝編
④『ポストコロナのＳＦ』日本ＳＦ作家クラブ＝編
⑤『闇の自己啓発』江永泉・木澤佐登志・ひでシス・役所暁

２位以外は、コロナ禍が表現側にどんな影響を与えたのかを企画発想の経緯自体の成立からすら感じる様な本に惹かれた一年。特に『異常論文』は、特殊な状況下で誕生した経緯込みで楽しみました。個人的に物語の定型から離脱してもなお字が奏でる何かを得るポスト作劇の基準点となりました。そして、林氏の『大日本帝国の銀河』は、異なる既知から未知の歴史へと設定を段々と再構築して魅せる手腕に興奮しました。

三方行成　小説家

①『日本ＳＦの臨界点　中井紀夫　山の上の交響楽』伴名練＝編
②『るん（笑）』酉島伝法
③『まぜるな危険』高野史緒
④『テスカトリポカ』佐藤究
⑤『マルドゥック・アノニマス』冲方丁

《日本ＳＦの臨界点》については『月を買った御婦人』や『冬至草／雪女』も読んでください。②は面白いですが内容が内容だけにしんどくなるかもしれません。③は「桜の園のリディア」が好きです。④は暴力がたくさん出てきて好きです。⑤は最近シリーズを読み初めてここにいれた次第です。

志村弘之　ＳＦ読者

①『人工知能で10億ゲットする完全犯罪マニュアル』竹田人造
②『異常論文』樋口恭介＝編
③『木星で春を待つ鬼』箱守瑞紀（ＫＡＤＯＫＡＷＡ）
④『Ｖｏｙａｇｅ　想像見聞録』宮内悠介・他
⑤『るん（笑）』酉島伝法

《日本ＳＦの臨界点》三冊（中井紀夫、新城カズマ、石黒達昌）や『まぜるな危険』『感応グラン＝ギニョル』といった個人短篇集は今年も収穫が多かった。ロボットが語り手の『ＹＨＡ子に世界は難しい』ちょっと感動した。『七十四秒の旋律と孤独』後半、七十四秒の場面も良かった。

下楠昌哉　英文学者

①『山の人魚と虚ろの王』山尾悠子
②『観念結晶大系』高原英理
③『コティングリー妖精事件――イギリス妖精写真の新事実』井村君江・浜野志保＝編著（青弓社）
④『機龍警察　白骨街道』月村了衛
⑤『妖怪少年の日々　アラマタ自伝』荒俣宏

今年は〈夜想〉の特集も素晴らしかった。

存在感が年々増している。②どこまでも硬質に透明に。③妖精写真の仕掛人の鞄の中身がフルカラーの写真で見られるとは。④読み出したらいつもながらグイグイ。⑤知の巨人は妖怪だけでなく人とのつながりに支えられていた。選外としたが樋口恭介編『異常論文』には、鈴木一平＋山本浩貴（いぬのせなか座）「無断と土」をメジャー作品として世に送り出したことに、最大限の敬意と感嘆を。

十三不塔 ―作家

①『テスカトリポカ』佐藤究
②『るん（笑）』酉島伝法
③『感応グラン＝ギニョル』空木春宵
④『人工知能で10億ゲットする完全犯罪マニュアル』竹田人造
⑤『日本SFの臨界点　新城カズマ　月を買った御婦人』伴名練＝編

『感応グラン＝ギニョル』には陶然とさせられ、『10億ゲット』には突き抜けるような爽快感を覚えた。『月を買った貴婦人』にはひたすら唸らされた。上位二作品はSFというより文学として規格外で方向性は違えど重厚な読み応え。再読にもパワーが必要だが執筆の士気を上げるためにもう一度手に取るだろう。異国のビーチで読むなら『テスカトリポカ』、真夜中のトイレでページを開くなら『るん（笑）』をお勧めする。

水鏡子 ―SFロートル

①『異常論文』樋口恭介＝編
②『るん（笑）』酉島伝法
③『異邦人、ダンジョンに潜る。』麻美ヒナギ（KADOKAWAドラゴンノベルス）
④『日本SFの臨界点　新城カズマ　月を買った御婦人』伴名練＝編
⑤『マージナル・オペレーション改』芝村裕吏（星海社FICTIONS）

「なろう」にかまけて日本海外共に積み残し多数。多謝。①は一わたり眺めただけで読み込めていないが、SFのひとつの極北として。現代社会っぽい②の気持ち悪さは吉村萬一と呼応する。③書籍は昨年出た第三巻で中断しているがWEB版が今年完結したので。④伴名練本では内容的には『石黒達昌　冬至草／雪女』が本年実質1位評価だが、再編集版であるので、こちらのほうを。⑤は、前作を含めた著者最長作品への感謝を。

鈴木力 ―ライター

①『山猫サリーの歌』野田昌宏
②『日本SFの臨界点　石黒達昌　冬至草／雪女』伴名練＝編
③『蒼衣の末姫』門田充宏
④『人工知能で10億ゲットする完全犯罪マニュアル』竹田人造
⑤『異常論文』樋口恭介＝編

『山猫サリーの歌』を1位に推したのは『レモン月夜の宇宙船』が好きなのもありますが、何よりその圧倒的面白さ。未定稿でこれなんだから、完成したらどのくらいになったんだろう。

代島正樹 ―SFセミナースタッフ

①『異常論文』樋口恭介＝編
②《日本SFの臨界点》伴名練＝編
③『平井呈一　生涯とその作品』紀田順一郎＝監修／荒俣宏＝編（松籟社）
④『妖怪少年の日々　アラマタ自伝』荒俣宏
⑤『星新一の思想――予見・冷笑・賢慮のひと』浅羽通明

①〝異常論文〟という秀逸なラベリングと、各作家が呼応して増殖する様からしてSF的。②伴名練の手腕が存分に発揮された、三冊の作家別個人傑作選。③怪奇幻想文学翻訳の名匠、平井呈一の本格評伝。まさに荒俣宏にしか書き得なかった、畏敬の念を覚える大労作。④その荒俣宏による連載自伝の単行本化にも快哉。この系統では〈幻想と怪奇〉7号「ウィアード・テールズ特集」も収穫。独自の視点で作家像に迫る⑤も読み応えあり。

高島雄哉 ——小説家＋SF考証

①『貝に続く場所にて』石沢麻依
②『彼岸花が咲く島』李琴峰
③『肉体のジェンダーを笑うな』山崎ナオコーラ
④『科学を語るとはどういうことか 増補版』須藤靖・伊勢田哲治（河出書房新社）
⑤『闇祓（やみはら）』辻村深月

すきな作品を選んでいって——意図したということでもないのだけれど——言葉あるいは描写についての作品群に。おそらく、個人的にこういう向きの広がりこそがSFの根源的な美しさだと思っているから。

高槻真樹 ——SF評論・映画研究者

①『さよたんていのおなやみ相談室』さよたんてい（ぴあ）
②『CITY13』あらゐけいいち（コミック／講談社モーニングKC）
③『魚社会』panpanya（コミック／白泉社楽園コミックス）
④『ヴィンダウス・エンジン』十三不塔
⑤『ゴジラS.Pファンブック』（双葉社スーパームック）

周辺領域に実に尖った作品が多い年だった。なかでも①は異常に知性を感じさせる小学生の手による人生相談文集。その痛快なぶった切り方は、まさにSF。②一貫して街の不条理を描き続けた作品が、奇想天外な選挙を描くことで落着。見事な大団円。③不条理の名手が大きくSFに接近してきた。④SFコンテスト発だが王道にして安定している。主人公が韓国人で、日本人が一人も出てこない思い切り方が見事。⑤ガイド本すら異形。

竹田人造 ——会社員

●『日本SFの臨界点 新城カズマ 月を買った御婦人』伴名練＝編
●『日本SFの臨界点 中井紀夫 山の上の交響楽』伴名練＝編
●『ヴィンダウス・エンジン』十三不塔
●『るん（笑）』酉島伝法
●『七十四秒の旋律と孤独』久永実木彦

『月を買った御婦人』は冒頭の街頭演説サスペンスからもっていかれた。軽妙で多様なベクトルの物語を楽しめた。『山の上の交響曲』は往年の某TV番組X風の表題作が大好き。シャフ寺はさぁ。『ヴィンダウス』は単語センスとシチュ演出の密度に舌を巻く。強襲型仮想現実の字面が最高、戦闘機でそんなことする⁉『るん（笑）』はもう本当に読んでいて気分が悪くなった。褒めています。『七十四秒〜』は喪失感の描き方が好き。表題作にはしてやられた。

立原透耶 ——物書き、翻訳、教員

●『蒸気と錬金 Stealchemy Fairytale』花田一三六
●『テスカトリポカ』佐藤究
●『ポストコロナのSF』日本SF作家クラブ＝編
●『まぜるな危険』高野史緒
●『播磨国妖綺譚』上田早夕里

順不同。周辺書物でも興味深い内容のものが多く、楽しく読む機会の多い一年だった。若手作家さんの勢いがすごく、今後に期待大。

巽 孝之 ——SF批評家

●『白鯨』夢枕獏
●『まぜるな危険』高野史緒
●『ポストコロナのSF』日本SF作家クラブ＝編
●『ポストヒューマン宣言』海老原豊
●『我、アメリカノ敵ヲ発見セリ——ハインラインの青少年向け小説における白人性』島克也（春風社）

夢枕獏の数多い著作の中でも、世界文学的な名作へ真っ向から挑戦し、みごとな再解釈を見せたのは稀少だろう。高野史緒短篇集はトリッキイなタイトル通りの佳作を集めた逸品。日本ＳＦ作家クラブ編の久々のアンソロジーも多様な視点が並んで楽しい。加えて日本ＳＦ評論賞デビューの批評家が満を持して放つ第一論文集、アメリカ文学研究の若手がハインラインを徹底研究した博士号請求論文と揃い踏みしたのも頼もしい。

田中すけきよ ―フリーアーキビスト

①『異常論文』樋口恭介＝編
②『ドラゴンは爬虫類 骨格と進化から読みとく伝説動物の図鑑』川崎悟司（大和書房）

すみません。全然読めてないです……。今年は「二見ホラー×ミステリ文庫」の新レーベル創刊が印象深い。

田中 光 ―イラストレーター

●『山の人魚と虚ろの王』山尾悠子
●『逡巡の二十秒と悔恨の二十年』小林泰三
●『日本ＳＦの臨界点 中井紀夫 山の上の交響楽』伴名練＝編
●『日本ＳＦの臨界点 新城カズマ 月を買った御婦人』伴名練＝編
●『日本ＳＦの臨界点 石黒達昌 冬至草／雪女』伴名練＝編

タニグチリウイチ ―書評家／ライター

①『ひとりぼっちのソユーズ』七瀬夏扉
②『進撃の巨人』諫山創（コミック／講談社コミックスマガジン）
③『Vivy prototype』長月達平・梅原英司
④『青い砂漠のエチカ』高島雄哉
⑤『ヒトコブラクダ層ぜっと』万城目学

月面開発を成し遂げ人類が幸福へと至る道筋を、無限の失敗から学ばせてくれるとともに、無数の時空が折り重なった宇宙の深遠さも感じさせてくれた①はもっと知られるべき作品。②はモンスターパニックに見せかけ世界を広げて差別がもたらす悲劇と融和の可能性を見せた。ＡＩの進化と歴史改変の困難さを合わせてみせた③、いずれ来るＸＲ社会にコロナ禍を重ねた④、どこに向かうかわからない万城目ワールドの神髄を見せた⑤を選んだ。

津久井五月 ―作家

①『日本ＳＦの臨界点 石黒達昌 冬至草／雪女』伴名練＝編
②『機龍警察 白骨街道』月村了衛
③『テスカトリポカ』佐藤究
④『植物忌』星野智幸
⑤『ポストコロナのＳＦ』日本ＳＦ作家クラブ＝編

①の石黒達昌傑作選は医学・生理学・生物学的なモチーフを駆使する点で安部公房の系譜に連なるようであり、謎に迫っていく筆致はラヴクラフトのようでもあり、ユニークな作風に刺激を受けた。②の機龍警察シリーズ最新作は国際情勢との呼応が一層高まり、今後がますます気になる。③もまた現代日本と世界の薄暗い状況をエンタメに落とし込みつつ、神話的な想像力によって「いま・ここ」を越えた興奮をもたらす手腕にしびれた。

東北大学SF・推理小説研究会 ―大学サークル

①『異常論文』樋口恭介＝編
②『るん（笑）』西島伝法
③『日本ＳＦの臨界点 石黒達昌 冬至草／雪女』伴名練＝編
④『感応グラン＝ギニョル』空木春宵
⑤『まぜるな危険』高野史緒

①「決定論的自由意志利用改変攻撃について」や「四海文書注解抄」[注4]、「解説――最後のレナディアン語翻訳」が部内で人気だった。②現実世界と正反対なようで、どこか地続きにも感じられる作品。作者の従来までの魅力と新たな側面が両方味わえる傑作。③「冬至草」、「平成３年５月２日～」を推す声が多かった。④退廃的で幻想的な世界へ引きこまれる傑作。⑤作品のミックスにより生

まれた大変楽しい作品集。

中村　融　――翻訳家・アンソロジスト

①『銀獣の集い　廣嶋玲子短編集』廣嶋玲子
②『感応グラン＝ギニョル』空木春宵
③『七十四秒の旋律と孤独』久永実木彦
④『眉村卓の異世界通信』「眉村卓の異世界通信」刊行委員会
⑤『フェイス・ゼロ』山田正紀／日下三蔵＝編

私家版や同人誌は挙げないことにしているのだが、今年はその原則を曲げて④を選んだ。内容といい装幀といい、これ以上ない追悼本といえるからだ。とりわけ、六十年におよぶ眉村のSF小説の変遷をたどった山岸真氏の概説は、随所に鋭い指摘があり、たいへん勉強になった。②と③は新人作家の第一作品集。甲乙つけがたいが、毒の強い②のほうが当方の趣味に合った。ふたりとも今後が楽しみである。

長山靖生　――評論家

●『レオノーラの卵　日高トモキチ小説集』日高トモキチ
●『日本SFの臨界点　石黒達昌　冬至草／雪女』伴名練＝編
●『失われた岬』篠田節子
●『まぜるな危険』高野史緒
●『万博聖戦』牧野修

今年一番楽しんだのは『レオノーラの卵』だったと思う。そして充実感を味わったのは『冬至草／雪女』と『失われた岬』だ。後の二作がともに戦時中の秘密研究に絡んだ物語であるのは偶然ではないだろう。

名古屋大学SF・ミステリ・幻想小説研究会　――大学サークル

①『ダーク・ロマンス　異形コレクションXLIX』井上雅彦＝監修
②『あと十五秒で死ぬ』榊林銘
③『ポストコロナのSF』日本SF作家クラブ＝編
④『涼宮ハルヒの直観』谷川流
⑤『NOVA　2021年夏号』大森望＝編

①短篇により好き嫌いが激しい。②作者の出身が母校なので応援したい。ぶっ飛んだ設定に反しミステリの王道で見事。③科学技術の考証が甘い作品がある。「オンライン福男」「献身者たち」はよかった。④ミステリとして読むには面白かったが、SFとして読むとなるとSF的な要素が少ないように感じた。⑤切なく心温まる作品が多い。シンプルに面白さでは「欺瞞」が白眉。「無脊椎動物の想像力と創造性について」がSF的によかった。

難波弘之　――ミュージシャン、東京音楽大学教授

①『ポストコロナのSF』日本SF作家クラブ＝編
②『七十四秒の旋律と孤独』久永実木彦
③『るん（笑）』酉島伝法
④『まぜるな危険』高野史緒
⑤『頭の中の昏い唄』生島治郎／日下三蔵＝編

長篇を読む体力がなくなって来たのか、短篇集ばかり読んでいます（笑）。ポストコロナのアンソロジーは、少し凹んでいる時に読んだので、元気が出ました！　『大日本帝国の銀河』楽しく読んでおりますが、まだ途中なので、完結時に挙げようと思っております。

人間六度　――もうすぐ作家になるであろう人、大学生

①『筐底(はこぞこ)のエルピス』オキシタケヒコ
②『ヴィンダウス・エンジン』十三不塔

《筐底(はこぞこ)のエルピス》はあまりに良すぎて、読んでいると心が折れそうになるほど好きです。『ヴィンダウス・エンジン』も良かった。それ以外にもSFを読んだかもしれませんが、それをSFとして認識していないか、そもそも僕が本を読まなさすぎるためか、アンケートに書けるのがこの二つのみとなって

しまってすみません。

橋 賢亀 ―絵描き

①『銀獣の集い　廣嶋玲子短編集』廣嶋玲子
②『彼岸花が咲く島』李琴峰
③『ペッパーズ・ゴースト』伊坂幸太郎
④『山の人魚と虚ろの王』山尾悠子
⑤『久遠の島』乾石智子

橋本輝幸 ―SF書評家

●『るん（笑）』酉島伝法
●『機龍警察　白骨街道』月村了衛
●『川のほとりで羽化するぼくら』彩瀬まる
●『異常論文』樋口恭介＝編
●《日本SFの臨界点》伴名練＝編

順不同。混迷や恐怖を描いた作品が印象的な年だった。ありえない（とは言い切れない）世界観で身に覚えのある怖さが迫る。後半に挙げた二点は、編集者・アンソロジストとして新たな試みに身を投じられたことへの敬意に投票という感じです。ハヤカワSFコンテスト優秀賞の二作は選んでいませんが、個性ある作家たちの今後に期待しております。掌篇や短篇小説にも印象的なものは多々あり、ここで紹介できないのが残念。

長谷敏司 ―作家

●『シン・エヴァンゲリオン劇場版』（アニメ）
●『進撃の巨人』諫山創
●『感応グラン＝ギニョル』空木春宵
●『七十四秒の旋律と孤独』久永実木彦
●『蒼衣の末姫』門田充宏

『シン・エヴァンゲリオン劇場版』と『進撃の巨人』は、大作の完結に。空木春宵『感応グラン＝ギニョル』、久永実木彦『七十四秒の旋律と孤独』は、ともに新時代を感じさせる新人の短篇小説集。門田充宏『蒼衣の末姫』は、著者の新たな境地のファンタジイ。見事な密度感で構築された世界での、先の楽しみな物語。新型コロナのパンデミックというSF的な状況が、まさに現実へとほどけてゆく過程の中で、どんなフィクションをおすすめできるだろうと考えたすえ、大作の見事な完結と新人作品に落ち着きました。比べにくい小説以外と小説を並べてしまったため、順位はつけませんでした。

葉月十夏 ―物語愛好家

①『静かな終末』眉村卓／日下三蔵＝編
②『山の人魚と虚ろの王』山尾悠子
③『機龍警察　白骨街道』月村了衛
④『フェイス・ゼロ』山田正紀／日下三蔵＝編
⑤『逡巡の二十秒と悔恨の二十年』小林泰三

①④⑤どれも多様性に富んだ読み応えのある短篇集。そうくるか、と驚かされ、常識を抉られ、考えさせられました。②魅惑的な世界に引き込まれます。③個性的な登場人物と緻密な描写、迫力の展開に圧倒されました。

林 譲治 ―SF作家

①『まぜるな危険』高野史緒
②『播磨国妖綺譚』上田早夕里
③『異常論文』樋口恭介＝編

『異常論文』については書籍として完成したものもさることながら、SNSでの関係者のやりとりから現実に書籍になるまでのプロセスあるいは運動が非常に興味深かった。おそらくこの本は、本とその周辺を読み込むことで、完成するのではないかと思う。『播磨国妖綺譚』は哲学として科学を描いている傑作。

林 哲矢 ―SFレビュアー

①『るん（笑）』酉島伝法
②『異常論文』樋口恭介＝編
③『日本SFの臨界点　石黒達昌　冬至草／雪女』伴名練＝編

④『NOVA 2021年夏号』大森望＝編
⑤『再着装(リスリーヴ)の記憶 〈エクリプス・フェイズ〉アンソロジー』ケン・リュウ、他／岡和田晃＝編

期せずして短篇集、アンソロジーばかりになった。連作短篇集の①はテーマと語りのどちらもすばらしくディストピアとみえる世界に次第に郷愁を覚えはじめる怖さが。②は企画力の勝利。③は同コンセプトで続いてほしいという期待もこめて。④は京都の街が蜘蛛の巣に覆われる坂永雄一作品が良かった。⑤はニュー・スペース・オペラ好き必読。ゲーム関連だからとお見逃しなく。

樋口恭介
SF作家

①『異常論文』樋口恭介＝編
②『るん（笑）』西島伝法
③『テスカトリポカ』佐藤究
④『ポストコロナのSF』日本SF作家クラブ＝編
⑤『日本SFの臨界点 石黒達昌 冬至草／雪女』伴名練＝編

読んでいて体調が悪くなった順、つまり、実際に現実に影響を及ぼした虚構の順です。自分の仕事で恐縮ですが、『異常論文』はゲラを一気読みしているときに、読みながらみるみるうちに体調が悪くなっていってびっくりしました。そのくらい力のある本だと思います。

福井健太
書評系ライター

①『大日本帝国の銀河』林譲治
②《ユア・フォルマ》シリーズ 菊石まれほ
③『七十四秒の旋律と孤独』久永実木彦
④『それをAI(あい)と呼ぶのは無理がある』支倉凍砂
⑤『異常論文』樋口恭介＝編

楽しく読めたシリーズを上位に挙げる。①は架空戦記とファーストコンタクトSFに長けた著者ならではの物語。②は人間とアンドロイドのコンビが脳内デバイス絡みの事件を追うライトノベル。③は人類史以降のロボットを描く〈マ・フ クロニクル〉にツボを突かれた。④はAIが浸透した近未来の青春群像劇。⑤は手法のバリエーションとして評価したい好企画。三十二年続いた《ハイスクール・オーラバスター》の完結も感慨深い。

福江 純
天文楽者

①『涼宮ハルヒの直観』谷川流
②『プロペラオペラ5』犬村小六（小学館ガガガ文庫）
③『七つの魔剣が支配する7』宇野朴人（アスキー・メディアワークス電撃文庫）

何年ぶりだかのハルヒだ。当時を知らない世代からは〝なんであんなワガママで身勝手な女がいいんだ？〟などの意見があるようだが、いや、そこがいいんだろ（笑）。プロペラの方は、前半は、ん？ という感じだったが、艦隊戦と最後の大団円はさすがによくできている。あまりファンタジイは読まないが、魔剣はナナオがあまりにも素直で可愛すぎで反則かと思う。

藤井太洋
SF作家

①『彼岸花が咲く島』李琴峰
②『ポストコロナのSF』日本SF作家クラブ＝編
③『大日本帝国の銀河』林譲治
④『異常論文』樋口恭介＝編
⑤『Genesis 時間飼ってみた』小川一水、他

特に意識していたわけではないのだけれど今年は短篇集に手が伸びた。出版物ではないので入れることができなかったが、大木芙沙子の「かわいいハミー」を世に出したかぐやプラネットのVG＋や、ブンゲイファイトクラブ、日本SF作家クラブの小さなSFコンテスト、北野勇作の100文字SFなど、オンラインでの活動にも目が向く一年だった。

藤田雅矢 ——作家・植物育種家

●『大奥19』よしながふみ
●『ゲナポッポ』クリハラタカシ（絵本／白泉社MOEのえほん）
●『異常論文』樋口恭介＝編
●『七十四秒の旋律と孤独』久永実木彦
●『山の人魚と虚ろの王』山尾悠子

出版されたSF関連書籍の中からということなので小説以外に、二〇〇四年にはじまった『大奥』が完結した巻をあげたいと思います。また、『ゲナポッポ』はSFだと思うので、こちらも入れています。

冬木糸一 ——レビュワー

●『ポストコロナのSF』日本SF作家クラブ＝編
●『日本SFの臨界点　石黒達昌　冬至草／雪女』伴名練＝編
●『機龍警察　白骨街道』月村了衛
●『蒸気と錬金　Stealchemy Fairytale』花田一三六
●『隷王戦記1　フルースィーヤの血盟』森山光太郎

『ポストコロナのSF』は時勢をとらえていてよいアンソロジーだった。また複数出た《日本SFの臨界点》からは個人的に好きな石黒達昌アンソロジーを。『機龍警察』シリーズは毎回新しい境地をみせてくれる。日本でもスチームパンクが描かれたのが嬉しく『蒸気と錬金』も入れた。またファンタジイだが『隷王戦記』も素晴らしい作品だった。

古山裕樹 ——書評家

①『七十四秒の旋律と孤独』久永実木彦
②『異常論文』樋口恭介＝編
③『クレインファクトリー』三島浩司
④『人工知能で10億ゲットする完全犯罪マニュアル』竹田人造
⑤『統計外事態』芝村裕吏

①の繊細な美しさが忘れがたい。ストーリーそのものもさることながら、語りの魅力に負うところの大きい作品。②はコンセプトの勝利だが、これもある種の語りの魅力というべきかもしれない。③はまっすぐな成長物語として、④は明快なキャラクターと展開で読ませる。⑤はひねくれた展開とディテールの生々しさが印象に残っている。

細谷正充 ——文芸評論家

①『まぜるな危険』高野史緒
②『日本SFの臨界点　新城カズマ　月を買った御婦人』伴名練＝編
③『感応グラン＝ギニョル』空木春宵
④『インナーアース』小森陽一
⑤『蒸気と錬金　Stealchemy Fairytale』花田一三六

面白かったと感じた作品を並べたら、こうなった。伴名練編の《日本SFの臨界点》シリーズは、どれも素晴らしかったが、全部入れるのもアレなので一冊に絞った。5位の花田作品は、久しぶりに新作が読めるだけでありがたいと思っていたら、私好みの内容で大喜びである。林譲治の『大日本帝国の銀河』もベスト級の作品だが、評価は完結を待ちたい。なお別格として、樋口恭介編の『異常論文』を挙げておく。

牧眞司 ——SF研究家

①『播磨国妖綺譚』上田早夕里
②『失われた岬』篠田節子
③『七十四秒の旋律と孤独』久永実木彦
④『蒼衣の末姫』門田充宏
⑤『るん（笑）』酉島伝法

上田早夕里、篠田節子、このふたりはテーマ、表現、物語、すべてにおいてハイレベル、そのうえ新しい試みに挑戦しつづける作家だ。『播磨国妖綺譚』は伝奇ファンタジイ連作、『失われた岬』は太平洋戦争から近未来にまでつながる謎を追うサスペンス長篇だが、そう言っただけでは作品の魅力が百分の一も伝わらないのがもどかしい。久永実木彦、門田充宏は今後の活躍がますます期待できる俊英。西島伝法は名匠。

牧紀子

雑誌編集者、SFイラスト愛好家

①『失われた岬』篠田節子
②『播磨国妖綺譚』上田早夕里
③『日本SFの臨界点　石黒達昌　冬至草／雪女』伴名練＝編
④『NOVA　2021年夏号』大森望＝編
⑤『眉村卓の異世界通信』「眉村卓の異世界通信」刊行委員会

篠田節子さんと上田早夕里さんの小説が読めた幸せな一年でした。3、4位は、好きなアンソロジーを二つ。5位は、異世界にいる眉村卓さんへファンが送った送信の記録『眉村卓の異世界通信』を入れて、わたしも遠くからですが、異世界からの眉村さんからの返信をお待ちしているという意思表示です。

増田まもる

翻訳家

①『まぜるな危険』高野史緒
②『レオノーラの卵　日高トモキチ小説集』日高トモキチ
③『感応グラン＝ギニョル』空木春宵
④『七十四秒の旋律と孤独』久永実木彦
⑤『クレインファクトリー』三島浩司

この五作品はそれぞれ味わいを異にしながらどの作品も深い思弁と遊び心に裏打ちされた想像力がみごとでした。若い人たちがいい仕事をしてくれるのは心強い限りです。

松崎健司（らっぱ亭）

放射線科医（ラファティアン）

①『百年文通　One hundred years distance』伴名練／けーしん＝絵（一迅社〈コミック百合姫〉二〇二一年一月号～十二月号）
②『万博聖戦』牧野修
③『るん（笑）』西島伝法
④『Y田A子に世界は難しい』大澤めぐみ
⑤『異常論文』樋口恭介＝編

①はコミック百合姫の表紙連載。読者の「今」にグリグリとシンクロしてくる展開は今年度の出版物として高く評価したい。Webで公開された藤本タツキ「ルックバック」の衝撃。そして坂永雄一「無脊椎動物の想像力と創造性について」（『NOVA』）、正井「宇比川」（バゴプラ）、麦原遼「嗅子」（〈Sci-Fire〉）、斉藤直子「天使と阪堺線」（『万象ふたたび』）等々、紙も電書もWebも商業もインディーも、あらゆる媒体で攻めてくる良いものを見逃すな！

宮樹弌明

会社員・ライター

①『るん（笑）』西島伝法
②『ポストコロナのSF』日本SF作家クラブ＝編
③『七十四秒の旋律と孤独』久永実木彦
④『日本SFの臨界点　石黒達昌　冬至草／雪女』伴名練＝編
⑤『公共考査機構』かんべむさし

ウイルスが蔓延したあげく人々の思想が暴走するような時代だからこそ、人間の持つ想像力のエネルギーをフィクションには感じさせられたと思う。特に②の序文にはこの時代にSFを書くことの矜持が現れていた。全体的に古今の傑作が揃っていたので甲乙付けるのが難しかった。

森下一仁

本読み／著述

①『るん（笑）』西島伝法
②『万博聖戦』牧野修
③『クレインファクトリー』三島浩司
④『まぜるな危険』高野史緒
⑤『星新一の思想――予見・冷笑・賢慮のひと』浅羽通明

第七世代が活躍する中、牧野修さん、三島浩司さんといったベテランが意欲的な作品を届けてくれたのがうれしかった。『星新一の思想』は作品のすべてに通暁しながら、星さんの怖さ、凄さを浮かび上がらせている。

山岸真 ――SF翻訳業

①『感応グラン゠ギニョル』空木春宵
②『月とライカと吸血姫(ノスフェラトゥ)』シリーズ　牧野圭祐
③『それをAI(あい)と呼ぶのは無理がある』支倉凍砂
④『彼岸花が咲く島』李琴峰
⑤『失われた岬』篠田節子

5位は牧野修『万博聖戦』、西島伝法『るん(笑)』、奥田英朗『コロナと潜水服』、大澤めぐみ『Y田A子に世界は難しい』、菊石まれほ《ユア・フォルマ》シリーズ、石野晶『彼女が花に還るまで』、潮谷験『時空犯』などと入れ替えあり。紙版商業出版物発表短篇でベストテンを選ぶなら『Genesis　時間飼ってみた』の収録作が軒並み高レベルで半分を占めるが、北原尚彦「魁星」(『蠱惑の本』)が別格のマイベスト。

山之口洋 ――AI技術者

①『存在しない時間の中で』山田宗樹
②『ジャックポット』筒井康隆
③『日本SFの臨界点　石黒達昌　冬至草／雪女』伴名練゠編
④『山の人魚と虚ろの王』山尾悠子
⑤『迷子の龍は夜明けを待ちわびる』岸本惟

八〇年代後半に「超ひも理論」が登場した当時は、どうせそのうち消えていく数多の理論の一つとか、世界の本質は十次元で、うち六次元はコンパクトに折りたたまれているって、見てきたようなことを言うなあという感想しかなかったが、①にも登場する天才マルダセナによって、ホーキングのパラドックスを超え王道理論となった。難しい理論や数式はさておき、ここはスケールの大きなSF小説の復権を歓迎したい。

YOUCHAN ――イラストレーター

①『万博聖戦』牧野修
②『まぜるな危険』高野史緒
③『七十四秒の旋律と孤独』久永実木彦
④『レオノーラの卵　日高トモキチ小説集』日高トモキチ
⑤『播磨国妖綺譚』上田早夕里

『万博聖戦』は牧野修全開の力作で、しかも今作が牧野作品の中で最高だと思うから1位です。グロテスクでひりつくような展開と、ラストの美しさに震える。高野史緒『まぜるな危険』は、こういう知的な遊びを書く方も書くほうだけど、これを商業出版した版元と、面白がれる読者のいるSFって最高だと思いました。

ゆずはらとしゆき ――作家&企画編集者

①『帝国の弔砲』佐々木譲
②『チェンソーマン11』藤本タツキ(コミック／集英社ジャンプ・コミックス)
③『国境のエミーリャ4』池田邦彦(コミック／小学館ゲッサン少年サンデーコミックス)
④『植物忌』星野智幸
⑤『頭の中の昏い唄』生島治郎／日下三蔵゠編

①昨年、完全に失念していた『抵抗都市』の続篇的歴史改変小説。日露戦争に負け、ロシア帝国民として革命に翻弄された日本人の戦後史、という幾重にも捻くれた仕掛けの寓意が分かるひとには大傑作。②終盤、構成面で失速したが、少年漫画としては革命的奇想。③小林信彦『サモワール・メモワール』の喜劇的想像力を共産「趣味」者向けに特化した歴史改変活劇。『カレチ』の作者なので当然上手い。④⑤奇想小説面白かった枠。

吉上亮 ――作家

①『万博聖戦』牧野修
②『機龍警察　白骨街道』月村了衛
③『大日本帝国の銀河』林譲治
④『日本SFの臨界点　石黒達昌　冬至草／

雪女』伴名練＝編
⑤『異常論文』樋口恭介＝編

『万博聖戦』がキャラクターの関係性、舞台と時代構成、〈アニメーション〉の作中での取り扱い方など、今年ダントツで好みでした。『機龍警察　白骨街道』は取り扱う題材ゆえに、理不尽にして荒唐無稽と呼ぶほかない〈現実〉に対峙する圧倒的強度の〈小説〉であり、一気に読了まで突き進んでしまいました。

吉田親司 ―小説家

①『宇宙戦艦ヤマト　黎明篇　アクエリアス・アルゴリズム』高島雄哉（KADOKAWA）
②『人工知能で10億ゲットする完全犯罪マニュアル』竹田人造
③『ユア・フォルマ　電索官エチカと機械仕掛けの相棒』菊石まれほ
④『ひとりぼっちのソユーズ』七瀬夏扉
⑤『大日本帝国の銀河』林譲治

ファンが渇望していた物語をベストの形でパッケージしてくれた①と、応募作からの改題で騒動になったが、瑣事を吹き飛ばす面白さだった②が双璧。ラノベ枠から③を、リメイク枠からは④を推したい。架空戦記とファーストコンタクトを絡めた⑤は今後の展開を含めて期待するところ大。

吉田隆一 ―SF音楽家

①『日本SFの臨界点　中井紀夫　山の上の交響楽』伴名練＝編
②『異常論文』樋口恭介＝編
③『七十四秒の旋律と孤独』久永実木彦
④『Genesis　時間飼ってみた』小川一水、他
⑤『るん（笑）』西島伝法

《日本SFの臨界点》シリーズ刊行は、将来、伴名練氏の解説込みで日本SFの重要な資料となるはずですが、その中でも特に①を選択したのは、完全に、個人的な思い入れに他なりません。私は小説に「機能」を求めない読者のつもりですが、表題作はかつて私に音楽の道筋を示し、「音楽＝SF」と認識するきっかけとなった「恩師」のような作品なので、新たな読者を得るであろう本書の刊行を心から喜ぶ次第であります。

ワセダミステリ・クラブ ―大学サークル

①『ダーク・ロマンス　異形コレクションXLIX』井上雅彦＝監修
②『異常論文』樋口恭介＝編
③『感応グラン＝ギニョル』空木春宵
④『ポストコロナのSF』日本SF作家クラブ＝編
⑤『甘美で痛いキス』山口雅也＝総指揮

小昏い闇に美と狂気と哀切に満ちた異形の想いが浮かび上がる①は傑作。②は深い思弁と理論によって産み落とされ、ひび割れ、拡散してゆくスペキュレイティブ・フィクション。情念から生まれ墜ちる化け物が凄絶で美しい③ではグロテスクと美しさは裏表だと気付く。新型コロナ禍の〝今〟から地続きの未来へと視線を向けた作品群④と、一家に一冊欲しい吸血鬼好きによる吸血鬼好きのための吸血鬼コンピレーション⑤も薦めたい。

渡邊利道 ―作家・評論家

●『るん（笑）』西島伝法
●『庶務省総務局KISS室　政策白書』はやせこう
●『感応グラン＝ギニョル』空木春宵
●『再着装（リスリーヴ）の記憶　〈エクリプス・フェイズ〉アンソロジー』ケン・リュウ、他／岡和田晃＝編
●『播磨国妖綺譚』上田早夕里

他に、久永実木彦『七十四秒の旋律と孤独』高野史緒『まぜるな危険』椎名誠『階層樹海』日高トモキチ『レオノーラの卵』川本直『ジュリアン・バトラーの真実の生涯』海老原豊『ポストヒューマン宣言』大木芙沙子『花を刺す』などが面白かったです。

マイ・ベスト5 海外篇

全アンケート回答101名
（回答者50音順）

SF界で活躍する作家・評論家・翻訳家の方々に、2021年度（2020年11月〜2021年10月）の新作SFから、印象に残った海外作品5点を選んでもらいました。

　掲載作品については、174ページからの「2021年度SF関連書籍目録」に書誌情報の記載があります。また、右記の期間外の作品については、※印をつけ集計の対象外としました。

縣 丈弘 ——ときどきライター

①『三体Ⅲ　死神永生』劉慈欣
②『時の子供たち』エイドリアン・チャイコフスキー
③『こうしてあなたたちは時間戦争に負ける』アマル・エル゠モフタール、マックス・グラッドストーン
④『6600万年の革命』ピーター・ワッツ
⑤『わたしたちが光の速さで進めないなら』キム・チョヨプ

①時空の広がりのインフレーションの果てに物語が堂々の完結をみせるが、一貫してページをめくる手が止まらなかった。②オールドスタイルではあるものの、SF大長篇を読んだ！　という充実感は①に匹敵する。③遠未来改変歴史戦争SFを書簡のやり取りで凝縮して描くという離れ業に感嘆。④ワッツの描く冷徹な世界観にはいつも惹かれてしまう。⑤抒情的だがどこかつきはなした感性に新しいものを感じた。

秋山 完 ——作家

●『ディープラーニング　学習する機械　ヤン・ルカン、人工知能を語る』ヤン・ルカン（講談社KS科学一般書）
●『時の子供たち』エイドリアン・チャイコフスキー
●『火星へ』メアリ・ロビネット・コワル
●『亡国の鉤十字』エリック・ジャコメッティ、ジャック・ラヴェンヌ（竹書房文庫）
●『《ドラキュラ紀元一九五九》ドラキュラのチャチャチャ』キム・ニューマン

　コロナ禍で混迷する未来から、視線を過去へと転じ、歴史改変の手法で科学や超常の事象を紐解く作品が面白い。そこへ吸血鬼伝説が結合。国産アニメだが『MARSRED』『月とライカと吸血姫』とか、洋の東西を問わずドラキュラ人気は不動だ。吸血体質を一種の〝感染症〟と設定する傾向も、SF的に興味深い。二〇二二年は映画『吸血鬼ノスフェラトゥ』の公開百周年、彼はもはや人類の歴史的文化遺産だろう。

天野護堂 ——SF愛好家

①『私たちはみんなテスラの子供　後編』ゴラン・スクローボニャ（幻冬舎）
②『サハリン島』エドゥアルド・ヴェルキン
③『アウトサイダー』スティーヴン・キング
④『時の子供たち』エイドリアン・チャイコフスキー
⑤『レイヴンの奸計』ユーン・ハ・リー

①だけちょっと説明すると、セルビア人SF作家による歴史改変SFです。今年も素晴らしい作品が有り過ぎて、選ぶのに非常に悩みました。この五作品以外にも、気になった作品として、『火星へ』『1984年に生まれて』『中国・アメリカ　謎SF』『時の他に敵なし』『過ぎにし夏、マーズ・ヒルで』『死人街道』『闇の魔法学校　死のエデュケーション』『オベリスクの門』『新しい時代への歌』『インヴィンシブル』『ネットワーク・エフェクト』『2000年代海外SF傑作選』『2010年代海外SF傑作選』『6600万年の革命』『海の鎖』『ミステリアム』『ブック・オブ・ダスト――美しき野生』『エンド・オブ・オクトーバー』『冷酷なプリンス』等がありました。素晴らしい作品を翻訳して頂いた翻訳者の皆様どうもありがとうございます。

安野貴博　——作家

① **『三体Ⅲ　死神永生』劉慈欣**
② **『わたしたちが光の速さで進めないなら』キム・チョヨプ**
③ **『こうしてあなたたちは時間戦争に負ける』アマル・エル＝モフタール、マックス・グラッドストーン**
④ **『時間の王』宝樹（バオシュー）**
⑤ **『飢渇（きかつ）の人』エドワード・ケアリー**

『三体Ⅲ』はアイデアの質と量とスケールが凄まじく、自分の世界モデル自体に影響を与える一作でした。エンターテインメントを楽しんでいるうちに、読者にとっての宇宙の捉え方を変えてしまうというのはすごいことだと思いました。

池澤春菜　——声優・書評家

① **『三体Ⅲ　死神永生』劉慈欣**
② **『わたしたちが光の速さで進めないなら』キム・チョヨプ**
③ **『ビンティ――調和師の旅立ち――』ンネディ・オコラフォー**
④ **『この地獄の片隅に　パワードスーツSF傑作選』J・J・アダムズ＝編**
⑤ **『飢渇（きかつ）の人』エドワード・ケアリー**

三体は言わずもがな。②は個人的に韓国作品の特徴かもしれない、と思っている人に寄り添うSFだった。どんなに壮大な設定でも、真ん中にいるのはあくまでわたしたちだ。科学技術と呪術的な世界の見方が違和感なく調和した③も、とても新しいと思った。④と⑤はそろそろ趣味に走ってもいいかな、と選択。パワードスーツを題材にしつつ、叙情的でウェットな作品が多かった④。そして日本オリジナル短篇集という僥倖を噛みしめる⑤。

石和義之　——SF評論家

● **『人之彼岸（ひとのひがん）』郝　景芳（ハオ・ジンファン）**
● **『この地獄の片隅に　パワードスーツSF傑作選』J・J・アダムズ＝編**
● **『クララとお日さま』カズオ・イシグロ**
● **『三体Ⅲ　死神永生』劉慈欣**
● **『19世紀イタリア怪奇幻想短篇集』橋本勝雄＝編訳（光文社古典新訳文庫）**

昭和においてパワードスーツと言えば、ガンダムがそうであるように、戦闘機の延長だったが、『この地獄の片隅に』が取り上げるパワードスーツは、戦闘機から人工知能まで多種多様である。近年のコンピュータ兵器を見るようで、世代の移り変わりを感じる（産業的には製造業から情報産業へ）。完結篇が出た《三体》には昭和の匂いを感じたが、作者と選者が同世代である以上に、小松左京体験が共通しているからだろう。

いするぎりょうこ　——SF&ファンタジー・ファン

① **『ネットワーク・エフェクト』マーサ・ウェルズ**
② **『猫の街から世界を夢見る』キジ・ジョンスン**
③ **『こうしてあなたたちは時間戦争に負ける』アマル・エル＝モフタール、マックス・**

グラッドストーン
④『オベリスクの門』N・K・ジェミシン
⑤『魔術師ペンリックの使命』ロイス・マクマスター・ビジョルド（創元推理文庫）

女性の手になるSFが例外的なものではなくなりつつあるのが嬉しい。さまざまな偏見にさらされながらも、真っ当であろうと頑張る主人公……。①④⑤は、いずれも待望のシリーズ第二弾で、期待に違わぬそれぞれの世界を満喫。コロナ禍で鬱々とする心が、楽しく読める①と⑤を喜んだ。存分に読み解くに足る素養がないのが悲しい②と③は、主人公のこれからに想いの広がる、苦闘のはてのラストが感慨深い。

礒部剛喜　UFO現象学者

①『不死身の戦艦　銀河連邦SF傑作選』J・J・アダムズ＝編
②『この地獄の片隅に　パワードスーツSF傑作選』J・J・アダムズ＝編
③『旱魃世界』J・G・バラード
④『6600万年の革命』ピーター・ワッツ
⑤『銀河帝国の興亡1　風雲編』アイザック・アシモフ

『不死身の戦艦』と『この地獄の片隅に』は最新の短篇SFのアンソロジーというよりは、英米SFが一九五〇年代の古典的なSFへと回帰しつつある潮流を有していることを鮮明に示しているように思われる。また『旱魃世界』及び『銀河帝国の興亡』は単なる新訳書という意味を超えた、二十一世紀という時代から試みられた古典SFへの新解釈として評価したい。

市田泉　翻訳家

①『三体Ⅲ　死神永生』劉慈欣
②『移動迷宮　中国史SF短篇集』大恵和実＝編訳
③『オベリスクの門』N・K・ジェミシン
④『ネットワーク・エフェクト』マーサ・ウエルズ
⑤『こうしてあなたたちは時間戦争に負ける』アマル・エル＝モフタール、マックス・グラッドストーン

『移動迷宮』所収の、夏笳（シアジア）「永夏の夢」を読んだときは、まさにこういう時間SFが読みたかったのだと猛烈に感動した。『オベリスクの門』は、世界のありさまがわかってきて、前作に劣らぬ面白さ。最終巻が待ち遠しい。そして今年もやはり、弊機と仲間たちの愛おしさは忘れがたい。

伊藤階　漫画家

●『2000年代海外SF傑作選』橋本輝幸＝編
●『インヴィンシブル』スタニスワフ・レム
●『三体Ⅲ　死神永生』劉慈欣
●『声をあげます』チョン・セラン
●『千個の青』チョン・ソンラン

『三体』を筆頭に中国・韓国発の面白いSFが特別多かったように感じました。世界各国から届けられる大量の良書からたった五冊を選び抜く作業は難しく、例えば中国SFだけでも『移動迷宮』『人之彼岸』『中国・アメリカ　謎SF』など様々な良作を前に頭を悩ませました。言語の壁を超え作品を届ける為に粉骨砕身されている方々に感謝するとともに、来年も世界各地の面白い作品を読めればいいなと一読者として願っております。

乾石智子　ファンタジー作家

①『魔術師ペンリックの使命』ロイス・マクマスター・ビジョルド（創元推理文庫）
②『オベリスクの門』N・K・ジェミシン
③『キャクストン私設図書館』ジョン・コナリー
④『銀河帝国の興亡1　風雲編』アイザック・アシモフ
⑤『猫の街から世界を夢見る』キジ・ジョンスン

『魔術師ペンリック』は、冒険要素が前巻より濃く出ていて、楽しく面白く読めた。『オベリスクの門』は重厚な世界の仕組みに隠さ

れた秘密が少しずつ明らかになってきて、次巻に期待。読みづらいけど。『キャクストン私設図書館』は、ファンタジイというよりホラーに近いかも。『銀河帝国～』は懐かしくページを繰った。人間の賢さと愚かさが実によく描かれている。『猫の街から～』と『闇の魔法学校』とどちらにしようか迷ったが、サバイバルは疲れるので、『猫』に。

井上彼方 ——編集／ウェブメディア

●『2000年代海外SF傑作選』橋本輝幸＝編
●『わたしたちが光の速さで進めないなら』キム・チョヨプ
●『蛇の言葉を話した男』アンドルス・キヴィラフク
●『ビンティ——調和師の旅立ち——』ンネディ・オコラフォー
●『オベリスクの門』N・K・ジェミシン

順不同。橋本輝幸編『2000年代海外SF傑作選』は、『2010年代海外SF傑作選』と合わせて珠玉のアンソロジーでした。橋本さんの鋭い審美眼にしびれました。『オベリスクの門』《破壊された地球》三部作は完結まで目が離せません。続篇も楽しみにしています。

井上 知 ——翻訳者・スペイン語圏洋書屋

①『新しい時代への歌』サラ・ピンスカー
②『時の子供たち』エイドリアン・チャイコフスキー
③『猫の街から世界を夢見る』キジ・ジョンスン
④『過ぎにし夏、マーズ・ヒルで』エリザベス・ハンド
⑤『ネットワーク・エフェクト』マーサ・ウエルズ

時代性を考えた時に、震災の年にフィクションでも浸水の描写を読むのがつらかった記憶と、今の状況を比べて何が違うのか考える。②は自分にとって苦手な生き物第1位のクモを思わず応援してしまった、ということで（でも現実のクモはやっぱり苦手）。

岩郷重力 ——グラフィック・デザイナー

●『旱魃世界』J・G・バラード
●『こうしてあなたたちは時間戦争に負ける』アマル・エル＝モフタール、マックス・グラッドストーン
●『火星へ』メアリ・ロビネット・コワル
●『銀河帝国の興亡1　風雲編』アイザック・アシモフ
●『ネットワーク・エフェクト』マーサ・ウエルズ

卯月 鮎 ——書評家・ゲームコラムニスト

●『複眼人』呉明益
●『こうしてあなたたちは時間戦争に負ける』アマル・エル＝モフタール、マックス・グラッドストーン
●『サハリン島』エドゥアルド・ヴェルキン
●『文体の舵をとれ　ル＝グウィンの小説教室』アーシュラ・K・ル＝グウィン（フィルムアート社）
●『シブヤで目覚めて』アンナ・ツィマ

『複眼人』は、折り重なる喪失がゆるやかに海に還り、神話となるSF猫ファンタジイ。『こうしてあなたたちは～』は、時空を超えて絡み合う手紙は言葉の弾丸。ポエティックな美しさが胸をえぐる。『サハリン島』は、本でなければ旅できない醜悪狂気の様。『文体の舵をとれ』は、ル・グィン世界の秘密を発見する参考書。『シブヤで目覚めて』は、プラハとシブヤ、人と人を結びつける文学への讃歌。

榎本 秋 ——著述業

①『12歳のロボット　ぼくとエマの希望の旅』リー・ベーコン
②『だれも死なない日』ジョゼ・サラマーゴ

③『時の他に敵なし』マイクル・ビショップ
④『三体Ⅲ　死神永生』劉慈欣
⑤『その他もろもろ　ある予言譚』ローズ・マコーリー

1位は瑞々しく希望に満ちたジュヴナイル。2位は多くの人にとっての「こうだったらいいな」の現実化に真面目に向き合った結果待っている恐ろしい災厄を描く作品で、3位は文化人類学的な切り口で描く異色のタイムトラベルもの。ここしばらくのSF界隈を席巻した話題作の完結篇を4位とし、5位には百年前に書かれたにもかかわらずまるで今を予言したかのようなディストピア小説を置いた。

海老原豊
評論家

●『わたしたちが光の速さで進めないなら』キム・チョヨプ
●『その他もろもろ　ある予言譚』ローズ・マコーリー
●『Arc　アーク　ベスト・オブ・ケン・リュウ』ケン・リュウ
●『断絶』リン・マー
●『銀河帝国の興亡1　風雲編』アイザック・アシモフ

韓国・中国のSFが手に取りやすくなった。映像化にともない古典作品を読み直す。

大倉貴之
文筆家

①『こうしてあなたたちは時間戦争に負ける』アマル・エル＝モフタール、マックス・グラッドストーン
②『6600万年の革命』ピーター・ワッツ
③『宇宙の春』ケン・リュウ
④『中国・アメリカ　謎SF』柴田元幸・小島敬太＝編訳

『三体Ⅲ　死神永生』は時間切れで読み終えられなかったので、これがわたしのセレクト。刺激的だった順に並べてみた。収穫としては、橋本輝幸＝編『2000年代海外SF傑作選』と『2010年代海外SF傑作選』、東京創元社の『フレドリック・ブラウンSF短編全集4　最初のタイムマシン』を挙げる。

大阪大学SF研究会
大学サークル

①『三体Ⅲ　死神永生』劉慈欣
②『マザーコード』キャロル・スタイヴァース
③『Arc　アーク　ベスト・オブ・ケン・リュウ』ケン・リュウ
④『移動迷宮　中国史SF短篇集』大恵和実＝編訳
⑤『複眼人』呉明益

二〇一九年から毎年刊行が続いてきた《三体》シリーズがついに完結した。『三体Ⅲ』は前二作と異なりかなりハードSFの気があったが、架空戦記モノのような風格も漂い、非常に読みごたえのある作品だった。数年前から続く中華SFブームは衰えるように見えず、流行ではなく、SFのジャンルとして完全に定着したと言えるだろう。後年刊行予定とされている『三体』の外伝も楽しみである。

大迫公成
技術翻訳・CONTACT Japan代表

●『小惑星ハイジャック』ロバート・シルヴァーバーグ
●『町かどの穴　ラファティ・ベスト・コレクション1』R・A・ラファティ
●『エンド・オブ・オクトーバー』ローレンス・ライト
●『時の子供たち』エイドリアン・チャイコフスキー

『小惑星ハイジャック』は現実と言っても過言ではない。宇宙資源産業が展開される世界とエイリアンとの遭遇。さわやかなエンディングだ。『町かどの穴　ラファティ・ベスト・コレクション1』は才気煥発で妖しくダーク、縦横無尽な話の集合。狂わしいほどのラファティSFが展開される。『エンド・オブ・オクトーバー』は根底に優れた世界認識が

ある。戦慄のパンデミック。未知のウィルスに襲われた人類の真価が問われる。『時の子供たち』は本邦初紹介。巧みな構成だ。人類の未来と異星の文明が絡む本格SF。古典かつ斬新なハード長篇。A・C・クラーク賞の受賞は当然だ。

大野典宏 ―ただの一読者

①『サハリン島』エドゥアルド・ヴェルキン
②『理不尽ゲーム』サーシャ・フィリペンコ（集英社）
③『過ぎにし夏、マーズ・ヒルで』エリザベス・ハンド
④『わたしたちが光の速さで進めないなら』キム・チョヨプ
⑤『飢渇の人』エドワード・ケアリー
内容的にへビーな作品が多くて大満足でした。

大野万紀 ―SF翻訳家・書評家

①『時間の王』宝樹
②『三体Ⅲ 死神永生』劉慈欣
③『時の他に敵なし』マイクル・ビショップ
④『時の子供たち』エイドリアン・チャイコフスキー
⑤『ネットワーク・エフェクト』マーサ・ウェルズ

国内篇同様重要な作品を読み終えていないが、今年も中国SFがすごい。中でも①はSF的魅力に満ちた時間テーマの傑作短篇集。巻末の「暗黒へ」には震えた。②は《三体》完結篇で、大風呂敷の広げようにしびれる。③は四十年ぶりに訳された人類学SFで、これも時間テーマだといえる。④では蜘蛛たちの文明が描かれていて、それがとても楽しく面白い。⑤は〝弊機〟が活躍するあの作品の続篇で、機械同士の微妙な感情がエモい。

大森 望 ―翻訳・書評業

①『時の他に敵なし』マイクル・ビショップ
②『町かどの穴 ラファティ・ベスト・コレクション1』R・A・ラファティ
③『過ぎにし夏、マーズ・ヒルで』エリザベス・ハンド
④『海の鎖』伊藤典夫＝編訳
⑤『時の子供たち』エイドリアン・チャイコフスキー

長年未訳だった〝幻の名作〟が本当に名作であることは稀だが①はその数少ない例外。あまりにも個性的なタイムトラベルSF。②はラファティのツボを押さえつつ新しい顔も見せてくれる傑作選。③はNY郊外に建つ大邸宅群で暮らす一族を描く「イリリア」が（SFじゃないけど）オールタイムベスト級にすばらしい。④は、M・J・ハリスン「地を統べるもの」とファーマー「キング・コング墜ちてのち」、それにドゾワの表題作が絶品。

岡田靖史 ―飲食店店主

①『時の他に敵なし』マイクル・ビショップ
②『サハリン島』エドゥアルド・ヴェルキン
③『蛇の言葉を話した男』アンドルス・キヴィラフク
④『だれも死なない日』ジョゼ・サラマーゴ
⑤『過ぎにし夏、マーズ・ヒルで』エリザベス・ハンド

上位には科学的整合性より奇妙な味わいの物語たちを残した。他に『蜂の物語』『移動迷宮』『三体Ⅲ』『恋するアダム』『クララとお日様』『千個の青』『黒魚都市』『6600万年の革命』『断絶』『ネットワーク・エフェクト』『火星へ』『時の子供たち』『帝国という名の記憶』『猫の街から世界を夢見る』とどれをとっても上位五作に引けをとらない作品が多かった。

岡本俊弥 ―SFブックレビュアー

●『わたしたちが光の速さで進めないなら』キム・チョヨプ
●『宇宙の春』ケン・リュウ
●『三体Ⅲ 死神永生』劉慈欣

●『時の他に敵なし』マイクル・ビショップ
●『時間の王』宝樹

《フレドリック・ブラウンSF短編全集》が完結、ミステリも新訳が出るなど再評価の年だった。伊藤典夫アンソロジイ『海の鎖』や《ラファティ・ベスト・コレクション》《レム・コレクション第Ⅱ期》も、見方によれば二〇世紀SF再発見の一環とみなせるかも。一方、まだまだ続く中国SFブームの中では『移動迷宮』や『人之彼岸』も見逃せない。韓国SFもたくさん出たが、日本の現代小説に近い立ち位置で親しみやすい。

岡和田晃
――SF評論家／ゲームデザイナー

●『こうしてあなたたちは時間戦争に負ける』アマル・エル＝モフタール、マックス・グラッドストーン
●『猫の街から世界を夢見る』キジ・ジョンスン
●『われはドラキュラ――ジョニー・アルカード』キム・ニューマン
●『英雄たちの夢』アドルフォ・ビオイ・カサーレス
●『ユーロゲーム――現代欧州ボードゲームのデザイン・文化・プレイ』スチュワート・ウッズ（ニューゲームズオーダー）

深刻化を増す女性蔑視とレイシズムに加え、企業のプロパガンダまでもが最新の潮流だと無批判に喧伝されている現状、『こうしてあなたたちは時間戦争に負ける』等の世界標準を確認し、新自由主義的な制度の追認とは異なる文学的理路の構築が必要だ。『ジョニー・アルカード』は「現在」の大胆な再布置化。『英雄たちの夢』は同じ作者の『モレルの発明』を補完する。『ユーロゲーム』の博士論文ならではの一貫性ある論述はさすが。

尾之上浩司
――モンスター小説翻訳家

①『《ドラキュラ紀元一九五九》ドラキュラのチャチャチャ』キム・ニューマン
②『アウトサイダー』スティーヴン・キング
③『ミステリアム』ディーン・クーンツ（ハーパーBOOKS）
④『町かどの穴　ラファティ・ベスト・コレクション1』R・A・ラファティ
⑤『小惑星ハイジャック』ロバート・シルヴァーバーグ

某このミスと違って、こちらでは〝よりジャンル性〟にこだわったベスト・セレクションを、と考えたが、結果はご覧の通りに。クーンツのモダンホラーが候補リストになかったのは問題では。1位は英国の奇想の権化によるサブカル法螺話の極北で、これに勝るものなし。キングとクーンツの、いかにもモダンホラーらしい長篇が揃い踏みというのも嬉しい。ラファティとシルヴァーバーグは心の故郷。

小山正
――ミステリ研究家

①『われはドラキュラ――ジョニー・アルカード』キム・ニューマン
②『死人街道』ジョー・R・ランズデール
③『アウトサイダー』スティーヴン・キング
④『宇宙の春』ケン・リュウ
⑤『記憶の図書館』ホルヘ・ルイス・ボルヘス、オスバルド・フェラーリ（国書刊行会）

『三体Ⅲ』が1位かもしれないが、実は未読。一＆二巻を再読してから、じっくりと味わうつもり。それくらい別格なのだ。代わりに①がベストに。大監督コッポラが『ドラキュラ』を『地獄の黙示録』風に映画化する話は壮絶。②の怪奇西部劇も圧巻で、ハマー映画のオマージュのような仕掛けが楽しい。ランズデールもニューマンもジャンル愛が凄いなあ。ボルヘス出演のラジオ番組を書籍化した⑤も夢の本。舐めるように読んでいます。

風野春樹
――精神科医兼レビュアー

①『三体Ⅲ　死神永生』劉慈欣
②『時の子供たち』エイドリアン・チャイコフスキー
③『クララとお日さま』カズオ・イシグロ

④『宇宙の春』ケン・リュウ
⑤『中国・アメリカ　謎SF』柴田元幸・小島敬太＝編訳

また『三体』かよ、という気もしないでもないけれど、一作目二作目とはがらりと変わった展開でまったく飽きさせなかったのでやっぱり『三体』。そのほか、さすがにランキングには入れなかったけど、自閉症者と一緒に『アンドロイドは電気羊の夢を見るか』などの小説を読んだ記録、ラルフ・ジェームズ・サヴァリーズ『嗅ぐ文学、動く言葉、感じる読書』（みすず書房）が面白かった。

片桐翔造　—レビュアー

①『三体Ⅲ　死神永生』劉慈欣
②『帝国という名の記憶』アーカディ・マーティーン
③『こうしてあなたたちは時間戦争に負ける』アマル・エル＝モフタール、マックス・グラッドストーン
④『人之彼岸』郝景芳
⑤『この地獄の片隅に　パワードスーツSF傑作選』J・J・アダムズ＝編

香月祥宏　—書評家

①『わたしたちが光の速さで進めないなら』キム・チョヨプ
②『千個の青』チョン・ソンラン
③『新しい時代への歌』サラ・ピンスカー
④『過ぎにし夏、マーズ・ヒルで』エリザベス・ハンド
⑤『宇宙の春』ケン・リュウ

人と人との距離が広がる時代に、孤独や寂しさの隙間にテクノロジーと奇想が（単純な解決や癒しとはまた違う形で）沁み込んでくるような作品が印象に残った。次点は宝樹『時間の王』。他にも『三体Ⅲ　死神永生』『サハリン島』など凄まじい景色を見せてくれる長篇にも圧倒されたし、『時の他に敵なし』『海の鎖』『２０００／２０１０年代海外SF傑作選』と「待ってました！」の刊行もあって、豊穣な一年だった。

勝山海百合　—小説家

①『複眼人』呉明益
②『怪奇疾走』ジョー・ヒル、スティーヴン・キング
③『オベリスクの門』N・K・ジェミシン
④『移動迷宮　中国史SF短篇集』大恵和実＝編訳
⑤『新しい時代への歌』サラ・ピンスカー

『複眼人』と李琴峰の『彼岸花が咲く島』は、歴史を踏まえ未来を見据えたうえで南の島で起こるかもしれない出来事が生々しく、厳しく描かれていて、二〇二一年に日本で刊行されたことで響き合ったように感じた。

川合康雄　—SFアート研究家

①『宇宙の春』ケン・リュウ
②『過ぎにし夏、マーズ・ヒルで』エリザベス・ハンド
③『人之彼岸』郝景芳
④『火星へ』メアリ・ロビネット・コワル
⑤『三体Ⅲ　死神永生』劉慈欣

海外SFでは中国の作家が三人も入っているが、それぞれの持ち味があり、彼ら以外にも次々と有能な作家が並び、中国以外でも韓国や東欧、アフリカ系などのすごい作家が次々と出てくる。いい時代になったものだ。

北原尚彦　—作家・翻訳家

①『ネットワーク・エフェクト』マーサ・ウェルズ
②『時間の王』宝樹
③『ビンティ—調和師の旅立ち—』ンネディ・オコラフォー
④『蒸気の国のアリス』フランチェスコ・ディミトリ（書肆盛林堂）
⑤『時の子供たち』エイドリアン・チャイコフスキー

「弊機」の第二弾である①、今回もひたすら楽しかった。②は今まで読んだ中華圏SFの

中で最も「日本の読者向け」かもしれない。③はアフリカの文化をテーマとした宇宙SF。④はイタリアSF。物語の構造の特異性と、それをあらわす物理的な表現とがお見事。⑤は英国の蜘蛛SF。蜘蛛嫌いな人は読みにくいかもしれないけど、だんだん可愛くなってきますよ。あと今年はロバート・シルヴァーバーグとかJ・G・バラードとか懐かしの作家が読めたのがロートルSFファンには嬉しかったです。

日下三蔵 ――SF研究家

①『2000年代海外SF傑作選』橋本輝幸＝編
②『人之彼岸』郝景芳
③『海の鎖』伊藤典夫＝編訳
④『死人街道』ジョー・R・ランズデール
⑤『町かどの穴　ラファティ・ベスト・コレクション1』R・A・ラファティ

　海外も短篇集だけでベストが組めた。たいへん喜ばしい。①は『2010年代海外SF傑作選』とともに最新の海外SFの動向がうかがえるありがたい企画。橋本さんには、たくさんアンソロジーを編んでほしい。②以降も信頼できる訳者や編者の皆さんのお仕事を堪能した。長篇では、エイドリアン・チャイコフスキー『時の子供たち』（竹書房文庫）、劉慈欣『三体Ⅲ　死神永生』（早川書房）、ロバート・シルヴァーバーグ『小惑星ハイジャック』（創元SF文庫）が良かった。

鯨井久志 ――研修医兼レビュアー

①『海の鎖』伊藤典夫＝編訳
②『三体Ⅲ　死神永生』劉慈欣
③『2000年代海外SF傑作選』橋本輝幸＝編
④『新しい時代への歌』サラ・ピンスカー
⑤『移動迷宮　中国史SF短篇集』大恵和実＝編訳

　長きにわたった叢書《未来の文学》の締めくくりに、ドゾアの表題作を置いた編者・伊藤典夫氏の意図を感じる①が今年ベスト。②は宇宙SFが不得手な自分も楽しめた大作の完結篇。③は後年にSF史を概観するに当たってのマイルストーンとなるであろう一冊。それだけに2010年代の方のチョイスがやや惜しい（チャンが長すぎ?）。④は音楽小説、青春小説としても素晴らしい。⑤韓松（ハンソン）はもっと紹介されてほしい作家です。

COCO ――釣り師ときどき絵描き

①『複眼人』呉明益
②『時間の王』宝樹
③『町かどの穴　ラファティ・ベスト・コレクション1』R・A・ラファティ
④『炎と血』ジョージ・R・R・マーティン
⑤『三体Ⅲ　死神永生』劉慈欣

　幻視者としてのとてつもない資質に感心した①が文句なし。ひたすら楽しい②や魅力再発見の③、面白いに決まっている④、そしてみごと着地を決めて見せた⑤に感謝。

小谷真理 ――SF&ファンタジー

①『人之彼岸』郝景芳
②『その他もろもろ　ある予言譚』ローズ・マコーリー
③『過ぎにし夏、マーズ・ヒルで』エリザベス・ハンド
④『時の子供たち』エイドリアン・チャイコフスキー
⑤『こうしてあなたたちは時間戦争に負ける』アマル・エル＝モフタール、マックス・グラッドストーン

　とにかく郝景芳は最高！　『1984年に生まれて』もすばらしかった。フェミニズム第四波到来で、古典的名作もフェミ論を内面化した現代作家も一気に紹介されるいい時代になったと実感。

堺 三保
文筆業・日曜映画監督

①『新しい時代への歌』サラ・ピンスカー
②『時の子供たち』エイドリアン・チャイコフスキー
③『こうしてあなたたちは時間戦争に負ける』アマル・エル＝モフタール、マックス・グラッドストーン
④『ビンティ――調和師の旅立ち――』ンネディ・オコラフォー
⑤『帝国という名の記憶』アーカディ・マーティーン

なんという豊作の年。『三体Ⅲ　死神永生』も『火星へ』も『ネットワーク・エフェクト』も『オベリスクの門』も『レイヴンの奸計』もおもしろかったんだけど、どれも続篇なのであえて外して、ベストは本邦初紹介の作家を揃えることにした。また、『過ぎにし夏、マーズ・ヒルで』、『猫の街から世界を夢見る』、『わたしたちが光の速さで進めないなら』、『千個の青』、ついに翻訳された『時の他に敵なし』なども印象に残った。

坂永雄一
作家

●『2000年代海外SF傑作選』橋本輝幸＝編
●『海の鎖』伊藤典夫＝編訳
●『町かどの穴　ラファティ・ベスト・コレクション1』R・A・ラファティ
●『時の子供たち』エイドリアン・チャイコフスキー
●『猫の街から世界を夢見る』キジ・ジョンスン

ラファティの新短篇集が出てうれしいです。

坂村 健
電脳建築家

①『時の子供たち』エイドリアン・チャイコフスキー
②『こうしてあなたたちは時間戦争に負ける』アマル・エル＝モフタール、マックス・グラッドストーン
③『帝国という名の記憶』アーカディ・マーティーン
④『われはドラキュラ――ジョニー・アルカード』キム・ニューマン
⑤『ネットワーク・エフェクト』マーサ・ウエルズ

近年のファーストコンタクトSFでは、個体の集合である人類と群体生物の価値観の違いをテーマにした良作が多かった印象だ。『時の子供たち』は群と個の中間ぐらいの異生物設定。適度な「差」が比較を可能にし、ヒトがより良くなるための考察を促している。上り坂と下り坂の文明、ハードウェアとウェットウェア、数千年と数十年、集団と個体、王と道化、さらには雄と雌まで、様々な「差」の入れ子という構成が巧み。

佐々木敦
思考家

①『町かどの穴　ラファティ・ベスト・コレクション1』R・A・ラファティ
②『時の他に敵なし』マイクル・ビショップ
③『複眼人』呉明益
④『新しい時代への歌』サラ・ピンスカー
⑤『クララとお日さま』カズオ・イシグロ

カズオ・イシグロとイアン・マキューアンの新作がどちらも「AIもの」だったのには驚いた。主流文学なのかSFなのかなんてどうでもいいですよね。竹書房文庫はマジでスゴい。ラインナップ、質、アートワーク、どこを取っても文句なし。ビショップはシブいけどハードコア。ピンスカーには新しい気風を感じる。呉明益もいつかノーベル文学賞候補に上がってくるかもしれないね。ラファティはもちろん、いつ読んでも面白い。

佐藤 大
脚本家

①『サハリン島』エドゥアルド・ヴェルキン
②『三体Ⅲ　死神永生』劉慈欣
③『複眼人』呉明益
④『ビンティ――調和師の旅立ち――』ンネディ

・オコラフォー
⑤『小惑星ハイジャック』ロバート・シルヴァーバーグ

英語圏に囚われず人種・国籍・性別も多岐にわたり本当の意味で海外SFが、素晴らしい翻訳で日本に居ながら体験出来る現在に感謝しながら、未知の世界に浸りたい欲を満たしてくれた本に惹かれた一年。中でも『サハリン島』は、オープンワールドのゲームで体験する様な感覚で興奮。そして、三体の最後は、お話が持つメタファー自体が鍵になるアイデアに感激。そんな中で古典SFの力を再確認した『小惑星ハイジャック』も逆に新鮮でした。

三方行成 ——小説家

①『2000年代海外SF傑作選』橋本輝幸＝編
②『2010年代海外SF傑作選』橋本輝幸＝編
③『三体Ⅲ　死神永生』劉慈欣
④『こうしてあなたたちは時間戦争に負ける』アマル・エル＝モフタール、マックス・グラッドストーン
⑤『帝国という名の記憶』アーカディ・マーティーン

傑作選の収録作では「懐かしき主人の声（ヒズ・マスターズ・ボイス）」「ジーマ・ブルー」「ロボットとカラスがイーストセントルイスを救った話」「〝ザ・〟」が特に好きです。また解説も興味深く読みました。三体は宇宙があのあとぐちゃぐちゃになるんでしょうね。④はとてもきれいな話で心が丈夫になりました。⑤は宮廷や詩の文化のくだりも楽しく読みました。

嶋田洋一 ——翻訳家

●『この地獄の片隅に　パワードスーツSF傑作選』J・J・アダムズ＝編
●『帝国という名の記憶』アーカディ・マーティーン
●『オベリスクの門』N・K・ジェミシン
●『2000年代海外SF傑作選』橋本輝幸＝編
●『2010年代海外SF傑作選』橋本輝幸＝編

順位はつけません。今年は短篇集が豊作で、大いに楽しめました。長いものを読むのがつらくなってきているという事情もあるんですが。残念ながら未読の作品も多くて、『三体　死神永生』もまだ読めていません。読んだものの中でのベストということで、ご勘弁ください。評価の高い『こうしてあなたたちは時間戦争に負ける』や『わたしたちが光の速さで進めないなら』も気になっているんですが。

志村弘之 ——SF読者

①『時の子供たち』エイドリアン・チャイコフスキー
②『時間の王』宝樹
③『声をあげます』チョン・セラン
④『新しい時代への歌』サラ・ピンスカー
⑤『最終人類』ザック・ジョーダン

『死神永生』完結も良かった、公式二次創作『三体X』も期待します。『アヒル命名会議』がなんか良かった。そして、年代SF傑作選、久々の集成も期待たがわず。あと、『火星へ』『レイヴンの奸計』『オベリスクの門』『ネットワーク・エフェクト』といったシリーズ続巻もそれぞれに面白かった。

下楠昌哉 ——英文学者

①『ガリヴァー旅行記』ジョナサン・スウィフト（研究社）
②『われはドラキュラ——ジョニー・アルカード』キム・ニューマン
③『複眼人』呉明益
④『文体の舵をとれ　ル＝グウィンの小説教室』アーシュラ・K・ル＝グウィン
⑤『骸骨』ジェローム・K・ジェローム

何と言っても学魔訳である。兎にも角にもこの目で見られたことがうれしい。②ついに

創元版を越えてその先へ。③オーストラリアのアボリジナルの奇想を読むようだ。それでいて現在と未来の話なのだ。④日本語を母語とする人々の間で、英語に関する一定の知識が定着したからこそ成り立つ翻訳。ゴードン『吸血鬼の英文法』の訳者として感慨深い。⑤二十世紀初頭の巷の心霊感と妖精感をヴィヴィッドに反映した短篇集。

十三不塔 ―作家

①『時間の王』宝樹
②『三体Ⅲ　死神永生』劉慈欣
③『移動迷宮　中国史SF短篇集』大恵和実＝編訳
④『サハリン島』エドゥアルド・ヴェルキン
⑤『中国・アメリカ　謎SF』柴田元幸・小島敬太＝編訳

隆盛久しい中国SFが多くなった。唯一『サハリン島』だけがロシア作家の作品で中国SFとは別種のスケール感に圧倒された。《三体》については多くの方が言及されるであろうから、ここでは『時間の王』と『移動迷宮』について述べたい。どちらも歴史と時間とに深く関わると同時に、歴史を刻む言語への考究も促してくれる傑作揃い。特に前者収録の「穴居するものたち」と後者の「南方に嘉蘇あり」には非常に刺激を受けた。

水鏡子 ―SFロートル

①《三体》劉慈欣
②『時の子供たち』エイドリアン・チャイコフスキー
③『時の他に敵なし』マイクル・ビショップ
④『移動迷宮　中国史SF短篇集』大恵和実＝編訳
⑤『時間の王』宝樹

竹書房ふたつと中国SFみっつ。正直意外な結果に。《三体》は、三部作ではない。固く結ばれたひとつの大河SFに仕上がった。未来宇宙史パノラマ大伽藍。②は例年なら文句なしの1位。それが今年だと《三体》の傑出した一挿話くらいに見える。さらには普通なら1位が揺るがないはずのビショップ真骨頂の人類学SF③が、これら二作の野放図に蹴とばされ、ぼくの中では、いかにも優等生的文芸作品に貶められる結果となった。

鈴木力 ―ライター

①『時の他に敵なし』マイクル・ビショップ
②『三体Ⅲ　死神永生』劉慈欣
③『わたしたちが光の速さで進めないなら』キム・チョヨプ
④『新しい時代への歌』サラ・ピンスカー
⑤『リトル・グリーンメン　〈MJ-12〉の策謀』クリストファー・バックリー（創元推理文庫）

『リトル・グリーンメン』はUFO・陰謀論・マスメディアの三題噺をめぐる抱腹絶倒のブラックなスラップスティック。矢追純一のUFO特番を見ていた人は必読です。

スズキトモユ ―人間

①『わたしたちが光の速さで進めないなら』キム・チョヨプ
②『こうしてあなたたちは時間戦争に負ける』アマル・エル＝モフタール、マックス・グラッドストーン
③『6600万年の革命』ピーター・ワッツ

添野知生 ―映画評論家

①『時の他に敵なし』マイクル・ビショップ
②『新しい時代への歌』サラ・ピンスカー
③『オベリスクの門』N・K・ジェミシン
④『ビンティ―調和師の旅立ち―』ンネディ・オコラフォー
⑤『断絶』リン・マー

同列に比べられないので、新作・長篇に限ってきた投票ですが、今年だけ、どうしても選びたかったので1位は発掘作から。とは言っても重層的・多義的な語りの技巧は驚くほど現代SFに通じるもので、四十年近く待った甲斐がありました。他にウェルズ、コワル、リーのシリーズ続篇も期待どおりでしたし、『2000／2010年代海外SF傑作選』が提示する〝今ここ感〟に改めて意識を揺さぶられました。関連書ではキース・クーパー『彼らはどこにいるのか』が勉強になりました。

代島正樹

SFセミナースタッフ

① 『海の鎖』伊藤典夫＝編訳
② 『時の他に敵なし』マイクル・ビショップ
③ 『三体Ⅲ　死神永生』劉慈欣
④ 『2000年代海外SF傑作選』橋本輝幸＝編
⑤ 『ネットワーク・エフェクト』マーサ・ウェルズ

①伊藤典夫編訳にして《未来の文学》完結の最終配本が遂に登場。②幻のネビュラ賞受賞作。〝まさかの〟ではなく、もはや安定の出版とすら思えてしまう竹書房の信頼感。③あの密度で走り切った大本命の話題作。④連続刊行された『2010年代海外SF傑作選』とともに、時代を俯瞰する貴重なアンソロジー。続刊もぜひ。⑤キャラも立っていて人気のシリーズ、今度は長篇。それにしても今年は主要SF賞の受賞作が続々と邦訳されたのでは。

高島雄哉

小説家＋SF考証

① 『黒魚都市(くろうお)』サム・J・ミラー
② 『声をあげます』チョン・セラン
③ 『旱魃世界』J・G・バラード
④ 『雨の島』呉明益
⑤ 『2084年報告書：地球温暖化の口述記録』ジェームズ・ローレンス・パウエル

Sci-Fiならぬ〈Cli-Fi（Climate-Fiction）〉という用語は二〇一〇年代から普及したらしく本当に今更ながら――しかしそうも言っていられない事象として――世界についての作品を。そしてSFの役割／機能のひとつ――世界のための新しい言葉を生み出すということから、理学書『圏論的量子力学入門』『圏論的量子力学』を特に。

高槻真樹

SF評論・映画研究者

① 『わたしたちが光の速さで進めないなら』キム・チョヨプ
② 『ダリア・ミッチェル博士の発見と異変』キース・トーマス（竹書房）※
③ 『千個の青』チョン・ソンラン
④ 『十六の夢の物語』ミロラド・パヴィッチ（松籟社）
⑤ 『声をあげます』チョン・セラン

一気に三冊が紹介。今年は韓国SFとの本格遭遇元年となった。①は、韓国ではマイナーだったジャンルSF小説が生んだ、初のベストセラー。②⑤とともに、そのみずみずしさ・繊細で鋭い感性、なにもかもがうらやましい。その一方で韓国以外にも、個性派の海外作品の当たり年でもあった。悩みに悩んでアイデア満載でトチ狂った②とパヴィッチの正統派幻想文学たる④を。いずれも本アンケート締め切りギリギリの刊行。みんな読めました？

高橋良平

SF評論家

① 『時の子供たち』エイドリアン・チャイコフスキー
② 『こうしてあなたたちは時間戦争に負ける』アマル・エル＝モフタール、マックス・グラッドストーン
③ 『宇宙の春』ケン・リュウ
④ 『新しい時代への歌』サラ・ピンスカー
⑤ 『ネットワーク・エフェクト』マーサ・ウェルズ

ベストに選んだ五点のほかにも、新訳で解像度の上がったバラード『旱魃世界』、レム『インヴィンシブル』、バージョンアップしたワトスン『オルガスマシン』などの傑作、『海の鎖』を筆頭に日本オリジナルのアンソロジーや作品集、各賞を受賞した二十一世紀のSFを拓く新しい作家の作品と、この一

年、充実した時間を過ごせたＳＦは数多く、東アジア圏を含め、意欲的な翻訳企画・出版に関わった送り手に敬意を払わずにはいられません。

立原透耶

——物書き、翻訳、教員

●『三体Ⅲ　死神永生』劉慈欣
●『移動迷宮　中国史ＳＦ短篇集』大恵和実＝編訳
●『わたしたちが光の速さで進めないなら』キム・チョヨプ
●『中国・アメリカ　謎ＳＦ』柴田元幸・小島敬太＝編訳
●『１９８４年に生まれて』郝景芳

アジア作品だけでも軽く五冊を超えるようになってしまった。中華圏、韓国と盛りだくさん。今後も様々な国の作品を読みたい。

巽 孝之

——ＳＦ批評家

●『サハリン島』エドゥアルド・ヴェルキン
●『ブリーディング・エッジ』トマス・ピンチョン（新潮社）
●『恋するアダム』イアン・マキューアン
●『クララとお日さま』カズオ・イシグロ
●『三体Ⅲ　死神永生』劉慈欣

旧ソ連生まれの作家が放つ巨篇は核戦争と新型伝染病が大国を壊滅させ大日本帝国が復活するばかりか、ゾンビとカニバリズムが蔓延するという奇想の饗宴。ピンチョン最近作はメタヴァース勃興時代の預言書としてギブスン、スティーヴンスンへ挑戦している。現代イギリスの代表的主流文学作家ふたりの最新作はともにＡＩに取り組みつつ、その料理法が対照的なのが面白い。《三体》完結篇は三部作中最もスペクタクル感覚に満ちていた。

田中すけきよ

——フリーアーキビスト

①『われはドラキュラ——ジョニー・アルカード』キム・ニューマン
②『ネオノミコン』アラン・ムーア（コミック／国書刊行会）
③『メタモルフォシス　リック・ベイカー全作品』Ｊ・Ｗ・リンズラー（河出書房新社）
④『図説　異形の生態　幻想動物組成百科』ジャン＝バティスト・ド・パナフィユー（原書房）
⑤『《ドラキュラ紀元一九五九》ドラキュラのチャチャチャ』キム・ニューマン

１〜４位は翻訳出たら嬉しいけど出ないだろうなぁ…と諦めていた四冊。特に『われはドラキュラ』！　待っててよかった。

田中 光

——イラストレーター

●『宇宙の春』ケン・リュウ
●『時間の王』宝樹
●『時の他に敵なし』マイクル・ビショップ
●『移動迷宮　中国史ＳＦ短篇集』大恵和実＝編訳
●『火星へ』メアリ・ロビネット・コワル

津久井五月

——作家

①『クララとお日さま』カズオ・イシグロ
②『ネットワーク・エフェクト』マーサ・ウエルズ
③『三体Ⅲ　死神永生』劉慈欣
④『Life Changing　ヒトが生命進化を加速する』ヘレン・ピルチャー
⑤『千個の青』チョン・ソンラン

①は設定面はありふれたロボット・ＡＩものながら、ひとつひとつのシーンの構築の巧みさ、一人称の語りの豊かさに魅了された。②も同じく一人称の語りが愉快で、『スキズマトリックス』めいたサイバーパンク世界を新鮮に味わえる。前作に引き続き、エンタメＳＦの可能性について蒙を啓かれた。③は未来の歴史を描こうとするＳＦの醍醐味が味わえた。なにより、歴史の中でもがく人類を体現する「計画」の数々が面白い。

東北大学SF・推理小説研究会 ——大学サークル

① 『三体Ⅲ　死神永生』劉慈欣
② 『海の鎖』伊藤典夫＝編訳
③ 『町かどの穴　ラファティ・ベスト・コレクション1』R・A・ラファティ
④ 『インヴィンシブル』スタニスワフ・レム
⑤ 『こうしてあなたたちは時間戦争に負ける』アマル・エル＝モフタール、マックス・グラッドストーン

待望の完結作。最終巻に相応しい壮大な物語に圧倒された。②表題作や「フェルミと冬」を推す声が多かった。③どこかおかしく、どこかおそろしい。そんなラファティ・ワールドを堪能できた。④本作以降のレム・コレクションⅡ期収録作品にも期待が高まる。⑤様々な形の美しい書簡で行なわれる交流が魅力的な作品。また、惜しくも選から漏れたが、マーサ・ウェルズ『ネットワーク・エフェクト』を推す声もあった。

都甲幸治 ——早稲田大学文学学術院教授

① 『沈黙』ドン・デリーロ

謎の理由で世界中のモニタ画面が突然消えてしまったとき、我々は何を思い出すのか。圧巻の中篇小説。

中野善夫 ——ファンタジイ研究家

① 『シブヤで目覚めて』アンナ・ツィマ
② 『蜂の物語』ラリーン・ポール
③ 『過ぎにし夏、マーズ・ヒルで』エリザベス・ハンド
④ 『キャクストン私設図書館』ジョン・コナリー
⑤ 『町かどの穴　ラファティ・ベスト・コレクション1』R・A・ラファティ

《三体》は全巻揃ったら評価すると去年は書いたのに、気づいたら英語版を読んで満足してしまって邦訳をまだ読んでいません。邦訳を読まずに投票してはいけないと思い、選外で心の中で1位をつけました。

中藤龍一郎 ——会社員兼SF研究家

① 『死人街道』ジョー・R・ランズデール
② 『時の他に敵なし』マイクル・ビショップ
③ 『過ぎにし夏、マーズ・ヒルで』エリザベス・ハンド
④ 『町かどの穴　ラファティ・ベスト・コレクション1』R・A・ラファティ
⑤ 『海の鎖』伊藤典夫＝編訳

①を一言で評するなら、子供の頃、深夜のテレビで震えながら見たB級ホラー映画。ランズデールのプロットの巧みさと残酷性はどこか山田風太郎に似ている。多くの読者を獲得はしないけれど長く読み継がれるのはビショップの②やハンドの③のような作品だろう。どのページにも文字を追う喜びや小説を読むことの充実感がある。④は愛蔵すべき一冊。ラファティ傑作集の第一弾だが、書籍初収録の作品も六篇あり、装幀もカッコいい。大切な人へのプレゼントにぴったりだ（？）。アンソロジーの⑤は、表題作もいいけれど、個人的にはM・ジョン・ハリスンの「地を統べるもの」がベスト。本誌で読んだとき、その異質さと完成度の高さに驚愕した。

中村 融 ——翻訳家・アンソロジスト

① 『怪奇疾走』ジョー・ヒル、スティーヴン・キング
② 『時間の王』宝樹
③ 『過ぎにし夏、マーズ・ヒルで』エリザベス・ハンド
④ 『時の他に敵なし』マイクル・ビショップ
⑤ 『移動迷宮　中国史SF短篇集』大恵和実＝編訳

今年は優れたアンソロジーがたくさん出て、アンソロジー好きとしては嬉しい悲鳴の連続だったが、その代表として⑤を挙げた。コンセプトが明確で、作品選びの楽しさと、作品を落とす苦しさが伝わってきたからだ。

①は当代屈指の短篇作家の最新作品集。変な照れというか遠慮がなくなって、やりたい放題のところがいい。

長山靖生　―評論家

●『三体Ⅲ　死神永生』劉慈欣
●『時間の王』宝樹
●『黄色い笑い／悪意』ピエール・マッコルラン
●『不滅の子どもたち』クロエ・ベンジャミン
●《フレドリック・ブラウンSF短編全集》フレドリック・ブラウン

今年は中国ＳＦに加え、韓国ＳＦも元気で、また芥川賞も話題作が……という（これは日本だが）状況がある一方、幻想文学も活況をみせている。そして懐しのブラウンも。

名古屋大学SF・ミステリ・幻想小説研究会　―大学サークル

①『宇宙の春』ケン・リュウ
②『人之彼岸』郝景芳
③『時間の王』宝樹
④『黒魚都市』サム・J・ミラー
⑤『2000年代海外SF傑作選』橋本輝幸＝編

全体的に、中国ＳＦが豊作な年だったと言える。①言うことなし。素晴らしい。②ＡＩと人の作品×六とエッセイが二つ。関係性の考察が深い。③すごい好き。今の中国ＳＦの勢いやアイデアの面白さをしみじみ感じる作品集。④町の構造など設定が面白いが展開に不満あり。⑤既存のＳＦに一捻り加えたものが多く面白かった。

鳴庭真人　―英米SF紹介者・翻訳者

①『時の子供たち』エイドリアン・チャイコフスキー
②『こうしてあなたたちは時間戦争に負ける』アマル・エル＝モフタール、マックス・グラッドストーン
③『6600万年の革命』ピーター・ワッツ
④『最終人類』ザック・ジョーダン
⑤『黒魚都市』サム・J・ミラー

①先行作の影響は見られるものの、非人類文明の発展を描いたＳＦとしては出色の出来。上下巻の表紙が似ているのはいただけない。②この茫洋とした物語を翻訳してくれたことに感謝と敬意を。③人類対ＡＩというおなじみのテーマにワッツらしい複雑な陰影がついている。④話はとっ散らかっているが、後半の無闇に壮大なヴィジョンは興味深い。⑤バチガルピを思わせる猥雑で灰色の近未来世界が魅力的。

難波弘之　―ミュージシャン、東京音楽大学教授

①『宇宙の春』ケン・リュウ
②『時間の王』宝樹
③『旱魃世界』J・G・バラード
④『過ぎにし夏、マーズ・ヒルで』エリザベス・ハンド
⑤『海の鎖』伊藤典夫＝編訳

国内と同じ理由で、短篇集ばかりです。伊藤さんの鑑識眼を頼りにＳＦを読み進めた身としては、「海の鎖」における、〝五十年経ってもさすがのチョイス〟が嬉しかったです。

二階堂黎人　―小説家

①『ハテラス船長の航海と冒険』ジュール・ヴェルヌ（インスクリプト）
②『海の鎖』伊藤典夫＝編訳
③『この地獄の片隅に　パワードスーツSF傑作選』J・J・アダムズ＝編
④『ユドルフォ城の怪奇』アン・ラドクリフ
⑤『フレドリック・ブラウンSF短編全集4　最初のタイムマシン』フレドリック・ブラウン

今年はアンソロジーが多くて嬉しかった。充実度では『海の鎖』がだんとつ。テーマ性がはっきりしていたので『この地獄の片隅

に』が面白く、その点の鈍い『不死身の戦艦』は今一つ。なお、私の実質1位は、アニメの『スタートレック／ローワー・デッキ』。

人間六度

—もうすぐ作家になるであろう人、大学生

①『クララとお日さま』カズオ・イシグロ

ぶっちゃけ僕は「意志を持ちたがるアンドロイドもの」には食傷気味で「アイ歌」にもぜんぜんはまれなかったのですけど、カズオ・イシグロは別にアンドロイドのこと書きたいわけじゃないんだろうな、と勝手に思うことによって、僕が勝手に楽しんだのがこの作品。

橋賢亀

—絵描き

①『キャクストン私設図書館』ジョン・コナリー
②『わたしたちが光の速さで進めないなら』キム・チョヨプ
③『炎と血』ジョージ・R・R・マーティン
④『緑の髪のパオリーノ』ジャンニ・ロダーリ
⑤『アヒル命名会議』イ・ラン

橋本輝幸

—SF書評家

●『過ぎにし夏、マーズ・ヒルで』エリザベス・ハンド
●『時の子供たち』エイドリアン・チャイコフスキー
●『帝国という名の記憶』アーカディ・マーティーン
●『新しい時代への歌』サラ・ピンスカー
●『オベリスクの門』N・K・ジェミシン

順不同。それぞれ傑作短篇集、蜘蛛たちの進化年代記、銀河帝国が舞台の冒険SF（しかし現代ならでは）、今年のムードにぴったりの至近未来SF、登場人物と人類にとってあまり過酷な三部作の第二作。ケン・リュウの今まで本邦で紹介されてこなかった面にも焦点を当てた短篇集『宇宙の春』や、前作よりぐっと宇宙SFらしい『火星へ』、ほぼ日本で未訳の作家ばかりを収録した同人誌〈BABELZINE〉等もお見逃しなく。

葉月十夏

—物語愛好家

①『猫の街から世界を夢見る』キジ・ジョンスン
②『旱魃世界』J・G・バラード
③『時の子供たち』エイドリアン・チャイコフスキー

①幻想的かつ現実的。主人公は次にどうするのだろう。②「燃える世界」を読んだのは随分前なので、完全版の本作には新鮮な気持ちで向き合えました。破滅三部作を読み直したくなりました。③進化した某生物も衝撃的でしたが、その独特な社会と結末にまた仰天。圧巻です。

林譲治

—SF作家

①『三体Ⅲ　死神永生』劉慈欣
②『移動迷宮　中国史SF短篇集』大恵和実＝編訳

去年の本を中心に今年は読んでいた関係で、二冊。『三体』はやはりこの位置だな。

林哲矢

—SFレビュアー

①『三体Ⅲ　死神永生』劉慈欣
②『わたしたちが光の速さで進めないなら』キム・チョヨプ
③『移動迷宮　中国史SF短篇集』大恵和実＝編訳
④『こうしてあなたたちは時間戦争に負ける』アマル・エル＝モフタール、マックス・グラッドストーン
⑤『サハリン島』エドゥアルド・ヴェルキン

『町かどの穴　ラファティ・ベスト・コレクション1』については『ファニーフィンガーズ』と合わせて来年投票ということにして、非英語圏多めの投票を。東アジアSF紹介の充実は嬉しい驚きだった。この勢いで欧州の非英語圏や南米、インド、アフリカなどのS

Fも翻訳されるようになると嬉しい。

春暮康一 ──SF作家

①『6600万年の革命』ピーター・ワッツ
②『この地獄の片隅に パワードスーツSF傑作選』J・J・アダムズ＝編
③『時間の王』宝樹
④『宇宙の春』ケン・リュウ
⑤『わたしたちが光の速さで進めないなら』キム・チョヨプ

走りすぎなストーリーテリングで読者を振り回すワッツ節は、いつも見習いたいと思いつつ見習えない。見習わないほうがいいのかもしれない（今回は多少お手柔らかでしたね）。それにしても自分で選んだタイトルを見返すと、コンセプト特化の短篇集が好きで仕方ないのだなと改めて思う。といって、ケン・リュウみたいに寄せ鍋感のある作品集も大好きなのだけれど。通して一番のお気に入りは『この世界の片隅に』の「N体問題」。

樋口恭介 ──SF作家

①『三体Ⅲ 死神永生』劉慈欣
②『恋するアダム』イアン・マキューアン
③『宇宙の春』ケン・リュウ
④『2010年代海外SF傑作選』橋本輝幸＝編
⑤『2000年代海外SF傑作選』橋本輝幸＝編

『三体Ⅲ』を読んでいるとき、脳がどんどんデカくなっていくような感覚がありました。『三体Ⅲ』を読む前と読んだ後では、身体的に不可逆的な変化があるような気がしてなりません。もちろんそれは気のせいなのですが、本気で気のせいを楽しむことも許されてしまうような、そんな力を持った作品でした。最高です。

福井健太 ──書評系ライター

①『人之彼岸』郝景芳
②『中国・アメリカ 謎SF』柴田元幸・小島敬太＝編訳
③『この地獄の片隅に パワードスーツSF傑作選』J・J・アダムズ＝編
④『最終人類』ザック・ジョーダン
⑤『こうしてあなたたちは時間戦争に負ける』アマル・エル＝モフタール、マックス・グラッドストーン

AIの進化が導く状況と議論に情緒を重ねた①は、長く読み継がれるべき一冊に違いない。②は米中の対比も興味深いが、まずは奇抜なアイデア譚として楽しめる。③はテーマに恵まれた良質のアンソロジー。知性が階層化されたネットワーク宇宙、ユニークな種族の数々、仲間捜しの冒険などが盛られた④は娯楽性の高い快作。⑤は大掛かりな背景と手紙を使った演出の組み合わせが秀逸。分量の手頃さも好ましい。

福江 純 ──天文楽者

①『ネットワーク・エフェクト』マーサ・ウエルズ
②『マザーコード』キャロル・スタイヴァース
③『最終人類』ザック・ジョーダン
④『帝国という名の記憶』アーカディ・マーティーン
⑤『不死身の戦艦 銀河連邦SF傑作選』J・J・アダムズ＝編

前作『マーダーボット・ダイアリー』が非常にはまったので、続篇も即ゲット。自分のことを〝弊機〟というのは謙譲的に言っているぐらいに思っていたけど、いまさらながら〝兵器〟と掛けていたのかな？ 今年は退職前後で慌ただしくあまりたくさん読んでいないが、他は可もなく不可もなしで、あまり強い印象に残ったのはなかった。

藤井太洋 ──SF作家

①『雨の島』呉明益（河出書房新社）
②『三体Ⅲ 死神永生』劉慈欣
③『火星へ』メアリ・ロビネット・コワル

④『クララとお日さま』カズオ・イシグロ
⑤『わたしたちが光の速さで進めないなら』キム・チョヨプ

翻訳SFの多様性が花開いた一年。狙ったわけではないけれど、台湾、中国、アメリカ、イギリス、韓国からの作品が一つずつ並ぶことになりました。コロナ禍で曲がってしまった背中を伸ばしてくれる作品がこれほど読めたことに感謝しています。このほかにも宝樹の『時間の王』、チョン・ソンランの『千個の青』など、取り上げたい作品が目白押しでした。出版社と、素晴らしい仕事をしてくださった翻訳者の皆さんに感謝いたします。

藤田雅矢 ―作家・植物育種家

●『三体Ⅲ　死神永生』劉慈欣
●『町かどの穴　ラファティ・ベスト・コレクション1』R・A・ラファティ
●『クララとお日さま』カズオ・イシグロ
●『中国・アメリカ　謎SF』柴田元幸・小島敬太＝編訳
●『宇宙の春』ケン・リュウ

時空の彼方まで連れて行かれた『三体Ⅲ』をはじめ、ひさびさにラファティ（「今年の新人」が好みです）など、電子書籍でもいろいろ楽しみました。ここには入りませんが、『文体の舵をとれ　ル＝グウィンの小説教室』は勉強になります。

冬木糸一 ―レビュアー

①『三体Ⅲ　死神永生』劉慈欣
②『サハリン島』エドゥアルド・ヴェルキン
③『時の子供たち』エイドリアン・チャイコフスキー
④『移動迷宮　中国史SF短篇集』大恵和実＝編訳
⑤『蛇の言葉を話した男』アンドルス・キヴィラフク

①は二〇二一年はこれでしょうという一冊。②はロシアの終末SFの傑作。③は純粋にワクワクさせてくれる異種生物SFで文句なしに面白い。④は日本オリジナル編集で中国SFの可能性を開拓してくれた。⑤はファンタジイだがあまりにもおもしろかったので入れざるを得ず。

古山裕樹 ―書評家

①『時の子供たち』エイドリアン・チャイコフスキー
②『こうしてあなたたちは時間戦争に負ける』アマル・エル＝モフタール、マックス・グラッドストーン
③『ネットワーク・エフェクト』マーサ・ウエルズ
④『帝国という名の記憶』アーカディ・マーティーン
⑤『われはドラキュラ――ジョニー・アルカード』キム・ニューマン

原作に忠実に映像化したらビジュアルがきつそうな①がベスト。蜘蛛サイドの展開に、ゲーム「Civilization」シリーズを連想した。②は手紙のやり取りを軸にした物語の見せ方と、ロマンティックでエモーショナルな展開が忘れがたい。③は前作同様、一人称の語り口が魅力。④はスパイ小説の愛好者にとっては捨てがたい作品。⑤は細かい題材の詰め込み方を楽しめた。

細谷正充 ―文芸評論家

①『三体Ⅲ　死神永生』劉慈欣
②『過ぎにし夏、マーズ・ヒルで』エリザベス・ハンド
③『移動迷宮　中国史SF短篇集』大恵和実＝編訳
④『海の鎖』伊藤典夫＝編訳
⑤『小惑星ハイジャック』ロバート・シルヴァーバーグ

短篇集とアンソロジーが多くなってしまった。短篇スキーなので、しかたがない。5位は、たいした作品ではないが、SFを読み始めた頃の気持ちを思い出させてくれたので。子供時代に馴染んだ味は、いつまで経っても

美味しく感じるものである。それから、ウォルター・テヴィスの『クイーンズ・ギャンビット』は、さすがにベストに入れないが、翻訳されて大喜び。早川書房は、この流れに乗って、『モッキンバード』を文庫化すればよかったのに。

牧眞司 ——SF研究家

①『町かどの穴　ラファティ・ベスト・コレクション1』R・A・ラファティ
②『インヴィンシブル』スタニスワフ・レム
③『旱魃世界』J・G・バラード
④『わたしたちが光の速さで進めないなら』キム・チョヨプ
⑤『時間の王』宝樹

『町かどの穴』を1位にしない選択はありえない。《ラファティ・ベスト・コレクション》をつくるため、半世紀におよぶ私のSF人生はあったのだ。選外でとくに面白く読んだ本は、橋本輝幸編『2000年代海外SF傑作選』『2010年代海外SF傑作選』、ケン・リュウ『宇宙の春』、伊藤典夫編『海の鎖』、ハンド『過ぎにし夏、マーズ・ヒルで』、柴田元幸・小島敬太編『中国・アメリカ　謎SF』、ランズデール『死人街道』。

牧紀子 ——雑誌編集者、SFイラスト愛好家

①『町かどの穴　ラファティ・ベスト・コレクション1』R・A・ラファティ
②『クララとお日さま』カズオ・イシグロ
③『旱魃世界』J・G・バラード
④『Arc　アーク　ベスト・オブ・ケン・リュウ』ケン・リュウ
⑤『2010年代海外SF傑作選』橋本輝幸＝編

単純に楽しく、ワクワクした順番です。ラファティはどれもスゴいし、『クララとお日さま』は読んでポカポカに。3位は《破滅三部作》のうち『沈んだ世界』と『結晶世界』しか読んでいなかったので、ついに完全版にて読むことができて幸せです。5位に『2000年代海外SF傑作選』とどちらを入れるか悩み、テッド・チャン「ソフトウェア・オブジェクトのライフサイクル」の入っているほうを入れさせてもらいました。

増田まもる ——翻訳家

①『旱魃世界』J・G・バラード
②『インヴィンシブル』スタニスワフ・レム
③『時の他に敵なし』マイクル・ビショップ
④『町かどの穴　ラファティ・ベスト・コレクション1』R・A・ラファティ
⑤『《ドラキュラ紀元一九五九》ドラキュラのチャチャチャ』キム・ニューマン

今年は大御所の新訳が豊作でした。これらの重厚長大な作品を訳しきられた翻訳家のみなさまの血のにじむような努力に頭が下がります。

松崎健司（らっぱ亭） ——放射線科医（ラファティアン）

①『町かどの穴　ラファティ・ベスト・コレクション1』R・A・ラファティ
②『新しい時代への歌』サラ・ピンスカー
③『海の鎖』伊藤典夫＝編訳
④『宇宙の春』ケン・リュウ
⑤『時間の王』宝樹

さあ、ラファティ・ルネサンスの到来だ！　①を端緒に『ファニーフィンガーズ』『とうもろこし倉の幽霊』と奇想の王国をたっぷり堪能しよう。②のピンスカーは短篇集も楽しみだが、ネビュラ受賞の都市伝説・実話怪談系（クリーピーパスタ）ノヴェレット"Two Truths and a Lie"もいいぞ。適当にでっち上げたはずの話が真実となり、調べていくうちにどんどんと自分のアイデンティティが揺らいでいく系のぞわぞわする不穏な逸品。

宮樹弌明 ——会社員・ライター

①『三体Ⅲ　死神永生』劉慈欣

② 『旱魃世界』J・G・バラード
③ 『火星へ』メアリ・ロビネット・コワル
④ 『宇宙の春』ケン・リュウ
⑤ 『MATH ART マス・アート ～真理、美、そして方程式～』スティーヴン・オーンズ（ニュートンプレス）

①は前作までに膨れあがった読者の期待と不安を軽々と飛び越えてとんでもない奇想を見せてくれた力作。他の作品もストレートに楽しめる作品が多かった印象。⑤は、SFの範疇に入れるのは無理があるかもとは思いつつ面白かったので。

森下一仁 ―本読み／著述

① 『三体Ⅲ 死神永生』劉慈欣
② 『2000年代海外SF傑作選』『2010年代海外SF傑作選』橋本輝幸＝編
③ 『恋するアダム』イアン・マキューアン
④ 『宇宙の春』ケン・リュウ
⑤ 『時の子供たち』エイドリアン・チャイコフスキー

なんといっても『三体』の完結でしょう。古典的なアイデアを組み合わせ、堂々たる二十一世紀のSFに仕立てられるのが中国SFの強みですね。ケン・リュウの歴史SFに、この作家の新たな側面を見た。英国周流作家ではマキューアンの他にカズオ・イシグロのSFもあったことを特筆しておきたい。

柳下毅一郎 ―特殊翻訳家

① 『インヴィンシブル』スタニスワフ・レム
② 『町かどの穴 ラファティ・ベスト・コレクション1』R・A・ラファティ
③ 『時の他に敵なし』マイクル・ビショップ
④ 『海の鎖』伊藤典夫＝編訳
⑤ 『三体Ⅲ 死神永生』劉慈欣

レム生誕百年の年、レムの傑作のひとつが（とは言っても、レムには「傑作」と「すごい傑作」と「とんでもない傑作」しかないのだが）新訳された。何年ぶりに読み直すのかわからないが、それはまるで二〇二一年の新作のように読めたのだった。マイクル・ビショップの長篇も、まるで現代の問題意識のもとで書かれた小説のように思えたのだった。傑作は時を超越する。何度でも。

山岸 真 ―SF翻訳業

① 『三体Ⅲ 死神永生』劉慈欣
② 『わたしたちが光の速さで進めないなら』キム・チョヨプ
③ 『2000年代海外SF傑作選』『2010年代海外SF傑作選』橋本輝幸＝編
④ 『こうしてあなたたちは時間戦争に負ける』アマル・エル＝モフタール、マックス・グラッドストーン
⑤ 『時の子供たち』エイドリアン・チャイコフスキー

マイクル・ビショップ『時の他に敵なし』は思い入れが強すぎる作品なので別格扱いのランク外（今世紀の作品のみに絞りたいという意図もある）。次点はイアン・マキューアン『恋するアダム』、アンドルス・キヴィラフク『蛇の言葉を話した男』、チョン・ソンラン『千個の青』、イ・コンニム『世界を超えて私はあなたに会いに行く』など。初訳短篇ベストテンを選ぶなら、②と③およびケン・リュウ『宇宙の春』収録作でほぼ埋まる。

山之口洋 ―AI技術者

① 『三体Ⅲ 死神永生』劉慈欣
② 『沈黙』ドン・デリーロ
③ 『6600万年の革命』ピーター・ワッツ
④ 『Arc アーク ベスト・オブ・ケン・リュウ』ケン・リュウ
⑤ 『銀河帝国の興亡1 風雲編』アイザック・アシモフ

②を読んでいて、免疫学者の故・多田富雄が「老化の悪性なところは、生体機能というシステムが次々と連鎖的に破綻してゆき、それが個人という超システムの崩壊につながることだ」という意味のことを書いていたのを思い出した。もしかすると私たちはいま、文明社会の老衰死を看取っているのかもしれな

い。①をはじめ中国SFの快進撃はめざましい。それを精力的に紹介してくれる訳者諸氏の努力にも感謝。隣国台湾のSFも併せて今後も注視してゆきたい。

YOUCHAN ―イラストレーター

①『願わくは彼女の眠り続けんことを』シンシア・アスキス（綺想社）
②『蒸気の国のアリス』フランチェスコ・ディミトリ
③『死人街道』ジョー・R・ランズデール
④『町かどの穴　ラファティ・ベスト・コレクション1』R・A・ラファティ
⑤『時の子供たち』エイドリアン・チャイコフスキー

①と②はリトルプレス出版で、入手がもうすでに難しくなっているのが惜しい。特にシンシア・アスキスは理不尽で不条理で、どの作品も素晴らしく、端正な日本語で読めて嬉しかった。③はゾンビウェスタン。特に中篇の「死屍の町」のクライマックスは楽しかった！

ゆずはらとしゆき ―作家&企画編集者

①『旱魃世界』J・G・バラード
②『だれも死なない日』ジョゼ・サラマーゴ
③『黒魚都市』サム・J・ミラー
④『夜の声』スティーヴン・ミルハウザー
⑤『骸骨』ジェローム・K・ジェローム

①祝、完全版。同じ破滅でも『結晶世界』へ向かわなかった、ただひたすら殺し合う『ハイ・ライズ』と地続きの「世界」。②「もしも」のサラマーゴ、今回は「もしも人が死ななかったら」。リアリズムで描くドリフ大爆笑。③『RD　潜脳調査室』を汚濁と混沌で歪めたような海洋都市奇譚。④平易なのに変。日常との誤差がどんどん縮まっていくミルハウザー。⑤ユーモア小説と思いきや、多種多様な怪奇幻想見本市。

吉田親司 ―小説家

①『火星へ』メアリ・ロビネット・コワル
②『銀河帝国の興亡1　風雲編』アイザック・アシモフ
③『《ドラキュラ紀元一九五九》ドラキュラのチャチャチャ』キム・ニューマン
④『不死身の戦艦　銀河連邦SF傑作選』J・J・アダムズ＝編
⑤『この地獄の片隅に　パワードスーツSF傑作選』J・J・アダムズ＝編

前作『宇宙（そら）へ』が好みだったので楽しみにしていた続篇の①は期待に違わぬ内容であった。続く二作は新訳枠。フレッシュな文体で魅力が一新した②と、入手困難だった架空戦記風味の③は両方とも嬉しい出版。④と⑤は傑作短篇集で読み応えが大いにあった。

ワセダミステリ・クラブ ―大学サークル

①『Arc　アーク　ベスト・オブ・ケン・リュウ』ケン・リュウ
②『宇宙の春』ケン・リュウ
③『中国・アメリカ　謎SF』柴田元幸・小島敬太＝編訳
④『2010年代海外SF傑作選』橋本輝幸＝編
⑤『人之彼岸』郝景芳

読んだ後にしみじみとした趣が残る珠玉の傑作を選び抜いた①と、SFの手法を用いつつネット炎上やアジアの歴史など様々に材を求めた②はケン・リュウの作品集。③はアメリカと中国という二つの国から、挑戦的かつ新奇な〝謎〟短篇集だ。二〇一〇年代の快作を収めたアンソロジーの④は、ドローンとカラスの話が特に面白かった。人工知能と愛をテーマとした短篇集の⑤は、中国の巨大だがおおらかな波を感じる。

渡邊利道 ―作家・評論家

●『サハリン島』エドゥアルド・ヴェルキン
●『6600万年の革命』ピーター・ワッツ
●『こうしてあなたたちは時間戦争に負ける』アマル・エル＝モフタール、マックス・

グラッドストーン

●『時の子供たち』エイドリアン・チャイコフスキー

●『オベリスクの門』N・K・ジェミシン

他に、エリザベス・ハンド『過ぎにし夏、マーズ・ヒルで』橋本輝幸編『2000年代海外SF傑作選』『2010年代海外SF傑作選』キム・チョヨプ『わたしたちが光の速さで進めないなら』大恵和実（編訳）『移動迷宮』ンネディ・オコラフォー『ビンティ―調和師の旅立ち―』マーサ・ウェルズ『ネットワーク・エフェクト』などが面白かったです。

渡辺英樹 —SFレビュアー

①『時の他に敵なし』マイクル・ビショップ
②『三体Ⅲ　死神永生』劉慈欣
③『オベリスクの門』N・K・ジェミシン
④『宇宙の春』ケン・リュウ
⑤『黒魚都市』サム・J・ミラー

①は待望の邦訳であり、練りに練られた構成と語り口が見事。②は壮大なスケールと、おとぎ話の素晴らしさ。③は最終巻への期待を込めて。④はやはり「歴史を終わらせた男」が圧巻。SF史に残る傑作と思う。⑤はユニークな設定と疾走感ある物語が印象に残った。次点は『海の鎖』『町かどの穴』など多数。

ＳＦが読みたい！の早川さん①

三体

こうしてわたしは時間戦争に負ける

ライトノベルSF

二〇二一年を象徴する宇宙SFから人気シリーズの完結篇まで充実の一年

タニグチリウイチ
Taniguchi Riuichi

❶『ひとりぼっちのソユーズ』　七瀬夏扉
❷『青い砂漠のエチカ』　高島雄哉
❸『ユア・フォルマ　電索官エチカと機械仕掛けの相棒』　菊石まれほ
❹『Vivy prototype』　長月達平・梅原英司
❺『月とライカと吸血姫（ノスフェラトウ）』　牧野圭祐
❻『忘れえぬ魔女の物語』　宇佐楢春
❼『レイの世界 -Re:I- Another World Tour』　時雨沢恵一
❽『イルダーナフ -End of Cycle-』　多宇部貞人
❾『ヘヴィー・オブジェクト　人が人を滅ぼす日』　鎌池和馬
❿『マージナル・オペレーション改 11』　芝村裕吏

　蔓延する新型コロナウイルスは、人や物の流れを変える一方で、居ながらにして世界と繋がるXR（クロスリアリティ）技術の登場を促した。2位の高島雄哉『**青い砂漠のエチカ**』が舞台にしている二〇四五年の山口県宇部市でも、致死性の伝染病が蔓延して定着し、日によっては外を出歩けなくなる状況の下、XR技術で現実と仮想空間とがシームレスに繋がっている。例えば、登校した生徒とバーチャルで参加の生徒が、重なったレイヤーの上で同じ授業を受けているといった具合。そんな状況下ではほとんどデバイス越しにしか会っていなかった彼女が、実はAIなのかもしれないといった疑問が浮かぶ。パンデミックがもたらす社会の変化と、XRやAIの持つ可能性を見たい人にお薦めの作品だ。

　AIは、3位の『**ユア・フォルマ　電索官エチカと機械仕掛けの相棒**』から始まる菊石まれほのシリーズでも扱われる。脳に張り巡らせたデバイスを通して、人間が外部と繋がれるようになった世界。デバイスに潜る能力を持った女性捜査官とイケメンのアンドロイドがテクノロジー絡みの犯罪に挑む。まさしくアシモフ『鋼鉄都市』の現代版。ミステリ仕立ての中に便利なテクノロジーが持つ脅威や、AIの限界と可能性といったSF的なテーマを見せてくれるシリーズだ。

　4位『**Vivy prototype**』にもAIは登場。『Re：ゼロから始める異世界生活』の長月達平と、脚本家の梅原英司が原案・シリーズ構成を手がけたTVアニメ『Vivy -Fluorite Eye's Song-』の原案小説で、未来に起こるAIによる人類殺戮を防ぐため、歌姫として作られたロボットが歴史改変に挑む。時間物でありAI物の要素も味わえるタイトルだ。

　パンデミックにXRにAIといった現代的なテーマの作品を押さえて1位としたのは、七瀬夏扉『**ひとりぼっちのソユーズ**』だ。ユーリヤという少女と「僕」は子供のころ、宇宙話で盛り上がっていた。思春期に入り関係は薄れるが、種子島へ移住したユーリヤを高校生になって訪ねたことで「僕」の宇宙への思いが再燃。体が弱いユーリヤは技術者になって軌道エレベーターの開発に従事し、「僕」は宇宙飛行士となって月面に降り立つ。支え合う二人の感動ストーリーに見えた前

タニグチリウイチ氏が選んだ！ 2021年度ライトノベル作品ベスト3

半から、月で最初に生まれた少女を巡る騒動などを経て至った後半。月面開発を成し遂げ人生の終わりに差しかかった「僕」の耳目を彼方のブラックホールへと向けさせる事態が起こる。異なる時間線の上で繰り返される、月面開発や宇宙移民の悲劇のビジョンを見せられた先に待つ再会に泣かされた。大富豪たちが相次いで宇宙に行った二〇二一年を象徴する宇宙SFであり、時間SFだった。

5位の牧野圭祐『**月とライカと吸血姫**（ノスフェラトウ）』も月着陸の興奮を蘇らせてくれた。米ソの宇宙開発競争をモチーフに、差別されていた吸血鬼の少女イリナと宇宙飛行士候補のレフが宇宙を目指すストーリーで、イリナとレフの月行きを描いて完結。大国間の競争があり、数々の犠牲があり、緊張があって喜びがあった往時の宇宙開発の風景を蘇らせ、差別への憤りも感じさせてくれる。

6位は宇佐楢春『**忘れえぬ魔女の物語**』。同じ日を何度も繰り返した中からランダムに選ばれた日の続きへ進む綾花が、進学した高校で未散という少女と仲良くなるが、そこに悲劇的な別れが訪れる。未散が無事である一日を得ようとして厖大な回数を繰り返しても得られないという絶望の底から、綾花がどのように抜け出すかが読みどころ。宇宙を観測できる人間が時間という概念を作り出しているのか、と思わされる展開が深い。

7位は『キノの旅 -the Beautiful World-』の時雨沢恵一による『**レイの世界 -Re:I- Another World Tour**』。歌手と女優を目指すユキノ・レイが巨匠監督からあてがわれたのは、本当に毒を飲んで死ぬ役。それをどうしてレイは平気でこなせるのか。レイだからこそ持ち込まれる仕事の多彩さと、仕事先の世界で起こる事件が示す寓意を味わえる。

8位の多宇部貞人『**イルダーナフ -End of Cycle-**』は、エルフのパイロットたちが戦闘機で空戦を繰り広げている世界の物語。撃墜されてもバックアップされた意識を受け継いだクローン体が目覚めるために、誰も死を厭わないはずだったが、主人公のルゥが意識の連鎖から外され戦闘機へと転送されたことで、自分とは何かという問いが浮かんで来る。

9位は『**ヘヴィーオブジェクト 人が人を滅ぼす日**』で完結した『ヘヴィー・オブジェクト』シリーズ。兵士の代わりに核攻撃でも壊れない巨大な兵器が騎士道的に戦うことで戦争がクリーンなものになったはずの世界で、覇権をめぐった国家間の謀略が繰り広げられ、兵士たちが地べたを這いずり回った果て。巨大な兵器が動くことで地球に与えるダメージが浮上する。ケタ違いのロボットバトルを見せてくれた作品だった。

シリーズ完結となった芝村裕吏『**マージナル・オペレーション改 11**』が十位。『富士学校まめたん研究分室』で生み出された小型ロボット戦車の活躍ぶりを確かめよう。

たにぐち・りういち●65年生れ。書評家。〈SFマガジン〉〈ミステリマガジン〉などでライトノベル評担当。趣味の書評サイト「積ん読パラダイス」は1800冊突破。

国内＆海外ファンタジイ

作り込まれた世界に没入できる国内作品
個性的なアプローチで価値観を揺さぶる海外作品

卯月鮎 Uzuki Ayu

❶『蒼衣の末姫』　門田充宏
❷『炎と血』　ジョージ・R・R・マーティン
❸『猫の街から世界を夢見る』　キジ・ジョンスン
❹『山の人魚と虚ろの王』　山尾悠子
❺『シブヤで目覚めて』　アンナ・ツィマ
❻『久遠の島』　乾石智子
❼『蛇の言葉を話した男』　アンドルス・キヴィラフク
❽『星巡りの瞳』　松葉屋なつみ
❾『蒸気と錬金　Stealchemy Fairytale』　花田一三六
❿『キルケ』　マデリン・ミラー

小説以外の媒体も含めて、二〇二一年のファンタジイシーンはここ数年に比べて静かめだったように思う。今やファンタジイ熱の強力な発生源となっている海外ドラマでは、十一月にAmazonプライム・ビデオでロバート・ジョーダンの名作《時の車輪》をドラマ化した『ホイール・オブ・タイム』の配信が始まり話題となった。コミックではダークファンタジイ『呪術廻戦』がアニメ化され、十二月には劇場版も公開されている。また、社会現象化したスマホアプリ『ウマ娘　プリティーダービー』も、競争馬の転生後の人生と受け取るとファンタジイといえる。そもそも擬人化はファンタジイの十八番だ。

小説に目を向けると、李琴峰のファンタジイ的な寓話『彼岸花が咲く島』が第一六五回芥川賞を受賞した。また、やや局地的な盛り上がりではあるが、集英社オレンジ文庫の後宮ミステリファンタジイ《後宮の烏》を筆頭に後宮ものや宮廷陰謀劇が賑わっている。この流れは今年も続くだろう。

さて、二〇二一年のファンタジイ十冊を国内外に分けて振り返っていきたい。　門田充宏

『蒼衣の末姫』は、怪生物「冥凪（みょうふ）」が跋扈する東洋風世界が出色。唯一冥凪を滅ぼす「蒼衣」の血筋を引くが力を操れない少女と、役に立たない異能持ちの少年が物語を紡ぐ。AIにも似た学習様式で行動変容する冥凪の生態は非常にSF的。終末ファンタジイとしても社会が綿密に構築されている。

山尾悠子**『山の人魚と虚ろの王』**は、代表作『歪み真珠』収録の短篇「夜の宮殿の観光、女王との謁見つき」に連なる作品。主人公の「私」と若い妻の新婚旅行が数多の白昼夢的ビジョンで覆われていく。絢爛かつ妖艶な綴れ織りに巻き込まれるような、めくるめく体験がそこにある。

乾石智子**『久遠の島』**は、《オーリエラントの魔道師》の一冊。世界中の書物が集まる島の滅亡から始まる若者たちの復讐譚。乾石のデビュー作で描かれた職業「夜の写本師」が生まれた背景をたどる。仄暗くも瑞々しい重層的な成長物語と、木の枝に実る本という豊潤なイメージに心を摑まれた。

松葉屋なつみ**『星巡りの瞳』**は、創元ファンタジイ新人賞作『星砕きの娘』から遡るこ

卯月 鮎氏が選んだ！ 2021年度・国内&海外ファンタジイ作品ベスト３

1

2

3

と数百年前が舞台。執念に取り憑かれて鬼になってしまった人間の救いを描く説話的な物語は心の奥に届く。ミステリ要素も読者の興味を惹きつけ最後まで飽きさせない。

花田一三六『**蒸気と錬金**』は、蒸気錬金術で繁栄を極める英国の小説家による旅行記という趣向。島民が操る超常現象〈理法〉が生み出す驚愕の光景がレトロな文体とマッチし、不可思議な空気に満ちる。異世界巡りの旅情はまさにファンタジイの本質といえる。

ここからは海外ファンタジイ。ジョージ・R・R・マーティン『**炎と血**』は、巨篇《氷と炎の歌》の前史を追う歴史書という形式を取る、いわば『シルマリルの物語』。エイゴン一世が七つの王国を統一してからのターガリエン家の治世が明らかになる。小説的な肉付けは抑えられていても、憎悪と欲望にまみれる権力者たちの闘争は血なまぐさく、鼻を刺激する。獰猛な幻想生物であり兵器でもあるドラゴンの存在感も本編以上に強烈だ。

キジ・ジョンスンの世界幻想文学大賞作『**猫の街から世界を夢見る**』は、ラヴクラフトの初期作品群《ドリーム・サイクル》を下敷きにした物語。元冒険者である初老の女性教授が、狂える神々の支配する夢の国を巡歴する。女性不在というラヴクラフト世界の空白地を新たな視点で色づける。孤独ながら何にも縛られない女性の生き様が際立つ。

チェコで新人賞を総なめにしたアンナ・ツィマ『**シブヤで目覚めて**』は、謎の日本人作家を追いかける少女・ヤナが分裂する奇妙な物語。一方はプラハで日本文学を学び、一方はシブヤに幽霊として閉じ込められる……。プラハとシブヤ、現実と虚構。時空を超えて人々を結びつける文学への讃歌を感じる。

エストニアでベストセラーとなったアンドルス・キヴィラフク『**蛇の言葉を話した男**』は、キリスト教世界に逆らい森で暮らす孤独な男が主人公の寓話。人間の娘と好色なクマが愛し合い、猿人がシカの大きさのシラミを育てる。森が見せる奇想も力強い。

マデリン・ミラー『**キルケ**』は、ギリシア神話の再話。英雄オデュッセウスを助けた魔女キルケの語りが、ギリシア神話をひとつの歴史として浮かび上がらせる。神々と魔法が当たり前に存在する古代世界から人間の世界へ。それはつまり神話の終焉を示す。

一気に振り返ったが、この十冊以外にも英国植民地のマラヤで紡がれるヤンシィー・チュウの幻想譚『夜の獣、夢の少年』、室町時代を舞台にした上田早夕里の心温まる陰陽師もの『播磨国妖綺譚』、完結が待たれる森山光太郎の大河ファンタジイ《隷王戦記》なども印象に残った。二〇二二年はジョージ・R・R・マーティンが世界観の構築を担当したゲーム『エルデンリング』が二月に発売される。北欧神話風世界での群像劇が予告されており、個人的に楽しみにしている。

うづき・あゆ●書評家、ゲームコラムニスト。〈ＳＦマガジン〉〈日刊ＳＰＡ！〉〈GetNavi web〉等で書評・ゲームコラムを連載中。

国内&海外ホラー

アジア・欧米ともに大充実の海外、怪談と長篇が活況をみせる国内

笹川吉晴
Sasagawa Yoshiharu

- ●『死人街道』ジョー・ランズデール
- ●『われはドラキュラ――ジョニー・アルカード』キム・ニューマン
- ●『怪奇疾走』ジョー・ヒル
- ●『ブラックノイズ　荒聞』張渝歌（ちょうゆか）
- ●『人狼ヴァグナー』ジョージ・W・M・レノルズ
- ●『影踏亭の怪談』大島清昭
- ●『ほねがらみ』芦花公園
- ●『じょかい』井上宮
- ●『闇祓』辻村深月
- ●『第四トッカン　警視庁特異集団監視捜査第四班』鷹樹烏介

二〇二一年度のホラーはまず海外作品が充実。『幻想と怪奇』叢書第一弾のリサ・タトル『夢遊病者と消えた霊能者の奇妙な事件』は奇矯な童顔探偵（ホームズ）と元心霊現象研究協会（SPR）の女調査員（ワトスン）が心霊主義の〝怪物〟と渡り合うホームズ&ドラキュラ譚の読み替え。続くジョー・ランズデール『**死人街道**』はコルト片手に大西部の荒野をさすらうはぐれ牧師が神々の勢力争いの尖兵となって、行く先々で怪物を退治するハードなホラー・ウェスタン連作。一方、ナイトランド叢書のキム・ニューマン《ドラキュラ紀元》『**われはドラキュラ――ジョニー・アルカード**』は映画を中心に、戦後のエンターテインメント史の膨大なディテールを徹底的に改変していく。

少年惨殺事件の陰に潜む〝怪物〟に気づいた人々を描くスティーヴン・キング『アウトサイダー』は展開や人物配置など『吸血鬼ドラキュラ』の変奏曲で、『任務の終わり』の続篇でもある。キングと並ぶモダンホラーの雄ディーン・クーンツの『ミステリアム』は犬ものの名作『ウォッチャーズ』の三十三年ぶりの続篇。ジョー・ヒルの短篇集『**怪奇疾走**』は各篇のシチュエーションとイメージが秀逸だが、〝キングの息子〟であることについて語った作者自身の解題も興味深い。

クトゥルー神話ではブライアン・ラムレイの幻夢境冒険譚『幻夢の英雄』、ラヴクラフト作品がバイオレンスとエロスまみれで現実化するアラン・ムーア作、ジェイセン・バロウズ画のグラフィック・ノベル『ネオノミコン』がある。エリー・グリフィス『見知らぬ人』はヴィクトリア朝のカルト作家が遺した怪奇小説にまつわる殺人が発生するミステリ。小説の断片がしばしば現実に侵入してくるが、巻末に一篇丸ごと収録されている。

台湾ホラーの紹介も相次いだ。李則攸・巫尚益『返校　影集小説』はゲームを基にした学校怪談ドラマのノベライズ。張渝歌『**ブラックノイズ　荒聞**』はJホラー的な怨霊譚に日本の植民地統治や少数民族問題、疑似科学などが結びついた意欲作。『おはしさま　連鎖する怪談』は三津田信三から陳浩基に至る日・台・香港の作家によるリレー小説だ。

古典の方もアン・ラドクリフ『ユドルフォ城の怪奇』、ジョージ・W・M・レノルズ

笹川吉晴氏が選んだ！　2021年度・国内&海外ホラー作品

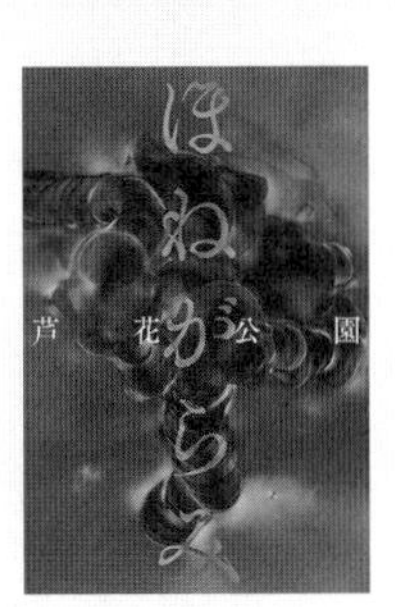

『**人狼ヴァグナー**』、橋本勝雄編訳『19世紀イタリア怪奇幻想短篇集』、『マルペルチュイ　ジャン・レー／ジョン・フランダース怪奇幻想作品集』、『骸骨　ジェローム・K・ジェローム幻想奇譚』、平井呈一訳『恐怖　アーサー・マッケン傑作選』と大豊作。

国内では怪談の活況に加え長篇ホラーも元気に。七月に創刊された二見ホラー×ミステリ文庫はホラー専科。横溝正史ミステリ&ホラー大賞は戦没者の遺した手記が怪異を惹き起こす原浩『火喰鳥を、喰う』、女怪談師がある目的のため、人が死ぬ怪談を求めて川を遡る新名智『虚魚(そらざかな)』とホラー主体の作品が続いた。本格系のミステリーズ！新人賞も、実話怪談作家が取材の過程で怪異と事件の絢い交ぜに出遭う大島清昭『**影踏亭の怪談**』が受賞。調査と推測によって怪異の輪郭を掘り下げていくルポ系実話怪談の手法はミステリ趣向に重なり合い、解決は合理に回収しきれず怪談の非合理に呑み込まれていく。

ネット発の芦花公園『**ほねがらみ**』は趣味の怪異収集がやがてある巨大な恐怖像を描き出していくさまを実話怪談の手法でメタ的に語るが、テキストの虚構性に徹底してこだわる。黒史郎が民俗学的知識を駆使して怪異を追究考察することそれ自体を物語化した『ボギー――怪異考察士の憶測』、予言獣・件が更なる怪物化を遂げる田中啓文『件　物言う牛』、総マスク時代にふさわしいあの怪物が家に入り込む井上宮『**じょかい**』、村に伝わる因習を描いたミステリ&ホラー大賞読者賞の阿泉来堂『ナキメサマ』や最恐小説大賞の宇津木健太郎『森が呼ぶ』、恐怖を語る＝騙ることによって相手を破滅させる澤村伊智『怖ガラセ屋サン』など虚構(フィクション)ならではの領域に昇華する作品は多い。辻村深月『**闇祓(やみはら)**』はコミュニケーション不全者を人外の恐怖にまで高め、日本最凶の怪異の現代版ともいえる仕掛けによって社会を構築する関係性の最小単位〈家族〉に恐怖の根源を見出す。

他に対呪力テロ特捜班の活躍をリアルにダウナーに描いた鷹樹烏介のハードオカルト警察小説『**第四トッカン　警視庁特異集団監視捜査第四班**』、菊地秀行による吸血鬼＋ラヴクラフト「アウトサイダー」の孤独な心象風景を、Ｎａｆｆｙの絵がある嬉しい驚きと共に描き出す絵本『城の少年』、自分たちを吸血鬼の血統だと信じる兄弟の歪んだ青春を描く森晶麿『前夜』などが異色の注目作。

短篇では何といっても井上雅彦監修《異形コレクション》が『ダーク・ロマンス』によって九年ぶりに復活を遂げたのが喜ばしい。小林泰三『逡巡の二十秒と悔恨の二十年』、『高原英理恐怖譚集成』、平山夢明『八月のくず』などの短篇集や、朝宮運河の編になる《角川ホラー文庫ベストセレクション》、『宿で死ぬ　旅泊ホラー傑作選』などのアンソロジーも珠玉の味わいだ。

ささがわ・よしはる●69年生れ。文芸評論家。

国内&海外ミステリ

二〇二二年ベストにぜひとも推したい、マレーシア系作家幻想ミステリの傑作

千街晶之
Sengai Akiyuki

❶『夜の獣、夢の少年』 ヤンシィー・チュウ
❷『時空犯』 潮谷験
❸『四元館の殺人 探偵AI（アイ）のリアル・ディープラーニング』 早坂吝
❹『ユア・フォルマ 電索官エチカと機械仕掛けの相棒』 菊石まれほ
❺『SIP 超知能警察』 山之口洋
❻『擬傷の鳥はつかまらない』 荻堂顕
❼『地べたを旅立つ 掃除機探偵の推理と冒険』 そえだ信
❽『忌名（いな）の如き贄（にえ）るもの』 三津田信三
❾『虚魚（そらざかな）』 新名智
❿『人狼ヴァグナー』 ジョージ・W・M・レノルズ

今回は何といっても、アメリカ在住のマレーシア系作家ヤンシィー・チュウの1位を推したい。舞台は一九三〇年代のイギリスの植民地マラヤ（現在のマレーシア）。一本の人間の指をめぐって、ダンスホールで働く女性と、指の持ち主であるイギリス人医師に仕えていた少年の運命が接近し、彼らの周囲では人喰い虎による騒動や、謎の連続殺人事件が発生してゆく。事件自体は合理的に解明されるものの、二人の主人公を含む主な登場人物の宿命が儒教の五つの徳である「五常」に動かされていたり、冥界から現世の出来事に介入を計る人物がいるなど、複数の民族が混在する植民地ならではの死生観に彩られた幻想ミステリの傑作となっている。

前回のこのコーナーでは「タイムループやタイムトラベルを扱ったSFミステリは、国内外を問わず毎年のように見つかる」と書いたけれども、メフィスト賞作家・潮谷験の第二作である2位は、激戦区であるこの方面ではここ数年を代表する逸品だ。私立探偵を含む男女八人が、ある薬剤を服用してから同じ一日を繰り返し続けているという学者から、その薬剤を飲んで同じ体験を共有する実験への参加を依頼される……という発端が、奇想天外な大事件へと発展してゆく。大胆不敵な着想と、本格ミステリとしての堅実な謎解きとを融合させた稀有な作例だ。

すっかり定着した特殊設定ミステリからは、早坂吝の『探偵AIのリアル・ディープラーニング』シリーズの第三作にあたる3位を選んだ。探偵AIと犯人AIが頭脳戦を繰り広げるこのシリーズだが、本作はクローズドサークル状態のお屋敷が舞台というクラシックさが特色だ。さて、SF的な要素はどこに……と思っていると、最後の最後になって館ミステリ史上最大級のとんでもない奇想が炸裂する。

ライトノベル方面における作例としては、電撃小説大賞受賞作の4位が最も印象に残った。ロボット嫌いの女性捜査官と人懐こいヒト型ロボットがバディを組んで電子犯罪に挑む、かなり本格的なSFミステリであり、好評を受けてシリーズ化された。

山之口洋の久しぶりの新作である5位は、南北朝鮮半島が統一された近未来を舞台に、

千街晶之氏が選んだ！　2021年度・国内&海外ミステリ作品ベスト3

ＡＩによる捜査から浮かび上がるテロリズムを描いている。現役のＡＩ研究者でもある著者らしい、警察の捜査技術と国際情勢それぞれの未来を見据えた作品だ。同様に最先端のテクノロジーを取り入れたミステリとしては、結城真一郎『救国ゲーム』も読み逃せない出来映えである。

新潮ミステリー大賞受賞作の6位は、特殊設定ミステリの中でも異色作だ。というのも、特殊設定ミステリというと本格ミステリとSFやホラーやファンタジイとのジャンルミックスの例が多いのに対し、この作品はハードボイルドとSFの融合であるからだ。アガサ・クリスティー賞受賞作の7位も、ロボット掃除機に変身してしまった人間の一人称で綴られた才気煥発なミステリである。

ホラー・ミステリの作例は昨年度も多かったが、三津田信三の《刀城言耶シリーズ》の最新作である8位は流石の貫禄を見せてくれた。ある集落に伝わる異様な成人儀礼を背景にしているが、構成はこれまでになくシンプル。ところが、本格ミステリとしての狙いは実に巧妙であり、ラストのホラー的余韻も戦慄的だ。また昨年度のホラー・ミステリには、怪談実話の要素を取り入れた作品が多かったことが特色と言える。代表例として、横溝正史ミステリ&ホラー大賞受賞作の9位を挙げておこう。同様に怪談実話の要素を取り入れたホラー・ミステリとしては、大島清昭『影踏亭の怪談』、黒史郎『ボギー　怪異考察士の憶測』などがあった。

ついにアン・ラドクリフの伝説のゴシック小説『ユドルフォ城の怪奇』が邦訳されるなど、古典の紹介でも話題が多い一年だったが、ここでは10位を選んでおく。十九世紀イギリスで流行した「ペニー・ドレッドフル」というジャンルの代表作であり、老人が悪魔と契約して若さと富を手に入れる発端から、御家騒動ありロマンスありの波瀾万丈の物語が展開される。なお、ホラーの要素を含む古典ミステリとしては、メアリ・ロバーツ・ラインハートの『赤いランプ』もあった。

その他の作品では、方丈貴恵の特殊設定ミステリ『孤島の来訪者』、ＡＩの制御で平和が保たれた未来社会で事件が発生する周木律『楽園のアダム』、童話の世界で法廷バトルが繰り広げられる紺野天龍『シンデレラ城の殺人』、謎解きと活劇が渾然一体となった青崎有吾『アンデッドガール・マーダーファルス3』、特殊能力者と殺人容疑者の奇妙な友情を描く織守きょうや『幻視者の曇り空――cloudy days of Mr.Visionary』、森晶麿の吸血鬼テーマの異色サスペンス『前夜』、城平京の「虚構推理」シリーズの最新作『虚構推理短編集　岩永琴子の純真』、リサ・タトルの心霊探偵もの『探偵ジェスパーソン&レーン　夢遊病者と消えた霊能者の奇妙な事件』などが印象に残った。

せんがい・あきゆき●70年生れ。ミステリ評論家。著書『水面の星座　水底の宝石』（光文社）が電子書籍として復刊。

海外文学

ビオイ・カサーレスの神話空間、カズオ・イシグロの現代的寓話

牧 眞司
Maki Shinji

❶『英雄たちの夢』
アドルフォ・ビオイ・カサーレス［アルゼンチン］
❷『クララとお日さま』
カズオ・イシグロ［英］＊
❸『ウサギ』
ジョン・マーズデン／ショーン・タン［豪］＊
❹『ヴァイゼル・ダヴィデク』
パヴェウ・ヒュレ［ポーランド］
❺『断絶』
リン・マー［米］＊
❻『アフター・クロード』
アイリス・オーウェンス［米］
❼『スモッグの雲』
イタロ・カルヴィーノ［伊］
❽『キャクストン私設図書館』
ジョン・コナリー［アイルランド］
❾『緑の髪のパオリーノ』
ジャンニ・ロダーリ［伊］＊
❿『骸骨』
ジェローム・K・ジェローム［英］＊

［ ］内は作者の国籍（もしくは居住地）
＊は、とくに奇想・幻想の要素が多い作品。

ジャンルSFと文学との境界はさだめがたい。実際、「ベストSF」アンケートにおいても、投票者のうちかなりのひとがSFの範囲を広く取って、ジャンル性よりも優れた作品に光をあてることに重点をおいているようだ。わたしがこの欄で任されているのは、SFの周縁領域としての「海外文学」だが、あまりむずかしく考えず、SFレーベル以外で出版された翻訳小説という、ひじょうにざっくりの枠組で選んだ。この方針は従来より変っていないが、こんかいはいつも以上に、わたしの好み（偏愛）だけで、いかなるトレンドも傾向も反映されない十冊となった。

1位から順番にふれていこう。

『英雄たちの夢』は、三年の時間を隔てた同じカーニヴァルの夜に、眩惑的な体験が反復される。特別にスーパーナチュラルなことが起こっているのではなく、語り手の記憶が混濁しているだけとも見なせるのだが、ロマンチックな高揚感、宿命的な因果、暴力的な衝動などが重なりあい、夢から抜けだせない気分を醸しだす。作者ビオイ・カサーレスはSFガジェットがはっきり描かれた作品『モレルの発明』と『脱獄計画』もあるが、小説空間の神話性において本書は頭抜けている。

『クララとお日さま』は、人間の子どもの友だちになるためにつくられたアンドロイド、クララの視点で、病弱な少女ジョジーとの友情が綴られる。アンドロイドをたんじゅんに擬人化するのではなく、AIと人間との共生という現代的テーマがしっかり押さえられている。哀切な物語だが過度に感傷的にならず、素直な言葉で肌理細かく抑揚をつけていく表現力は、さすがカズオ・イシグロだ。

『ウサギ』は、独自のシュルレアリスム（不思議な生物、正体不明のマシン、郷愁と畏怖を同時に喚起する自然）で知られるショーン・タンが絵を描き、本業である教師生活のかたわらで児童文学に取り組むジョン・マーズデンがテキストを担当した魅力的な絵本。これは土着の自然・生活・文化が、よそからの勢力に収奪されていく物語だ。覇権主義、横

牧 眞司氏が選んだ！ 2021年度・海外文学作品ベスト３

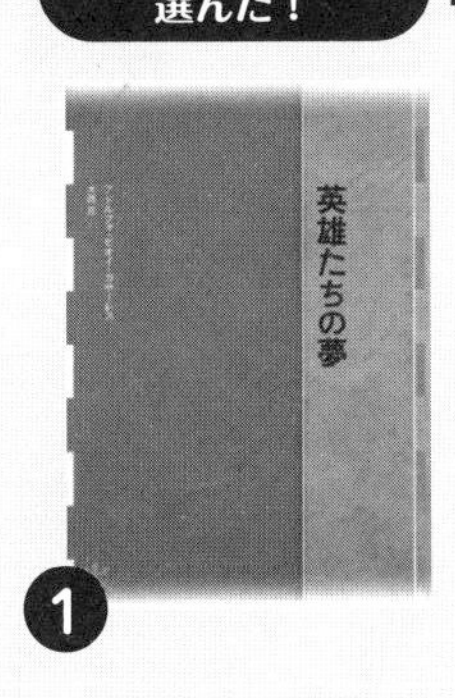

1

2

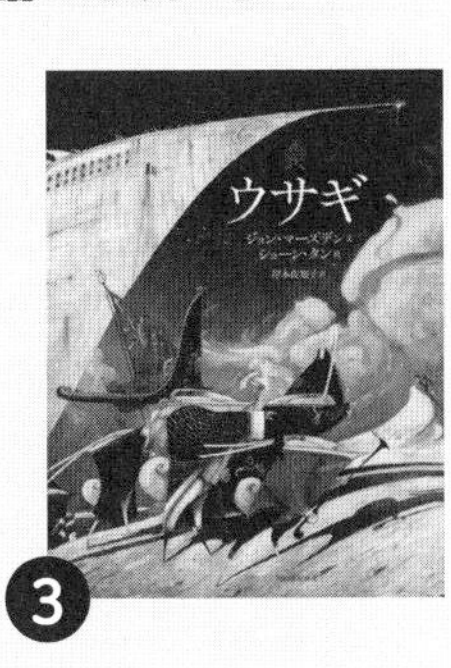

3

暴な市場原理、グローバリズム、環境破壊化など、世界のいたるところで起きている事態があぶりだされる。

『**ヴァイゼル・ダヴィデク**』は一九八七年に発表された長篇で、これをきっかけとして作者パヴェウ・ヒュレが現代ポーランド文学を代表する書き手として国際的に認知されることになった。物語の中核になっているのは、ポーランドが民主化以前、一九六七年夏のできごとだ。語り手の僕が出逢ったユダヤ人少年ヴァイゼルは、豪胆な態度と卓越した知略によって、仲間のあいだでカリスマになる。彼は巧みに炸薬を操り、ほかにひとがいないところで仲間にだけさまざまな色の爆発を見せたあげく、ある日、大きな爆発とともに姿を消してしまう。まるで最初から存在しなかったかのように。僕たちは学校関係者からの執拗な取り調べを受けながら、ヴァイゼルとは何者だったかと考える。その問いは終わることなく、大人になった僕は根気よく証拠を集める探偵のように、ヴァイゼルの影を追いつづける。

『**断絶**』は、パンデミックで崩壊したアメリカの物語。九人の男女が旅する過程で、破滅前の人生と破滅後の生活が平行して語られ、その対照で暗澹たる現実が浮きあがる。

『**アフター・クロード**』は、他人に寄生しながら都会を漂流する女性ハリエットの一人称による異端の物語。マシンガンのような毒舌トークと、カルトへと転がり落ちていく描写が凄まじい。

『**スモッグの雲**』は、主人公が仕事（ある協会の機関誌の記者）をすることになった街の雰囲気、下宿先の様子、登場人物の性格や挙動などが、寓話的に描かれる。スモッグは現実的な汚染でもあり、主人公の心象の反映でもある。

『**キャクストン私設図書館**』は、書物や物語を題材とした四篇を収録。表題作は、古典小説の有名キャラクターが実体となって棲みついている図書館の物語で、創作行為と読まれることを題材とした洒落たメタフィクションである。

『**緑の髪のパオリーノ**』は、五十三篇からなる短篇集。お伽噺と奇想、さまざまな色のガラス玉が詰まった小箱のような、楽しい一冊だ。

『**骸骨**』は、ユーモア小説『ボートの三人男』が有名なジェローム・K・ジェロームの怪奇短篇集。ジェントルな味わいの物語、ストレートな恐怖譚、幽玄なムードが立ちこめる作品……多彩な十七篇を収める。

まき・しんじ●59年生れ。ＳＦ研究家。著書に『『けいおん！』の奇跡、山田尚子監督の世界』『JUST IN SF』『世界文学ワンダーランド』ほか、編著に《Ｒ・Ａ・ラファティ・ベスト・コレクション》ほか。

文芸ノンフィクション

誰もが知る巨匠の作家精神に深く分け入る一冊から、第一線のSF作家たちが見据える人類の未来まで

長山靖生
Nagayama Yasuo

❶『星新一の思想——予見・冷笑・賢慮のひと』浅羽通明
❷『現代思想2021年10月臨時増刊号　総特集：小松左京』青土社
❸『ジュール・ヴェルヌとフィクションの冒険者たち』新島進＝編
❹『世界SF作家会議』株式会社フジテレビジョン＝企画
❺『妖怪少年の日々　アラマタ自伝』荒俣宏
❻『別冊NHK100分de名著　時をつむぐ旅人　萩尾望都』小谷真理、ヤマザキマリ、中条省平、夢枕獏
❼『サイバーパンク・アメリカ　増補新版』巽孝之
❽『アニメと戦争』藤津亮太
❾『〈こっくりさん〉と〈千里眼〉・増補版　日本近代と心霊学』一柳廣孝
❿『SFプロトタイピング　SFからイノベーションを生み出す新戦略』宮本道人＝監修・編著、難波優輝、大澤博隆＝編著

お薦めの評論随筆をSF濃度順に並べたベストリスト。SFは難しいと言われがちだが、星新一のショートショートはわかりやすいと思われている。たしかに誰が読んでもわかる面白さ、読みやすさがある。しかし単純にわかりやすく面白いだけではないことを、SF読者ならわかっているだろう。わかりやすい作品に秘められている深い思想、わかりやすい作品を描き続けた作家の精神。作品や随筆を徹底的に読み込むことで、その内奥に迫っているのが①だ。

未来人やロボットや宇宙人、さらには悪魔も登場する星作品は、人間中心主義の独善性を冷笑的に指摘する。本書が描き出す星新一は、絶対への懐疑が強く、あらゆる権威や権力（反権力という名の権力や文壇などを含む）から距離を取る、商人的センスを持った人物である。孤立がわかっている文壇パーティーに出続けた理由など独自の解釈が光る。

去年は小松左京生誕九十年、没後十年のメモリアルイヤーだった。②は小松左京を通して日本の戦後と世界の変容を考察する力の入ったものだった。優れた論者たちが『日本アパッチ族』や『果しなき流れの果に』、『日本沈没』や『復活の日』、『首都消失』や芸道小説を論じている。また小松左京が戦後の早い時期に描いた赤本漫画を取り上げ、漫画家（その漫画的表現力とSF的想像力）としての小松を論じたり、放送作家としての小松左京、ルポライターとしての小松左京など、SF作家以外の側面も掘り下げられる。あるいは震災について、核問題、映画、宇宙、生物学、環境問題などテーマは多岐にわたる。さらには小松作品にみられるジェンダーSFの要素を論じた小谷真理、中国SFへの影響関係を具体的に紹介した立原透耶の論考など、そのテーマ性からして斬新で意義深いものが多い。

③はジュール・ヴェルヌの、世界的にみても極めてレベルが高い研究論集。そのうえ読みやすさにも配慮されている。ホフマンからの影響を論じたフォルカー・デース、明治初期の二本がそうだったように同時代ドイツでのヴェルヌ熱やドイツSFの父といわれるラスヴィッツの関係を論じた識名章喜、意外にもヴェルヌ好きでひそやかにその影響を刻ん

長山靖生氏が選んだ！　2021年度・文芸ノンフィクション作品ベスト3

1

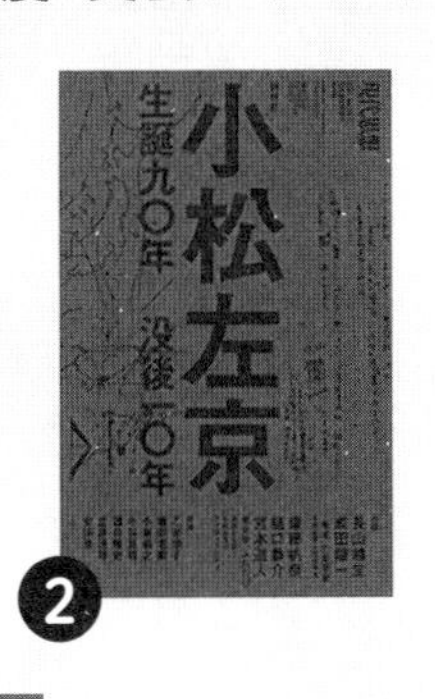

2

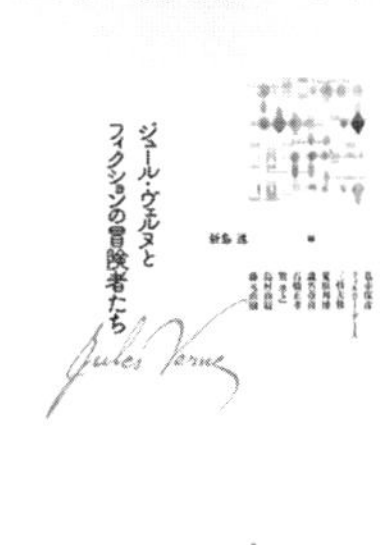

3

だルーセルの手法を解き明かす新島進……。あくまで学術的であり、それ故に真にスリリングな論集だ。

　コロナ禍は様々な既成システム、社会通念の不備を露わにしたが、④は日本の新井素子、冲方丁、小川哲、高山羽根子、樋口恭介、藤井太洋のほか、劉慈欣、ケン・リュウ、キム・チョヨプ、陳楸帆（チェン・チウファン）らが参加し、いとうせいこう・大森望が司会を務めたテレビの討議番組を増補して書籍化したもの。「会議」では新型コロナの実態を想像し、アフターコロナを語り、人類が滅亡するとしたらどのようにして滅ぶのか、それを回避することは可能か……といった話題が議論され、SF枠としても社会学枠としても重要。

　世の中には「この人はどうやって生きてきたんだろう」と首を傾げたくなる人がいるが、荒俣宏さんはいい意味で浮世離れした博覧強記の怪人だ。⑤はそんな荒俣さんの自伝。

　子供の頃に興味を持った魚や虫や花、お化けに迷信、恐竜や化石、宇宙に科学に神秘な世界、表現手法ならラジオ、テレビ、映画、漫画、小説や評論、美術に音楽……。それらへの関心をすべて持続し、追究し続けてきたその思考の軌跡が描かれる。この本でも「この機会に」と自分の人生をひとつの関心対象として眺め、調べ直していくような好奇心の視線が貫かれている。かくして著者は東京下町の光景を思い出し、また地誌的・民俗誌的に探り、両親のそれまで知らなかった愛情深い一面などに出会ったりもする。

　⑥は少女漫画のレジェンド・萩尾望都の作品を論じた論集。資料的にも充実。SF者である小谷真理や夢枕獏がポーやトーマを論じ、フランス文学者の中条省平が『バルバラ異界』を論じている。⑦は一九八八年に刊行された本の増補新版で、ほぼ再刊なため順位を下げたが内容的にはベスト3に入れたい。サイバーパンク勃興期のリアルタイムでの思考と世界の可能性を、精緻かつ大胆に捉えた評論で、今読むと新潮流の立ちあがる最先端の瑞々しさが眩しい。W・ギブスン、B・スターリングとの対談を増補。

　⑧は戦時中の国策アニメ『桃太郎 海の神兵』から『この世界の片隅に』間での戦争映画を論ずる。史実ものばかりでなく、『宇宙戦艦ヤマト』や『機動戦士ガンダム』『超時空要塞マクロス』などのSFアニメへの目配りも聞いている。⑨も増補新版だが内容充実でオカルト科学好きにはたまらない。

　SF的な発想を応用して未来のヴィジョンを創造しようというSFプロトタイピングを論じた⑩。まだ実現していない技術を試作し、未来デザインを議論、共有する試みは固定観念を揺さぶり、SF思考とビジネスをつなげていく。

ながやま・やすお●62年生まれ。評論家。近著に『独身偉人伝』（新潮新書）、編著に『人間椅子：江戸川乱歩 背徳幻想傑作集』（小鳥遊書房）他。

科学ノンフィクション

二〇二一年も続いた新型コロナウイルスとの戦い そのなかでいま、改めて注目された一冊

森山和道
Moriyama Kazumichi

- ●『スピルオーバー　ウイルスはなぜ動物からヒトへ飛び移るのか』デビッド・クアメン
- ●『寝てもサメても　深層サメ学』佐藤圭一、冨田武照
- ●『トポロジカル物質とは何か　最新・物質科学入門』長谷川修司
- ●『連星からみた宇宙　超新星からブラックホール、重力波まで』鳴沢真也
- ●『宇宙を解く唯一の科学　熱力学』ポール・セン
- ●『発明は改造する、人類を。』アイニッサ・ラミレズ
- ●『「木」から辿る人類史　ヒトの進化と繁栄の秘密に迫る』ローランド・エノス
- ●『意識はどこから生まれてくるのか』マーク・ソームズ
- ●『AIの雑談力』東中竜一郎
- ●『ジェンダーと脳　性別を超える脳の多様性』ダフナ・ジョエル、ルバ・ヴィハンスキ

二〇二一年も世界は新型コロナウイルスとの戦いが続いた。二〇二二年一月現在の統計で、世界の感染者数は三億人を超えた。

異種間のウイルス伝播による人獣共通感染症を描く『**スピルオーバー**』の原著は二〇一二年刊行だが、「次なる大惨事」を起こすものの一つとして、症状が現れる前の感染力が強いウイルス、すなわち今回の新型コロナウイルスをそのまま示していたことから、いま改めて注目された本だ。

人類による生態系の変化は続く。その結果、解き放たれたウイルスは新たな宿主を見つける。今回の流行を受けて付け足された補章で、著者はこう述べている。「目新しい出来事でも、私たちに突然降りかかった不幸でもないことを憶えておかねばならない。それは私たち人類が選択したパターンの一部だった」。これからもアウトブレイク、そしてパンデミックは必ず起こる。なお本として一番面白いところはエイズの由来について。意外なほど起源が古いことに読者は驚くだろう。

収録写真だけでも見てほしい本が『**深層サメ学**』だ。サメの子宮のなかの胎仔の姿には絶対にびっくりする。サメの一部はまるで哺乳類のようにへその緒で胎盤と繋がっているのだ。そして子宮壁から分泌されるミルクや栄養専用の卵を食べて成長する。「卵胎生」でひとくくりにされている実態が、想像をはるかに超えたものであることがわかる。

見ただけでわかる面白い本もある一方、かなり難しいが読むべき本もある。『**トポロジカル物質とは何か**』は電子の状態が通常の物質と異なるため連続的な変形や操作で繋げない不思議な物質の物性を紹介する。トポロジカル物性に起因する量子効果は室温環境でも見えてくる可能性が高い。二十一世紀を支え、新たな可能性を拓く可能性の高いトポロジカル物質の可能性を見ることができる。

『**連星からみた宇宙**』もSFのような世界を紹介した本だ。宇宙の星のおよそ半分は連星だ。なかには互いに外層を共有した星もあれば、それがさらに進んで星のなかを公転するようになった星まである。ソーン・ジトコフ天体に至っては赤色巨星のなかに中性子星が存在する。さらにその中心核が合体し、質量が限界を超えるとブラックホールになる。つ森山和道氏が選んだ！

2021年度・科学ノンフィクション作品ベスト３

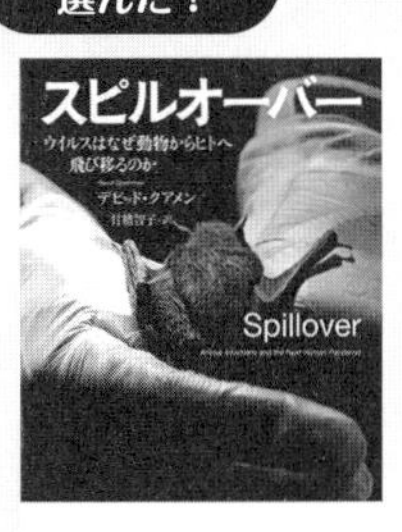

1

2

3

まり星のなかにブラックホールがある「クゥワザイ・スター（擬星）」となる。これらは理論上存在が予想されている星だが、すでに候補天体が見つかっている。

ＳＦでも宇宙の最後や生命の今後、情報の究極についてのネタとして扱われることが多い熱力学だが、どうもピンとこなかったという人もいると思う。**『宇宙を解く唯一の科学熱力学』**は蒸気機関やエントロピー、ブラックホール、情報や生命との関係などについて熱力学史を丁寧に追うことで、概念を理解させてくれる。広くおすすめできる。

『発明は改造する、人類を。』は時計や鉄道、通信、写真、炭素フィラメント等がどのように文化に影響を与えてきたのかを教えてくれる。技術と文化の関係に興味がある読者向けだ。技術が不可逆に世界を変えることがよくわかる。本書は技術は「その時代の問題をとらえ、信念と価値を示すものでもある」と指摘している。その例が写真フィルムが当初は白人向けに調整されていたため濃い色の顔は真っ暗になってしまったという話だ。技術はその時代の暗黙の尺度に合わせて設計されてしまうことを覚えておきたい。

古代史は石器や金属に注目しがちだが**『「木」から辿る人類史』**は木材に着目する。木は水よりも軽いが重量比では鉄同等の強度を持つ。成形もしやすい。乾燥させると数百年も保つ一方、燃料にすることもできる。紙にして文字を記録することも可能だ。汎用性が高い木の役割を説き、「新技術は古い技術にとってかわるのではなく、古い技術の新たな活用法を促す」という見方を示す。

意識や人工知能の今後の本も紹介する。**『意識はどこから生まれてくるのか』**は自由エネルギー最小化の原理を解説し、意識は工学的に作れるという。生物は予測データと行為結果の実データとのギャップを絶えず計測して修正を行い、予測誤差は最小化している。感覚入力は自らが生成する予測であり、知覚は常に内から外へと進む予測だという。そして予測と表象を覚醒して、知覚を合成し行動を起こすことが意識の本質だという。

『ＡＩの雑談力』は対話システムの現在を紹介する。各種システムの仕組みだけでなく、科学や技術の視点で考えると「対話」とはどういうものなのか、「相互理解」とは何なのかということが基本から丁寧に解説されており、機械相手だけでなく人相手の対話に興味がある人も勉強になる。もちろん、将来ありえる知能機械がどう振る舞うべきかのヒントも得られる。

最後に**『ジェンダーと脳』**を紹介したい。本書は脳は様々な特徴を持つモザイク、パッチワーク状になっていると指摘する。そして性的二型の二つの状態しか取れないといった考え方自体が間違っていて、二つのジェンダーという枠組みを排除すべきだと語る。

もりやま・かずみち●70年生れ。ライター。十分な精度で予想されていることでも対処できないのだから、想定外のことにまったく対処不能なのは仕方ないことなんでしょうねと思う昨今です。

サブジャンル別
ベスト10 & 総括

SFコミック

多様性豊かな新鋭の登場と相次ぐビッグタイトルの完結

福井健太
Fukui Kenta

●『スノウボールアース』辻次夕日郎（①②巻／小学館ビッグコミックス）
●『地球から来たエイリアン』有馬慎太郎（①②巻／講談社ヤンマガKC）
●『ブランクスペース』熊倉献（①②巻／小学館クリエイティブ ヒーローズコミックス ふらっと）
●『AIの遺電子 Blue Age』山田胡瓜（①②巻／秋田書店少年チャンピオン・コミックス）
●『グレイト トレイラーズ』宮川輝（①巻／光文社熱帯COMICS）
●『しらずの遭難星』瀬野反人（上巻／集英社ヤングジャンプ・コミックス・ウルトラ）
●『WOMBS CRADLE』白井弓子（上下巻／双葉社webアクションコミックス）
●『夏を知らない子供たち』山本和音（KADOKAWAハルタコミックス）
●『ライカの星』吉田真百合（KADOKAWAハルタコミックス）
●『時空の旅人』Boichi（講談社ヤンマガKC）

インターネットから新鋭が続出した近年に比べると、二〇二一年のSFコミック界には地味な感もあるが、これは刊行のタイミングによるものだ。注目作は着実に生まれており、今は蓄積の時期と見るべきだろう。

今年度の期待枠として、辻次夕日郎の初連載作『**スノウボールアース**』から紹介を始めたい。銀河怪獣が地球に現れた二〇四五年、科学者の流鏑馬虎鹿が自爆用ロボットを開発し、九歳の息子・鉄男は生存権を訴えるロボットに乗って怪獣を撃退した。やがて英雄になった鉄男は宇宙での最終決戦に勝利し、十年間を費やして帰還するが、故郷は雪と氷に覆われた凍結地球に変容していた。人見知りの少年とロボットの友情、怪獣との死闘などを盛ったストレートな好著である。

有馬慎太郎『**地球から来たエイリアン**』はテラフォーミングを扱ったお仕事コメディ。惑星開発省の生物管理局に配属された新人・朝野みどりは、一六〇光年離れた第四日本領惑星〝瑞穂〟で「原生動植物の調査と問題解決」の任務に就く。人間都合の開発や駆除に悩みながらも、みどりは生物を守るべく苦闘を重ねる。科学的アイデアに基づく生物の造型やプロットをギャグで彩った快作だ。

熊倉献『**ブランクスペース**』は少女の特殊能力にまつわる奇譚。平凡な女子高生・狛江ショーコは、同級生の片桐スイが空想した部品を組み合わせ、不可視なそれらを実体化させていることに気付く。鬱憤を晴らすために見えない風船を割り、見えない犬を撲殺していた片桐は、狛江と話すうちに人間（彼氏）を作ろうと思い立つ。不穏な気配を増していくストーリーが刺激的である。

山田胡瓜『AIの遺電子』はヒューマノイド専門医・須藤光と患者たちのエピソードを描く連作集だった。その最新シリーズ『**AIの遺電子 Blue Age**』では、研修医時代の須藤が電脳絡みの案件に取り組んでいる。確立された世界観とテーマ性を伴う正統派ぶりが頼もしい。

宮川輝『**グレイト トレイラーズ**』は崩壊後の日本を舞台にしたSFアクション。変身能力を持つ青年・田辺ナオキは、大阪府跡で技術遺産を掘る人々と暮らしていた。ナオキは中華系組織から人類の救世者の少女ヒナコ

福井健太氏が選んだ！　2021年度のおすすめSFコミック作品

を救うが、火星の多国籍組織もヒナコを狙っていた。大友克洋の影響が濃いものの、方言による軽口は著者の持ち味に違いない。

瀬野反人『**しらずの遭難星**』はあらゆる場所が探査されたとされる宇宙の話。死後の世界を目指して旅立った胞子人の探索者ジアは、彼を追うニューコ人のラミュを巻き込み、データベースにない滅亡寸前の惑星に流れ着く。ジアはラミュを生還させるべく調査を始め、発見と考察の愉しさを体験する。未知の魅力をモチーフにした異色SFだ。

一七年に第三十七回日本SF大賞を受けた白井弓子『WOMBS』は、移民星の新政府に抗う国家ハストの転送兵——原生生物ニーバスの仔を胎内に移植し、空間転送能力を得た女性兵を描くミリタリーSF。その姉妹篇『**WOMBS　CRADLE**』では上官世代の過去が語られている。軍に協力した経歴を持つ産婦人科医ビナードは、ハストの逃亡兵たちの襲撃を受け、ニーバスの仔の摘出手術を命じられる。単独でも十分に楽しめるが、本篇との併読をお勧めしたい。

山本和音『**夏を知らない子供たち**』は十一篇を収めた著者の初短篇集。苦い青春譚やコメディなどジャンルは多岐にわたるが、太陽で働く女性の独白「太陽からの手紙」、地球の平均気温が五十二度を超えた二十二世紀を描く表題作などSFにも優れたものが多い。「自分は短編が本職だと思っています」という著者のハイクオリティな一冊だ。

吉田真百合の初単行本『**ライカの星**』の表題作は、スプートニク二号で軌道飛行を行ったライカ犬が新たな身体と住居の星を与えられ、文明を築いて人類に報復しようとするファンタジー。人面犬になりたい女子小学生、ゴッホの絵を見た宇宙人兄弟、ライカに憧れて海底を目指す雑種犬など、印象的なイメージを活かした併録作も興味深い。

二冊が同時刊行された〈Ｂｏｉｃｈｉオリジナル SF短編集〉にも触れておこう。『**時空の旅人**』では『年刊日本SF傑作選　超弦領域』に採られた「全てはマグロのためだった」を含む八篇が楽しめる。『名も無き戦士』は世界最後のトラックドライバーの悲劇「彼はそこにいた」などの六篇を収めた一冊。再録作も少なくないが、著者のSFへの拘りは改めて認知されるべきだろう。

二一年にはビッグタイトルの完結が相次いだ。よしながふみ『大奥』は全十九巻。女性たちが将軍職を務めた江戸の年代記である。吟鳥子『きみを死なせないための物語（ストーリア）』は宇宙居住都市の幼生成熟（ネオテニィ）たちが真実に辿り着くSFロマン。第五十二回星雲賞コミック部門に輝いた後、番外篇として第九巻が上梓された。竹良実『バトルグラウンドワーカーズ』は全八巻で完結。宇宙生物に挑む戦記として始まり、真の敵との戦いにシフトする構成がすこぶる秀逸だ。

福井健太●72年生まれ。書評系ライター。〈ＳＦマガジン〉〈読楽〉で書評を連載中。著書に『本格ミステリ鑑賞術』『本格ミステリ漫画ゼミ』、編著に『ＳＦマンガ傑作選』がある。

SF映画

SFファンの期待に見事に応えた偉大な原作の大胆かつ繊細な映画化

渡辺麻紀 Watanabe Maki

❶『DUNE デューン／砂の惑星』 監督：ドゥニ・ヴィルヌーヴ
❷『ザ・スーサイド・スクワッド“極”悪党、集結』 監督：ジェームズ・ガン
❸『ゴジラVSコング』 監督：アダム・ウィンガード
❹『シャン・チー／テン・リングスの伝説』 監督：デスティン・ダニエル・ジャパン
❺『JUNK HEAD』 監督：堀 貴秀
❻『OLD オールド』 監督：M・ナイト・シャマラン
❼『クワイエット・プレイス 破られた沈黙』 監督：ジョン・クラシンスキー
❽『ビルとテッドの時空旅行 音楽で世界を救え！』 監督：ディーン・パリソット
❾『ワンダーウーマン1984』 監督：パティ・ジェンキンス
❿『ライトハウス』 監督：ロバート・エガース

世界中を巻き込んだ新型コロナウィルス禍も少し落ち着きをみせ、ほぼ通常運転に戻ったようでもあるハリウッド。これまで一年以上も延期されていた期待作や話題作がやっと公開されるまでになった。

そんななか、SFファンが待ちわびていた作品と言えば、やっぱり『**DUNE デューン／砂の惑星**』だろう。テッド・チャンの『あなたの人生の物語』を見事に映画化した『メッセージ』、そして、あの『ブレードランナー』の正当的続篇『ブレードランナー2049』でSFファンの頭にその名を刻ませたドゥニ・ヴィルヌーヴがメガホンを取っているからだ。

ヴィルヌーヴにとってフランク・ハーバートの原作はもっとも重要な小説。十三歳の頃に読んで以来、ずっと心のなかにその存在があり、監督を生業にしてからは本作を映画化するのが大きな夢だったという。だからなのだろう、この映画は極めて原作に近く、彼のハーバート&小説に対するリスペクトを感じまくる作品になっている。二時間三十五分のなかに、ハーバートが驚くほどの精密さで創り上げた“世界”を再現しようと奮闘し、原作を読んでいる者が観ると、あたかもデジャヴュのような感覚さえ味わえるほどだ。

ナビゲーターのヴィジュアル等、インパクトの強さが印象的だったデイヴィッド・リンチ版と比べると、もう少し独自性を出したほうがよりパワフルな作品になったのではないかとも思うが、ここまで創り上げてくれたのだから文句は言えない。

本作は原作の中盤くらいで終わっている。続篇の製作は本作のヒットにかかっていたが、ちゃんと数字もあげてスタジオ側からゴーサインが出た。ヴィルヌーヴは『砂漠の救世主』を入れてポール・アトレイデスの三部作にしたいと言っているが、それはまた二作目のヒットにかかっているのだろう。

ちなみにこのヴィルヌーヴ、『デューン』シリーズのあとにクラークの『宇宙のランデヴー』の映画化に挑戦するという。これはかつてデイヴィッド・フィンチャー×モーガン・フリーマンの組み合わせでも動いていた企画でもある。これまで作ってしまうと、本当の意味でSFファン御用達の映画監督になっ

渡辺麻紀氏が選んだ！ 2021年度・SF映画作品ベスト3

てしまいそうなヴィルヌーヴである。

　SFファンの期待に応えてくれたことで『デューン』を一位に置いてみたが、二位にした作品も見事、映画ファンの期待に応えてくれた。ジェームズ・ガンの『**ザ・スーサイド・スクワッド"極"悪党、集結**』だ。

　DCコミックに登場するヴィラン大集合のこの作品は、五年前にもデイヴィッド・エアーが撮っているが、ヒットはしたものの評判は芳しくなく、本作はそのリブートとなる。人気の高かったキャラクターと役者は続投しているが、多くは初登場組。ガンらしくクセの強いキャラと役者を選び、彼らの破天荒っぷりやダサさで笑わせ、意地を見せる一瞬で胸を熱くさせる。このバランスが絶妙だ。

　そういう少々古めかしいスピリットをより際立たせるためもあるのか、デジタルは極力避けたアナログな特撮や美術、コスチューム。ガンが大好きだと言う六〇、七〇年代の世界観が出来上がっている。

　ガンは、その長篇デビュー作『スリザー』のときからアナログ色を大切にし、ダメ野郎の輝く瞬間を描いてきた監督。本作はその集大成といっていい。こちらも続篇を期待したいのだが、なぜか興行的には上手くいかず、どうなるか判らない。とはいえ、メインキャラクターのひとり、ピースメイカーを主人公にしたドラマが配信で始まるので、そちらが上手く行けばまた事情も違ってくるだろう。最近は、各スタジオが運営するサブスクが充実し、それが劇場映画に影響を与えるようになっている。サブスクにも対応できる映画に注目が集まる時代でもあるのだ。

　そんなシリーズものでいうなら、もっとも古いシリーズのひとつかもしれないゴジラシリーズの最新作『**ゴジラVSコング**』が拾い物的に面白く、我ながら驚いてしまった。

　タイトル通りゴジラとキング・コングが因縁の戦いを繰り広げるわけなのだが、全篇ほぼバトルだけ。次々とシチュエーションを変えつつ、ひたすら大バトルを繰り広げるだけなのに滅法、面白かったのだ。それはつまり、ちゃんと正しい怪獣映画になっているということ。そのバトル等の演出で彼らのかっこよさもしっかりと伝わって来る。

　もう一本、ご紹介しておきたいのは、変わり種のモデルアニメーション映画『**JUNK HEAD**』。独学でモデルアニメを学んだと言う堀貴秀が監督・脚本・編集・撮影・照明・美術・衣装・人形制作・SFX・アニメーター等、すべてをひとりでこなし七年の歳月をかけて完成させた超労作だ。SFの命である世界観、モデルアニメの命であるクリーチャーとその演出が何と言っても素晴らしく、久々に"センス・オブ・ワンダー"を感じさせてくれた一本。監督に「ありがとう」「お疲れ様」と声をかけたくなった。


▍わたなべ・まき●55年生まれ。映画ライター。

SFアニメ

異色の『ゴジラ』シリーズ作品から、和風アクション活劇まで

小林 治
Kobayashi Osamu

❶「ゴジラ S.P〈シンギュラポイント〉」 監督：高橋敦史
❷「オッドタクシー」 監督：木下麦
❸「Vivy -Fluorite Eye's Song-」 監督：エザキシンペイ
❹「約束のネバーランド Season 2」 監督：神戸守
❺「禍つヴァールハイト -ZUERST-」 監督：細田直人
❻「NIGHT HEAD 2041」 監督：平川孝充
❼「ワンダーエッグ・プライオリティ」 監督：若林信
❽「それだけがネック」 監督：井口昇
❾「Sonny Boy」 監督：夏目真悟
❿「擾乱 -THE PRINCESS OF SNOW AND BLOOD-」 監督：工藤進

今回も選考対象は、規定期間（二一年十月末）までに最終回を迎えたテレビアニメ作品（配信が先行している場合も含む）とした。続篇の制作が決定している作品については対象から除外している。なお、この数年は、分割二クールや最終回の直後に続篇がアナウンスされる作品も多く、今回把握できたものだけで十五作品以上あった。これらを除外してしまうとこの一年の全容を捉えられないのではないかと不安になる部分もあるが、そこはご承知いただきたい。

第一位に選んだのは『**ゴジラ S.P**』。舞台は二〇三〇年。怪しい洋館にある鉱石ラジオが受信したインド民謡。古くからある電波観測研究所で鳴り出した警報。同地域の上空に現れた翼竜。これら三つの事象が絡み合い、その後次々に現れる怪獣と怪奇現象の謎へ主人公たちが挑んでいく。伝承と科学の二つの側面からの謎解きという、映画とは違うシリーズ物としてのワクワク感がたまらなかった。また、ロボットのジェットジャガーやマスコットＡＩを登場させるなど、アニメ的なエンタメもしっかり配置。ラドンやアンギラスといった怪獣たちも登場し、怪獣好きはもちろん『ゴジラ』シリーズを観ていない人も色々楽しめると思う。

第二位の『**オッドタクシー**』は、孤独なタクシードライバーがヤバイ事件に絡んでいくミステリー。登場人物が全て動物で背景もアニメならではの省略絵のため、シリアスな物語とのギャップがあり、どういう展開になっていくのか読めなかった。だが話数を重ねると、散らばっていたピースが次第に紐づけられ、最終話でぴったりハマる気持ち良さがあり、第一話から再度観たくなる作品だ。

第三位は『**Vivy -Fluorite Eye's Song-**』。テーマパークで歌手として働く自律人型ＡＩのヴィヴィは、未来から来たＡＩによって、百年後に起こるＡＩによる人類抹殺事件を知り、それを阻止するため歴史の転換点を修正する《シンギュラリティ計画》に協力する。ＡＩの反乱、タイムスリップによる歴史改変。ありがちともいえるテーマだが、かなり丁寧に組みあげており、主人公が歌手である意味合いもしっかりあった。なお、第一話で、ＡＩを人間同様のマルチ型でなく一体の

小林 治氏が選んだ！ 2021年度・SFアニメ作品ベスト3

1

2

3

AIに一つだけの使命を義務付けている、とナレーションが入ったのも気に入っている。

第四位はシリーズ完結篇となった『**約束のネバーランドSeason 2**』。自分たちの孤児院が「鬼」たちへ食材を提供する人間飼育場だと知った子供たちが、院から逃げ出した第一期の続篇。第二期では、人間を食べない鬼もいることや、人間と鬼との関係性が判明。世界を知り冒険する物語としても楽しめた。

第五位は、密輸組織の一員に間違われた青年とその行方を追う帝国軍人の青年二人が主役の『**禍つヴァールハイト -ZUERST-**』。舞台は、異世界ものとしては定番となった十八世紀〜十九世紀くらいのヨーロッパがモデルだが、絵柄も色味もかなり抑えめ。派手な画面は苦手という方もチェックしてほしい。

第六位は『**NIGHT HEAD 2041**』。現実ではない、想像したものを口にすることを禁じた社会で、敵対する二組の兄弟が主人公となり物語が展開。原作ドラマがカルト的な人気だったゆえに抵抗感がある人もいるかもしれないが、その味わいを残しながらも新作として出来上がっているのでご安心を。

第七位は、野島伸司が原案・脚本を手掛けた『**ワンダーエッグ・プライオリティ**』。失った大切な人を取り戻すため、異空間・エッグで闘う少女たち。アニメとしては決して珍しいテーマではないが、それらが野島カラーで染められたことでどうなるのかが見どころ。

第八位の『**それだけがネック**』は、郊外にあるコンビニで働く首から上がない（見えない？）青年が主人公。物事を進めて行く上で全体の支障となる「ネック」が、タイトル・各話・そして主役に掛かってくる。日常アニメ的な感覚で進んでいく不思議な作品だ。

第九位は、漫画家の江口寿史がキャラクターデザイン原案として参加している『**Sonny Boy**』。突如校舎ごと不可思議な空間へ転送された中学三年たちのサバイバル生活。帰る方法に悩むだけではなく、いきなり身についた超能力で王様気分になる者などもいる、バラバラ感からも「今」を感じられた。

第十位の『**擾乱 -THE PRINCESS OF SNOW AND BLOOD-**』は、日本が独自の発展を遂げたｉｆの世界でのアクション活劇。主役が和装で剣の使い手ということもあり、タッチの利いた作画がかなり格好良かった。こちらは選外になったが、大正時代が舞台の『MARS RED』も含め、ファンタジイの舞台が西洋風ばかりでは飽きてしまう……という方にもお薦めしたい。

なお、ＴＶ放送はされていないが、配信作の『夜の国』（監督：りょーちも）もあげておきたい。絵本のような絵柄で綴られる、夜と大切なものの物語。絵、セリフ、音が伝えてくれるものを再確認できる、アニメーションだからこその作品になっている。全三話、各十分程度の作品なので是非。

こばやし・おさむ●66年生れ。アニメ系フリーライター。１年に４度のテレビ改変期になると発表される新番組。そこに配信オンリーという作品も加わり、アニメ作品はますます増えています。ただ、流行に流されやすいＴＶでは似た作品が集まりやすく、配信はその他を含んだ雑多感があったり。2022はどう動くのかな？

SFゲーム

着眼点と雰囲気が魅力、インディゲームに注目すべき作品が多かった一年

宮 昌太朗
Miya Shotaro

❶『Inscryption』（PC）
❷『Loop Hero』（PC、Nintendo Switch）
❸『EASTWARD』（PC、Nintendo Switch）
❹『ナビつき！ つくってわかる はじめてゲームプログラミング』（Nintendo Switch）
❺『Carto』（PC、Nintendo Switch、PS4、Xbox One）
❻『Dungeon Encounters』（PC、PS4、Nintendo Switch）
❼『メトロイド ドレッド』（Nintendo Switch）
❽『The Pedestrian』（PC、PS4/PS5、Nintendo Switch、Xbox One）
❾『放浪者 フランケンシュタインの創りしモノ』（PC、Nintendo Switch、iOS、Android）
❿『Crying Suns』（PC、Nintendo Switch、iOS、Android）

コロナ禍における制作遅延が影響しているのか、AAA級と呼ばれるビッグタイトルの存在感が薄く感じられた二〇二一年。その代わり……といってはなんだが、開発規模が小さい、いわゆるインディゲームに注目すべき作品が多かった印象がある。今回選んだ十本のうち、任天堂『**メトロイド ドレッド**』『**ナビつき！ つくってわかる はじめてゲームプログラミング**』、スクウェア・エニックス『**Dungeon Encounters**』を除いた七本は、いずれも海外産インディゲーム。「山椒は小粒でもぴりりと辛い」というべきか、切れ味のいい着眼点とユニークな雰囲気づくりに心惹かれる作品が並んだ。

その中でも『**Loop Hero**』は斬新なゲームシステムと中毒性の高さという点で他の追随を許さない。パッと見は、オールドファンならMSXあたりを思い出しそうな超レトロなビジュアル。だがその中身は、他のどんなゲームにも似ていないというユニークな一作だ。主人公は、時のループに閉じ込められた勇者。その勇者が自動で移動する周回ルート（ループ）に対して、プレイヤーは手持ちのパネルを使ってモンスターやイベントを配置、彼の成長を促していく。……と書いてみても、このゲームの面白さが読者の方に伝わっているかどうか、はなはだ心許ない。パネルを使って周回ルートに変化をつけるあたりは、ちょっと『カルドセプト』のようなボードゲームを思い出させるし、リアルタイムで変化していく状況に食らいついていく感覚はタワーディフェンス系のゲームっぽくもある。アイデア一発で勝負する、まさにインディゲームらしいインディゲームといえる。

そんな『Loop Hero』はロシアの開発チームが制作を手掛けたことも話題のひとつだったが、一方の『**EASTWARD**』は上海のゲーム開発チームによる一作。舞台は「タタリ」と呼ばれる瘴気に覆われ、人々が地下で生活することを余儀なくされた世界。廃棄物の中で見つかった少女・珊（サン）と、心優しい男・ジョンはある出来事をきっかけに、この世界の秘密に触れる旅に出ることに。ポストアポカリプス的な世界観に、主人公タッグが不思議な力を持つ少女と男の組み合わせというあたり、日本のゲームやアニメからの影響を強宮昌太郎氏が選んだ！

2021年度・SFゲーム作品ベスト3

1

2

3

く感じさせたりもするのだが、なによりドット絵で描かれた密度の高いビジュアルが素晴らしい。ゲームシステムとしては、比較的スタンダードなアクションアドベンチャーなのだが、ストーリークリアまでに二十～三十時間ほどかかるという、インディゲームとしては破格のボリューム感も魅力のひとつだ。

物語とゲームシステムをユニークな形で結び付けたといえば、ほのぼのしたビジュアルも魅力的な『**Crato**』も忘れられない作品。ピース状になった地図を任意に組み合わせて地形を作り、新たにできあがった世界を探索。そこで発生したイベントによって、新たなピースが手に入る。ストーリー的には選択肢がほとんどなく、ほぼ一本道で進むアドベンチャーなのだが、パズルっぽい遊びの要素に思わず胸が踊る。ちなみにこの『Carto』を開発したのは台湾のSunhead Games。『Loop Hero』や『EASTWARD』はもちろん、メアリー・シェリーの古典的ゴシックホラーをモチーフにしたアドベンチャーゲーム『**放浪者 フランケンシュタインの創りしモノ**』（こちらはフランス産）など、世界各国の新作が（言語の壁はあるものの）より手軽に遊べるようになったのも、ここ数年の大きな動きのひとつだろう。

そんなインディゲームの興隆に触発されたのか、任天堂から自作のゲームを制作できるゲームプログラミングソフト『**ナビつき！ つくってわかる　はじめてゲームプログラミング**』が発売されたのもトピックのひとつ。細やかなナビゲーションでゲームづくりの基礎を学べるのはもちろん、作ったゲームを世界に向けて発信できるのも大きなポイント。本作がきっかけとなって、本格的にゲーム作りを志す人たちが、ひとりでも多く出てくるといいなと思う。

そして最後に今年のベストワンに選んだのが、十月に発売されるや否や、ゲームファンの間で話題沸騰となった『**Inscryption**』。一見したところ、いわゆるデッキ構築タイプのカードゲームに見える本作だが、そこに密かに仕込まれている「語り」の仕掛けがとにかくすごい。場に出ている生き物を犠牲にして、ほかの生き物を召喚するというシステム、ペンチや錆びた釣り針といったいかにもいわくありげなアイテムの数々、そしてプレイヤーが対面することになる不気味なゲームマスターの存在など、ホラーチックな雰囲気づくりがまず素晴らしい。しかもゲームを進めていくと、このカードゲームの仕組みが『Inscryption』という作品全体の、ほんの一部でしかないことがだんだんと見えてくる。ホラー風味のカードゲームかと思いきや、次第に明らかになる呪われたストーリー。ゲーム内ゲーム（メタゲーム）という仕掛けを大胆に駆使して語られる物語には、驚かされること間違いなしだ。

みや・しょうたろう●72年生れ。ライター。

このSFを読んでほしい！

小社・早川書房をはじめ各出版社の、二〇二二年二月以降のSF関連新刊情報を、国内・海外とりまぜて、いちはやくご紹介します。

SF出版各社二〇二二年の刊行予定

早川書房
光文社
竹書房
アトリエサード
国書刊行会
中央公論新社
VG+
集英社
東京創元社
KADOKAWA
小学館
徳間書店
河出書房新社
新潮社
文藝春秋

『三体X』

早川書房

　弊社の国内SFの予定は「2022年のわたし」をご覧ください。ほか単行本は、2月に『ハヤカワ文庫JA総解説1500』。3月に、迎ラミンの声優お仕事小説『声の優』と、塗田一帆のVTuber SF『鈴波アミを待っています』。ほかに藤井太洋『マン・カインド』、村山早紀『さやかに星はきらめき』、陸秋槎、斜線堂有紀のSF作品集も。文庫JAでは、2月にクラッシャージョウ別巻3『コワルスキーの大冒険』、3月に『マルドゥック・アノニマス7』、4月に『なめらかな世界と、その敵』文庫化、『隷王戦記3（完結篇）』、5月に日本SF作家クラブ編の書き下ろしアンソロジー第2弾『2084年のSF』（24篇収録）。ほか乙野四方字の『僕愛／君愛』スピンオフ&新作、『ヤキトリ』『星界の戦旗』新刊、周藤蓮、吉上亮の新作、山口優の超スペースオペラ『星霊の序曲』全3巻も。そして、野尻抱介『素数の呼び声』！（書名は仮題／文中敬称略）

　二〇二二年の単行本はアジア系作家を中心に。初夏には宝樹による『三体』の公式二次創作こと『三体X＊』を。冬には『三体』の前日譚である劉慈欣『球電＊』も出ます。初夏ごろにはキム・チョヨプの初長篇『地球の果ての温室＊』、チャン・ガンミョンのSF作品集『極めて私的な超能力＊』などを予定。

　昨年末に出た《ベスト・コレクション》が好調のラファティ『とうもろこし倉の幽霊』からスタートした新☆ハヤカワ・SF・シリーズは、三月に郝景芳の長篇『流浪蒼穹』を刊行。ほか、ル・グィンの未訳連作短篇集『赦しへの四つの道＊』などを準備中です。

　文庫はお待ちかねのシリーズ続篇を。夏ごろにメアリ・ロビネット・コワル《レディ・アストロノート》第三作『月にて＊』、アーカディ・マーティーン『帝国という名の記憶』続篇『平和という名の荒廃＊』を刊行予定。『レギオン』シリーズも。あの超話題作もついに文庫化予定！（＊は仮題）

アトリエサード

　昨年予告した『ヴィリコニウム パステル都市の物語』店頭展開中です。怪奇幻想文学専門季刊誌《ナイトランド・クォータリー》は、増刊「妖精が現れる！」等も好評。今年二月末発売予定の28号では、井辻朱美インタビューのほか、マイクル・ムアコックとナンシー・コリンズによるエルリックを主人公とする中短篇競作を掲載。新たに姉妹誌《奇想見本市》（尾之上浩司責任編集）がお目見え。巻頭特集「知られざる一九八〇年前後の翻訳SF分岐点（仮）」に、カルトSF作家ジェローム・ビクスビイ小特集。さらにマーガレット・セント・クレア、ケイト・ウィルヘルム、ロデリック・ソープ、ヴォクト、キット・リードなどの作品も収録予定。また、単行本として一九世紀ロンドンを舞台に天真爛漫な名探偵が活躍する篠田真由美『レディ・ヴィクトリア』の新作を皮切りにシリーズ改訂新版を連続刊行予定。他にも進行中の企画多数。刮目して待て。（文責・岩田恵）

VG+（バゴプラ）

　SFウェブメディアのVG+が、SF書籍レーベル《Kaguya Books》を立ち上げます！ 第一弾のラインナップは社会評論社より刊行され、全国の書店でお買い求めいただけます。

　二〇二二年に刊行するのは、かぐやSFコンテストの最終候補者による書き下ろし短篇を集めた『かぐやSFアンソロジー（仮）』と、蜂本みさによる初長篇の二作品です。

　二〇二〇年と二〇二一年に開催したかぐやSFコンテストでは、最終候補作品を全てウェブ上に公開し、読者投票も実施。SNSで大きな盛り上がりを見せました。

　蜂本みさは第二回ブンゲイファイトクラブの優勝者。SF短篇小説を配信するプロジェクトKaguya Planetで公開した「冬眠世代」等で高い評価を受けています。

　また、刊行時期は未定ですが『大阪SFアンソロジー（仮）』『京都SFアンソロジー（仮）』の刊行も決定しています。お楽しみに！

KADOKAWA

二〇二二年、大きな「改革」を経た警察組織で働く刑事、藪内唯歩。ある事情から自己肯定感を持てない唯歩だが、持ち前の粘り強さで事件を解決してゆく。そんな彼女を待ち受ける陥穽は――全ての伏線が回収され世界が全反転するラストに痺れる、市川憂人『断罪のネバーモア』は二月刊行。綾辻行人作品のコミカライズでおなじみ清原紘のカバーイラストにもご注目ください。

五月には、Twitterのフォロワー数十五万超えの人気イラストレーターが描く『有害超獣極秘計画書―Toy（e）Art File―』が刊行されます。

常軌を逸した獣害を引き起こす危険生物が突如として出現！ 天災レベルの甚大な被害を与える獣や、人々の生活に紛れ込み突然襲ってくる獣など、さまざまな形で人類を攻撃してくる「有害超獣」の恐ろしい姿や、遭遇者による証言が掲載された超絶カッコいいビジュアルブックです。

河出書房新社

日本SF大賞受賞『宿借りの星』から三年、酉島伝法の長篇『奏で手のヌフレツン』。河出文庫の書き下ろしアンソロジー『NOVA』で発表された短篇をもとに新生。同じく『NOVA』発表の短篇を中心に編まれた作品集として、柞刈湯葉『まず牛を球とします。』、長谷敏司『バベル』も待機中。大森望責任編集『NOVA』の最新刊もお楽しみに。

完全書き下ろしとして、浅暮三文が香ばしく放つ奇想小説集『我が尻よ、高らかに謳え、愛の唄を』。同じく、ソ連百合こと『月と怪物』で話題を集めた南木義隆の初長篇『かつてある帝国で』。あの幻の長篇、山本弘『輝きの七日間』の初刊行も準備中。

海外作品では、ヒューゴー・ネビュラ・ローカス賞受賞「血を分けた子ども」新訳版を含むオクテイヴィア・E・バトラー作品集。六七四階建て超巨大ビルが支配する国家を描く、韓国SFの金字塔、ペ・ミョンフン『タワー』。

以上、題はすべて仮題です。

光文社

一昨年、再開してから早くも四冊が刊行され、新たな作家も続々登場し、話題を呼んでいる《異形コレクション》。今年も、春と秋に刊行予定です。自信のラインナップにご注目ください。

藤井太洋の『秤の行方』は最新型のビジネスを展開する起業家たちが遭遇したトラブルと、その解決に挑む起業ヘルパーを描く、示唆に富んだ作品。年末までには。

平山夢明は、昨年の短編集刊行に続き、いよいよ長篇『ボリビアの猿』が出る、はず。信じてお待ちください。……間に合わなかったら、著者の想像力を悪ふざけ方向から研ぎ澄ませた傑作集『俺が公園でペリカンにした話』をまとめます。

田中芳樹の英国紳士幻想譚『白銀騎士団』、澤村伊智のトリッキーな伝奇ミステリ、吉川英梨のゾンビ警察小説『感染捜査2』、大島清昭の猟奇×怪奇の本格ミステリ、林譲治の近未来サスペンス、矢崎存美の「ぶたぶた」シリーズ（二冊刊行予定）もお楽しみに！

国書刊行会

他社での刊行予告から四十数年、ついに『伊藤典夫評論集成』を春に刊行します。十五歳時の初投稿からファンジン原稿、名コラム「SFスキャナー」、SF評論、書評・映画評をほぼすべて集成。伝説の「世界文学名作メチャクチャ翻訳」も収録、翻訳リスト・人名索引も完備した約一三〇〇頁！

豪華附録（二十頁）付・函入。

浅倉久志編訳《ユーモア・スケッチ大全》全四巻は、単行本未収録短篇が満載、四巻はオンデマンド出版だった『ミクロの傑作圏』を収録。牧眞司氏による新規の作家紹介も読みどころの一つ。

トマス・M・ディッシュのエッセイ集『SFの気恥ずかしさ』（浅倉久志・姫嶋由布子訳）もようやく刊行。SFの限界と可能性を論じた名講演（表題作）、G・R・R・マーティンやJ・ヴァーリイなど新世代SF作家をぼろかすに貶して物議を醸したエッセイ「レイバー・デイ・グループ」の他、ディッシュならではの技巧を凝らした書評・エッセイを集成。

集英社

小川哲『地図と拳』が二〇二二年度刊行予定。満洲国建国後、若き日本人建築家・須野明男は仙桃城を理想の都市とすべく奔走する。建築とは何か。国家とは何か。日露戦争前夜から第二次世界大戦終戦まで、満洲の半世紀を舞台にした、一大歴史スペクタクル。

《小説すばる》では新川帆立「架空法律」シリーズが連載中。賭け麻雀が合法化された世界や、人権の先にある〝命権〟保護活動が行われる近未来など、元弁護士である著者が描く渾身の法律SF。

また四月号では〝メタバース〟を特集する。麦原遼、吉羽善、藍銅ツバメら気鋭の新人SF作家らによる令和のメタバース小説を掲載予定。

小学館

本年もガガガ文庫をこのような場でご紹介いただきありがとうございます。本年もSF読者の琴線に触れるような作品を出していければと思っております。と、本年のラインナップでございますが、今年こそ草野原々氏の新作『コズミック・アルケミスト』の刊行をしたいと思っておりますので、ぜひひとも刊行の際はよろしくお願いいたします。また新人賞では『私はあなたの涙になりたい』(原題)という架空の病を扱った感動巨篇や『どどめの空』(原題)という伝奇アクションもございまして、今年もガガガ文庫の幅を広げてくれる作品が揃っております。また直近では磯光雄監督の『地球外少年少女』のノベライズも刊行され、それを担当しているカミツキレイニー氏のシリーズ《魔女と猟犬》の3巻も発売されますので、こちらもぜひチェックしてください。さらに伊達康氏による『異世界忠臣蔵』というタイトル通りながら非常に気になる作品もございますので、よろしくお願いいします。

新潮社

SF好きが楽しめそうな作品を幅広く。まずは単行本。一條次郎の『チェレンコフの眠り』が二月刊。「飼い主のマフィアが殺され、一人になったアザラシのヒョーは、荒廃した世界に繰り出す——唯一無二の奇才が放つ、不可思議で不条理な書き下ろし長編」。続いて秋には荻堂顕『ループ・オブ・ザ・コード(仮)』。「《疫病禍》を経た未来。アルフォンソは歴史が《抹消》された国家で、ある奇病の調査を行う。生命倫理の根幹と善悪の境界を問う、近未来諜報小説の新機軸」。新潮文庫nexからは、ブラックでユーモラスで時にほっこりさせられる梶尾真治の『カジシン・ショートショート』(仮)が初夏に。更に「漢方医療を行う若き薬剤師・空洞淵は、不思議な女性に惑わされ、鬼たちの住まう国《幽世》に紛れ込んでしまう。そこでは若い女性が次々吸血鬼にされ——」という、漢方×ミステリ×ファンタジーの『伽藍堂奇譚(仮)』(紺野天龍)も登場。乞うご期待！

竹書房

健康って大事ですね。まずは海外作品から。ギリシャSF傑作選『ノヴァ・ヘラス』、ヒトを超人化する新型ウィルスが人類に混沌と福音をもたらすウェンディグWanderers、ピンスカーの奇想短篇集『いずれはすべてが海へと』、マイクロ国家化した欧州を描いたハッチンソン『ヨーロッパの秋』、中国とアメリカに支配された日本を舞台にした『九段駅』、バトラーの最重要作である《パラブル》二部作、《シグマフォース》シリーズの著者ロリンズによるSFファンタジー《Moon Fall》シリーズの第一作なども。中村融編『美食SFアンソロジー』も動きはじめました。《USF》というシリーズやキム・イファンの韓国SF短篇集『おふとんの外は危険』もいずれ。

国内作品は、日下三蔵編《日本SF傑作シリーズ》《異色短篇傑作シリーズ》を偶数月に、大森望編『ベストSF2022』を七月末に。あとなにか出せるかも。

(タイトルなどはすべて仮)

中央公論新社

『中国女性SF作家アンソロジー 走る赤』を三月下旬に刊行します。日本国内にもファンがいる郝景芳や程婧波、夏笳など、いま最前線で活躍している十四人の作家の傑作短篇を集めました。日本初紹介の作家も複数おり、表題作「走る赤」の蘇莞雯もその一人。本作は、VRゲーム内で「紅包」ウイルスに感染した少女がひたすら駆ける、疾走感のある短篇です（訳者は立原透耶氏）。また、編者には、橋本輝幸、大恵和実、武甜静（未来事務管理局）の三氏が名を連ねています。大恵和実編『中国史SF短篇集 移動迷宮』や、郝景芳『1984年に生まれて』（櫻庭ゆみ子氏の名訳！）とあわせてお楽しみください。

さらに今年は、森見登美彦『シャーロック・ホームズの凱旋』を刊行します。ホームズならミステリマガジンじゃないの？……さにあらず、なにせ舞台は、ヴィクトリア朝京都（！）。SFM愛読者にこそおすすめしたい超弩級エンタメです！

東京創元社

国内SFでは笹本祐一《星のパイロット》四作品の再刊後、続けて次世代を主人公にした書下し続篇新作を予定。トリビュートアンソロジー続刊『銀河英雄伝説列伝2』も進行中。また、日下三蔵編『黎明期日本SF傑作選』にも注目。本格SFアニメ『ゼーガペイン』の続篇を高島雄哉が描く『ホロニック：ガール』、単行本では第6回創元SF短編賞受賞作から始まる、宮澤伊織の連作集『神々の歩法』もいよいよ。川野芽生の第一作品集『無垢なる花たちのためのユートピア』も必読。

海外SFではジェイムズ・P・ホーガン『未踏の蒼穹』に始まり、アンソロジーの『AIロボットSF傑作選』や『宇宙サーガSF傑作選』、《マーダーボット・ダイアリー》シリーズ第三弾『逃亡テレメトリー』、そしてN・K・ジェミシンの全作がヒューゴー賞受賞の三部作完結篇『輝石の空』などを準備中。（タイトルはすべて仮題です）

徳間書店

まずは昨年末に無事刊行となった恩田陸氏の超大作長篇SF『愚かな薔薇』をどうかお読み逃し無きよう。三月下旬までは萩尾望都氏描き下ろしの期間限定カバーが目印。恩田成分ほぼ全部入りの傑作SFです。

昨年から延びてしまった谷口裕貴氏の中篇集は、何とか本年前半のうちに。タイトルは『アナベル・アノマリー』となりそうです。

〈読楽〉誌で連載が始まった梶尾真治氏の時間SF『クロノス・ジョウンターの黎明』は秋頃。

また徳間文庫の復刊企画《トクマの特選！》にもご注目を。小松左京氏、山田正紀氏ほか、ぞくぞく仕込み中。

なお、昨年のこの欄で書き漏らしてしまいましたが、長らく絶版状態だった日本SF新人賞受賞作及び受賞作家の当社刊行作品のすべてが（一部は当社扱いではありませんが）、電子書籍化されています。時期によってはKindle Unlimited等で読めたりも。ご注目いただけますと幸いです。

文藝春秋

昨年に吉川英治文学新人賞を受賞するなど注目の若手作家・武田綾乃さんの三月刊予定『世界が青くなったら』から紹介します。ある朝、主人公の佳奈が目覚めると恋人の亮の存在が世界から消えていた。その秘密を探るうちに彼女は思い出の品を対価として差し出すと、会えないはずの人に会わせてくれるという不思議な雑貨店にたどり着く——。著者曰く、自身初の恋愛ファンタジー小説です。

『神と王』は浅葉なつさんによる新・異世界ファンタジー。古い歴史を持つ弓可留国から奪われた二つの宝が示す「世界のはじまり」とは。学者の青年、大国の王や謎の一族が真実を追い求め——古事記からインスピレーションを得て生まれた壮大な物語は昨年の「亡国の書」に続く第二弾が秋頃の刊行予定。今回も癖のある魅力キャラたちが活躍します。

他にも蜂須賀敬明さん『横浜大戦争』シリーズの第三弾や、阿部智里さん、藤井太洋さんらの新刊も刊行予定です。

あの物語は いまどうなっているの？

人気大河シリーズの現在

ＳＦやファンタジイの醍醐味のひとつである、長大な大河シリーズの傑作たち。その巻数は、ときに100巻以上にもおよびます。「昔は読んでいたけど最近の展開がわからない！」「最新刊から読み始めたいけど、これまでのお話も知っておきたい！」というみなさまのため、シリーズのすべてを知りつくした書き手たちがあの物語の「今」を解説します。　（編集部）

【紹介シリーズ一覧】

宇宙英雄ローダン

ウィッチャー

裏世界ピクニック

マルドゥック・アノニマス

宇宙英雄ローダン

編集部

《ローダン》シリーズは現在も毎月二冊の刊行を続けており、二〇二二年二月上旬刊で六百五十八巻になります。宇宙開闢以来、秩序の勢力コスモクラートと混沌の勢力カオタークは、〝モラル・コード〟と呼ばれる宇宙の秩序・法則を司る二重らせん構造を巡って戦い続けてきました。モラル・コードを構成するコスモヌクレオチドの一つであるトリイクル9が暴走しフロストルービンとなったため、それを修復するには諸銀河の時間の化石を活性化させる必要がありました。

六百巻後半から始まる《クロノフォシル》サイクルでは、無限艦隊を率いたローダンが諸銀河のクロノフォシルを活性化させます。そしてアトラン、サリク、テラクドシャンはフロストルービンを修復し深淵の種族を救うため奮闘しました。

では、二〇二一年二月下旬以降に刊行した巻のあらすじを紹介していきます。

ローダンら〝深淵の騎士〟四人はついにトリイクル9の帰還を成功させるが、深淵の種族の命を軽んじるコスモクラートのやり方に疑念を持ち、今後の奉仕を拒絶した。それを許さぬコスモクラートにより故郷銀河に住めない身体にされてしまうが、ローダンらは新天地であるエスタルトゥ十二銀河を目指す。

一方、銀河系にはエスタルトゥの超越知性体の使者ストーカーが現れ、コスモクラートにもカオタークにも属さない第三の道を銀河系種族に説き通商を開始、また銀河各地にウパニシャド学校を設立した。学校に入学したティフラーらは〝法典分子〟によりエスタルトゥのために戦うよう洗脳されていく。ストーカーと十二人の永遠の戦士は銀河系種族を自分たちの戦士として利用するつもりだったのだ。ブルと行動をともにするコチストワは抗法典分子血清を開発するが、二人とも永遠の戦士イジャルコルに、エスタルトゥ十二銀河から今後百年間出られなくされてしまう。

銀河系ではストーカーに代わる新しい使者ティグ・イアンが、銀河系種族の掌握に乗り出した。ブルと惑星アクアマリンで再開したローダンは、永遠の戦士に対抗し、もう一つのコスモヌクレオチド〝ドリフェル〟を守るべく戦う反体制組織〝ネットウォーカー〟の一員になっていた。ダントンとテケナーはエスタルトゥの超越知性体が実は数千年前に失踪、プテルス種族がエスタルトゥの名のもとに法典分子で銀河支配を進めていることを知るが、二人はイジャルコルにオルフェウス迷宮へ追放されてしまう……。

この先からは六五〇巻後半から始まる《ネットウォーカー》サイクルとなります。

ローダンの娘エイレーネは十六歳の誕生日にネットウォーカーの一員となる。ドリフェル近傍に突如現れた謎の異物体〝丸太〟の調査が始まった。ローダンをエスタルトゥ十二銀河に呼んだ張本人アラスカは、ローダンとともにオルフェウス迷宮にてダントンとテケナーを救出する。ティグ・イアンへの対抗組織GOIの活動に、カルタン人のエスタルトゥへの入植計画も絡み、ネットウォーカー&GOIと、ティグ・イアン&エスタルトゥの戦士との争いは激しさを増していく……。ドイツ語版は二月に三千百五十五話（日本版の千五百七十八巻相当）に到達しています。

ペーター・グリーゼ、エルンスト・ヴルチェク、ほか／若松宣子、ほか訳／既刊：658巻／ハヤカワ文庫ＳＦ

ウィッチャー

冬木糸一

ポーランドの作家アンドレイ・サプコフスキによる、スラヴ神話をベースにしたファンタジイ小説シリーズ《ウィッチャー》。本作は、原作小説も世界的なベストセラーであるが、小説の未来を描くゲーム三部作が大ヒットを飛ばしたことで本邦でも話題になった作品だ。中でもゲームの完結篇である3は、オープンワールドRPGの中でも史上最高傑作と名もあがるほど評価の高い作品である。他にも、一九年には、Netflixの実写ドラマの第一シーズンも始まり、二一年末には第二シーズンが公開。ゲーム版を元にオリジナルストーリーを紡ぎ出すコミックシリーズに、主人公ゲラルトが日本風の世界で妖怪退治を行うスピンオフコミック、ゲラルトの師匠を主人公にしたアニメ映画も公開されるなど、メディア展開は広まり続けている。

　そうしたすべての原点となっている小説の現在の状況と物語を紹介していこう。現在小説版は長篇全五冊と、長篇の前日譚にあたる短篇集の一巻が刊行済みで、二巻も二二年三月に刊行予定である。舞台は、エルフやドワーフといった種族がもともと存在していた世界で、〈天体の合〉と呼ばれる魔法の大変動が起こり、異世界との境界が破壊され、本来存在しなかった種族や現象が混在するようになったカオスな世界。無数の国家が存在するが、北方の四王国とニルフガード帝国が戦争に突入しようとしつつあり、そこに人間とエルフの戦い、世界のバランサーたる巨大な力を持った魔法使い勢力の内紛まで始まって、世界は大混乱に陥っている。

　主人公であるゲラルトは、霊薬によって体を変異させ超人的な力を発揮し、豊富な知識で魔物を退治するウィッチャー（魔法剣士）。彼は運命によって関わることになった一国の女王の孫娘にして、〈源流〉と呼ばれる世界を支配できるほどの力を与えられた少女シリに訓練を施し、彼女の命を守るために世界中を駆けずり回ることになる。一巻はシリとウィッチャーらの修行の日々が語られ、二、三巻では国王たちや魔法使いたちの陰謀に巻きこまれたシリがその秘めた力を狙われ逃げ回る過程を描き、四、五巻では無数の世界と時間軸を通してゲラルトとシリの、〝運命との対峙〟が描かれることになる。

　物語全体を一貫するテーマに、この〝運命との対峙〟がある。シリは予知能力を有し、この世界では魔法の力も相まって、未来は決定づけられている。何度もゲラルトは、「お前が何かを変えることができたとしても、悪い方に変えるだけだ」と宣言される。だが——、登場人物はみな、定められたものに対して、それをただ受け入れるのではなく、それぞれのやり方で果敢に対峙してみせるのだ。

　無数の世界が混交しているメタ的な世界観も相まって、運命論は「結末が確定している物語を、どこまで自由に解釈できるのか？」という物語論として読むこともできるなど、重層的な構造を持った作品なのである。

　『ウィッチャー短篇集1』では、そうした長篇に繋がる前日譚や《ウィッチャー》シリーズの醍醐味と土台となる設定が凝縮されているので、今から《ウィッチャー》ワールドに入門するのであれば、短篇集から読み始めるのがおすすめだ。

アンドレイ・サプコフスキ／川野靖子、天沼春樹訳／既刊：５巻、短篇集１巻／ハヤカワ文庫ＦＴ

裏世界ピクニック

編集部

　現実と隣り合わせの謎だらけの異界をめぐる百合ＳＦホラー『裏世界ピクニック』。二〇二一年の一月から三月にかけてＴＶアニメ版が放送され話題を集めました。その相乗効果もあって、これまで年一冊の刊行ペースだった原作小説も加速がかかり、作年内に六巻と七巻の二冊が刊行されています。

　第六巻『Ｔは寺生まれのＴ』は、一巻に短篇複数が収録されたこれまでの形式と異なるシリーズ初の長篇。コンセプトは「劇場版」で、ネットロアのなかでも最も有名かつ最強の怪異ハンターとして知られる《寺生まれのＴさん》という存在が、主人公・空魚たちの敵、怪異そのものとして立ちはだかります。

　ある日、裏世界とそれに関わる記憶を全て失ってしまった空魚。鳥子たちの奮闘で復活するものの、その原因は空魚の大学のゼミに紛れ込んでいた寺生まれのＴさんによる襲撃だった。空魚たちはＴさんを裏世界が生んだ怪異と認定、後輩の瀬戸茜理も巻き込んで、撃退するための調査に乗り出していく……。

　人間の認知へ干渉する裏世界の恐ろしさを描きつつも、そんな危険な世界を理想の遊び場として開拓していく空魚たちの強さと底知れなさ、後輩の茜理に対して少しずつ心を開いていく空魚の心の変遷などが、長篇尺ならではの丁寧さで堪能できる一冊です。

　続けて昨年末刊行の第七巻『月の葬送』。表紙は、これまでのシリーズの楽しげな絵柄とはうってかわって禍々しい雰囲気に。物語の不在の中心として一巻から存在感を放ち続けていた閏間冴月がその全貌を現しました。今巻では、この冴月と空魚たちとの決着がついに描かれます。

　空魚と鳥子が裏世界で初めて出逢ってから一年が経過。Ｔさんの事件もひと段落して日常を取り戻しつつあった空魚の前に、閏間冴月が現れます。もともとは鳥子の家庭教師として彼女を裏世界へと導き、その後は行方不明となっていた冴月でしたが、今は神出鬼没の異界の存在として、空魚を裏世界の深部へ引き込むため、妖しげな言葉で誘惑してくるようになりました。

　空魚は恐怖を感じますが、それ以上に、積もり積もった怒りがついに爆発。自身の知識と人脈を総動員して、冴月を怪異として祓うための「葬式」を行なうことを決意します。

　因縁深い鳥子はもちろん、冴月への想いを引きずる研究者の小桜や、三巻で初登場した元カルト教祖の潤巳るなをも巻き込んだ葬送計画が開始。果たして空魚たちは冴月を振り払うことができるのか。これまでの登場人物たちの情緒が曼荼羅のように混ざり合って、裏世界についての謎の一端も明かされる、シリーズ集大成となる第七巻です。

　おかげさまでアニメも無事終わり、全十二話を二巻に収めたブルーレイが好評発売中です。〈月刊少年ガンガン〉のコミカライズやオーディオブックの刊行も続き、原作小説もしばらくは続く予定。第八巻は今夏刊行を目指して進行中です。季節は夏、空魚と鳥子の関係性にも大きな変化が……？

宮澤伊織／既刊：７巻／ハヤカワ文庫ＪＡ

マルドゥック・アノニマス

編集部

『マルドゥック・スクランブル』『マルドゥック・ヴェロシティ』に続く三部作完結篇『マルドゥック・アノニマス』は、〈イースターズ・オフィス〉と、ハンター率いる〈クインテット〉との戦いを軸に、三月には第7巻が刊行される長大な作品になっています。今回はキャラクターの側面からご紹介。

『スクランブル』の宿敵にして人生の導き手だったベル・ウィングと暮らすルーン・バロットは、妹のような存在であるエンハンサーのアビーを家族に加え、同じエンハンサーのライムのことが妙に気になって仕方ありません。法曹の道をめざすバロットが大学で師事するアルバート・クローバー教授は、彼女の新たな戦いのパートナーにもなります（7巻では意外な人物とともに学ぶことに）。

いっぽうでバロットは、〈クインテット〉に囚われたウフコック救出のため、〈イースターズ・オフィス〉にも協力しています。ドクター・イースター以下、スティール、エイプリル、ミラー、レザー、ウィスパーが所属していますが、〈クインテット〉との戦いでロックとブルーをすでに失っています。

そんなバロットたちに協力するのは、クレア・エンブリー刑事、旧世代の元ギャングであるレイ・ヒューズ、ネイルズ・ファミリーを率いるアダム・ネイルズです。あのトゥイードルディも〈楽園〉を離れてバロットらとともに戦います。サメたちを引き連れて。

〈クインテット〉を率いるハンターは、共感の針により仲間を増やしていきます。右腕のバジルをはじめ、ラスティ、シルヴィア、オーキッド、エリクソン、ホスピタルら数多くのエンハンサーがハンターを信奉、単なる犯罪集団を超えたマルドゥック市（シティ）の一大勢力になりつつあります。そこには、バロットの兄ショーン・フェニックスと、カトル・カールの生き残りプッティ・スケアクロウの姿も。

そんな〈クインテット〉と、マルドゥック市の実権をめぐって熾烈な勢力争いを繰り広げるのが、ヴィクトル・メーソン市長やネルソン・フリート議員らの〈シザース〉と、サリー・ミドルサーフ判事、ノーマ・ブレイク・オクトーバーらによる〈円卓〉です。

激動のマルドゥック市で、オクトーバー社の内部告発者ケネス・C・Oの依頼による潜入捜査中に囚われの身となった、委任事件担当官のウフコック＝ペンティーノでしたが、6巻の最後でついにバロットと再会します。

最新7巻より、物語はオクトーバー社への集団訴訟をめぐるバロットたちの法廷闘争へと突入。そこでは、身中に共感の針を残したままのウフコックとハンターとの相克、実は〈シザース〉であったハンターと、そのゆらぎを司るナタリア・ボイルドとの関係、そしてその父である〝眠れない男〟の影までが現れ、『マルドゥック・アノニマス』は壮大なクライマックスを迎えていきます。

弁護士となったバロットは、マルドゥック市のどのような未来を生きるのか、そしてウフコックはどのような死を迎えるのか、全10巻が予定されるシリーズの今後にご期待ください。

冲方丁／既刊6巻　第7巻・3月刊行予定／ハヤカワ文庫ＪＡ

ＳＦが読みたい！の早川さん②

四字邦題

エトのゲーム

特別企画

2022年のわたし

いよいよ2022年がはじまりました。今年、気になるあの人はどんな仕事が控えているのでしょうか？

2010年以降の「ベストSF〔国内篇〕」の10位以内に入った作家・評論家、「ハヤカワSFコンテスト」受賞作家のみなさまに、2022年の活動予定から所信表明、近況にいたるまで、「2022年のわたし」がなにをするのかを教えてもらいました。（編集部）

安野貴博
石川宗生
石黒達昌
柞刈湯葉
上田早夕里
空木春宵
円城 塔
大森 望
小川一水
小川 哲
岡和田晃
オキシタケヒコ
笠井 潔
片瀬二郎
神林長平
北野勇作
九岡 望
日下三蔵
草野原々
倉田タカシ
黒石迩守
五代ゆう
佐藤 究
三方行成
柴田勝家
十三不塔
菅 浩江
高島雄哉
高野史緒
高山羽根子
竹田人造
巽 孝之
谷 甲州
津久井五月
飛 浩隆
酉島伝法
長山靖生
仁木 稔
人間六度
野﨑まど
法月綸太郎
長谷敏司
葉月十夏
林 譲治
春暮康一
樋口恭介
久永実木彦
牧野 修
宮内悠介
宮澤伊織
六冬和生

安野貴博

今年はデビュー作の『サーキット・スイッチャー』を一月に刊行します。続いて春ごろに出る日本SF作家クラブ編のアンソロジー『2084年のSF』に短篇を寄稿予定です。その先は次作の長篇に取り組めたら、と思っています。

書きたいテーマやアイデアはいくつも頭の中でぐるぐるしております。兼業で自然言語処理のスタートアップ経営をしているのですが、アルゴリズムの進歩は目まぐるしく、小説として実装してみたいテーマも次から次へと出現します。エンジニアとしてキャッチアップをしつつ、そこで得た感覚を小説にアウトプットできるようにがんばります。今年もよろしくお願いします。

石川宗生

最近執筆は短篇を書いているぐらいであまり手をつけていません。ドル円が一一八円に到達するか注目しています。

石黒達昌

子供の頃はそれほどでもなかったのに、あの時代にこの出来は素晴らしいとサンダーバードの再放送（と新作映画）に感心しきりの今日この頃です。円谷英二氏は特撮のキモが炎と水にあると言ったそうですが、ウルトラマンのスタッフ達は画面を突き抜けて飛んでいきそうなジェットとどれだけ広いプールなのだろうという海面のリアルさに舌を巻いたのだとか。確かに限られた予算の中ジェットだけは軍事用の本物に拘ったそうですが、後者に関しては浅い囲いに水を張って四方八方から扇風機で複雑な波紋を作り出したと後にバックヤードが明かされ、みんな愕然としたそうです。頭でっかちの人形もコスト削減のためにやったのが妙な味が出て好評を博したというのですから、障害と傑作は表裏一体なのかも。その証拠に、大成功を受けて予算潤沢でもあれを超える作品は生まれませんでした。私の場合、医療ひっ迫の執筆障害という環境だけは整っているのですが……

榊林銘

昨年は『未来職安』が文庫化しただけで新刊を出しませんでした。かわりに短篇をたくさん出しました。本年は単行本がたくさん出るはずです。すでに原稿が八割できているのが二冊と、一行も書いてないのになぜか発売日が決まっているのが一冊あります。

進んでいる企画は公開しづらいので進んでない方の話をすると、二十一世紀後半の月面研究所を舞台とした本格宇宙SFと、モサド工作員がイランの核開発を阻止するスパイ小説と、あと江戸の旗振り通信をテーマにした架空史と古代ローマに汽車を走らせる話を書きたいと思っています。このあたりは来年には違うことを言ってます。

気がついたらデビューから五年が経ちました。五年残れば一人前と聞いたのですが、まだ書店に投稿しているワナビという気分です。プロ意識を持つタイミングを見失いつつあるのですが今後もよろしくお願いします。

上田早夕里

今年もSFと歴史小説の両方で仕事をします。

二月にオーシャンクロニクル・シリーズ短篇集『獣たちの海』（ハヤカワ文庫）を発売予定。昨年出すつもりでしたが今年にずれ込みました。その他SF系の短篇を随時発表の予定。シリーズ以外の長篇SFも準備中。

三月に『リラと戦禍の風』（KADOKAWA）が文庫化。「小説推理」（双葉社）に連載中の『上海灯蛾』が5月頃に最終回を迎え、単行本化作業に入ります。

『播磨国妖綺譚』（文藝春秋）は読者からの反応がとてもよいので、もうしばらく続けます。

コロナ禍の影響もあって、全体的に執筆予定が年単位で遅れています。近年は書評の執筆依頼も頂くようになり、仕事の幅が少しずつ広がってきました。分野の違いに関係なく、どの原稿も多くの時間と手間をかけている大切な仕事なので、今後も続けていきます。

空木春宵

大変ありがたいことに昨年刊行された初の作品集が好評をもって迎えられ、その後も各社からの原稿依頼が続いている状態です。

直近では、四月・五月に各社から刊行されるアンソロジーにそれぞれ新作短篇が掲載されることが決まっている他、未確定ですが、もう一篇、少々変わった企画に参加させていただけそうです。いずれも全く異なる題材に取り組んでいるので、発表を楽しみにお待ちいただけますと幸いです。

また、まだ編集さんとの相談も済んでいない状態で完全に見切り発車なことを書きますと、年内に第二作品集を刊行したく考えています。もう、これ、書いちゃったからにはね、出すしかないですよね。どうか。何卒（飯田橋方面に向かって両手を合わせながら）。

何事もスマートにはこなせない人間なので無様にのたうち回りつつの前進になるかとは思いますが、今年もよろしくお願いします。

円城 塔

昨年のこの欄に書いていたことがまったく終わっておらず、首を傾げています。

『ゴジラS.P』のノベライズは気がつくと初稿七〇〇枚くらいになっていたのですが、夏刊行目処となりそうです。

とりあえず『Kwaidan』の単行本化を目指します。『烏有此譚』文庫化は電子版の注の関係で中断していましたが、仕切り直すことになりました。目指せDX。

「文學界」で『機械仏教史縁起』の隔月連載がはじまりました。『奇怪仏教志演義』というつもりです。『文字渦』くらいの長さを見込んでいます。メカ親鸞起動予定。

アニメーション作品のSF考証をすると、妙な宇宙や死に設定が無駄に生まれ続けるので、どこかでまとめる予定です。

そろそろ小説プラットフォーム上でほのぼの小説でも書くかプラットフォーム自体を書いていかないと老後が成り立たないのではないかと考えたりする日々です。

大森 望

去年出た本は、アンソロジーが『NOVA 2021年 夏号』と『ベストSF2021』、共訳書が劉慈欣『三体Ⅲ 死神永生』と『円 劉慈欣短篇集』、単独訳書がコニー・ウィリス『クロストーク』の文庫版。あと共著で『世界SF作家会議』とか。アンソロジー二冊は諸般の事情で刊行が遅れ、各方面にご迷惑ご心配をおかけしましたが、両者とも、担当編集者が今年も出したいと言ってくれているので、なんとか体勢を立て直して進めたいと思っています。

中国SFの翻訳に関しては、別稿の通り、KADOKAWAの劉慈欣短篇集と、早川の宝樹『三体X 観想之宙』(仮) および劉慈欣『球状閃電』(仮) が、この順番で待機中(いずれも共訳)。

昨年、ケイマックスさんの協力を得て開設したYouTube『文学賞メッタ斬り!』チャンネルは、今年も毎週月曜に新作動画を配信。「ゲンロン 大森望 SF創作講座」は四月に第六期が開講予定です。

小川一水

筆力というのは待っていたら回復するわけではなく、鑑賞、外出、交友を積み重ねなければ身につかないということを強く実感している最近です。この二月にツインスター・サイクロン・ランナウェイ二巻が出、ほかに短篇二本の予定がありますが、次に登る山は去年よりも遠ざかってしまいました。何を書くかではなく、何を読むかというところから仕込み直しが要るようです。探します。

小川 哲

昨年「本が出る」と言ったのに、本は出ませんでした。嘘つきになりたくないので未来の話はしません。

出版はとても複雑です。僕が原稿を書いて、「できた！」と言っても書店に本は並びません。さまざまな人の努力によって、ようやく僕の本が発売します。この場を借りて、出版に関わるすべての人々に感謝します。

字数が余ったので、二〇二一年度の第一回「このAnker製品がスゴい！ ベスト3」を発表します。

一位「Soundcore Life P3」（九千円でノイキャン付きワイヤレスイヤホンが買えます。僕はイヤホンをよく紛失するのでこれが最強です）

二位「Eufy RoboVac L70 Hybrid」（格安ロボット掃除機。ゴミを吸ってくれるだけでなく、水拭きまでしてくれます）

三位「Anker PowerCore Fusion 5000」（バッテリー機能付きの充電器。充電器とモバイルバッテリーを別々に持つ必要がなくなります。しかも三千円）

岡和田晃

昨年は編著『再着装（リスリーヴ）の記憶 〈エクリプス・フェイズ〉アンソロジー』、翻訳『怪奇の国のアリス＋怪奇の国！』『エクリプス・フェイズ ソースブック サンワード』『ウォーハンマーRPG スターターセット』、編集長をつとめる〈ナイトランド・クォータリー〉四冊＋増刊に、編集参加・解説担当『ヴィリコニウム パステル都市の物語』等が刊行。今年一月には、新刊編著『いかに終わるか 山野浩一発掘小説集』、企画立ち上げ・タイトル発案ほか全体に深く関わった『鳩沢佐美夫の仕事 第一巻』が書店に並びます。〈Role&Roll〉に『エクリプス・フェイズ』新作ソロアドベンチャー、〈GMウォーロック〉にT&T情報が掲載。『ウォーハンマーRPG』関連翻訳や各詩誌での新作に加え、上林俊樹詩文集も予定。〈TH〉の「山野浩一とその時代」や〈図書新聞〉の文芸時評といった連載、〈ナイトランド・クォータリー〉〈SF Prologue Wave〉も応援お願いします。

オキシタケヒコ

①本が出せない↓②生活のために日銭稼ぎ↓③書く時間が減る↓①に戻る、という悪循環をどうにかしなければそろそろ干涸らびちゃうのでは、と寒空を見上げる今日この頃。ここ数年予告し続けてきた『ノームの学園』を早期発表目指して突貫工事中です。どんだけ遅れとんねん、という話でもありますがお手柔らかに願います。《通商網》シリーズの次の話とか『筐底のエルピス』八巻も、あまりお待たせしないようできるだけ並行して準備していく所存です。

そういえばデビュー十周年にもなります。だからというわけではないのですが、夏ぐらいに小説以外の方面で何かあるかもしれません。遅い手と悪い頭をせいぜい鞭打って、次の十年もどうにか這いずっていきたいですね。

笠井 潔

矢吹駆連作の第七作『煉獄の時』のゲラが机にある。四〇〇字詰め原稿用紙に換算すると二二〇〇枚ほどで、二四〇〇枚を超えていた『哲学者の密室』の次に長い。この二作は現在篇に過去篇が挟まる三部構成の点も共通する。現在の物語と過去の物語の二つで一作だから、どうしても小説二冊分の量になってしまう。四冊分かもしれないが。『哲学者の密室』の過去篇はシレジアのナチ絶滅収容所が舞台で、時代設定は第二次大戦が終わる直前の一九四五年一月だった。『煉獄の時』は第二次大戦がはじまる直前、一九三九年の春から夏のパリが時代背景だ。この小説の取材でパリに滞在してから、もう一五年がたつ。『哲学者の密室』は雑誌連載から書籍化まで二年と少しだったが、これは四〇代はじめと六〇代、七〇代の体力や精神力の差だろう。二〇〇〇枚を超える長大な小説のゲラ読みは、これで人生最後だと思いながら作業を続けている。

片瀬二郎

さて、毎年何を書けばいいか悩むところではありますが。今年もよろしくお願いいたします。

ところでみなさんは一年のはじまりに目標を立てたりしますか？　わたしは立てません。立てたことがない。そんなのはフィクションの登場人物がやるものだとずっと思いこんでいたのですが、このあいだ身内がしていたと知り衝撃を受けました。こんな近いところに実在したなんて。

だからといって目標を立てるわけではないのですが、手もとにはいくつかの短篇の在庫もあります。どうなるかわかりませんがお預けしている作品もあります。去年は「七億人のペシミスト」一本しか発表できなかったので、今年はもうちょい打率を上げられるといいなあなどと、例年とかわりばえのしないことは考えてます。

これは目標でしょうか？　きっとちがうな。

神林長平

信濃毎日新聞の文化欄『思索のノート』にて、月一回書いてきたエッセーは年度末の三月で終了。自らの作家人生を振り返る機会をもらえて幸せだったし、なによりもぼくにとって「書く」とは「考える」と同義なのだということを再確認できたのは収穫だった。

作家はだれでも寝ても覚めても執筆内容を考えているものだが、ぼくは手を動かして実際に書かないと思考がまとまらない人間だと実感できた。まあ、ふつうの人間はみなそうだろう。今年も、まずは手を動かして「考え」ていこうと思っている。

四月にはSFマガジンで連載していた雪風の第四部、仮題『戦闘妖精・雪風アグレッサーズ』を単行本で出し、同月から第五部の連載をスタートさせる予定になっている。

小説トリッパーの連載『上書きされた世界』は第二部に入り、物語の核心が見えてくるだろう。

思索の一年がまた始まる。

北野勇作

あいかわらず、というか、飽きもせず、というか、ツイッター上で【ほぼ百字小説】を続けていて、今年は、四千篇くらいまで行って、たぶんやっぱり飽きないままだろうと思います。あきれられながら飽きもせず続けていくのは昔から得意なので。

そして今年こそ『100文字SF』の第二弾を出したい。猫でまとめた『100文字ねこ』とか。マイクロノベルの可能性を拡張する年にしたいです。あと、「旅もの」の掌篇の連作を一冊にまとめたいんですが、これは去年も言ってましたね。今年こそは。

最近の私にとってのSFは、ショート・フィクションなのかもしれません。ちっちゃいものたちに光を！

今年から、大阪の中崎町のギャラリーで朗読のライブを定期的に始めます。告知その他はツイッターで。https://twitter.com/yuusakukitano

九岡 望

辛うじて生きてます。

色々あって結構なものが白紙に戻り何かとアレですが、何をするにもまだ時間がかかりそうです。

どちらかといえば本ではないところで仕事してますので、もしかしたらそっちで告知できるかもしれません。

ひとまず生存報告まで。

日下三蔵

昨年は二十七冊を編集したがSFは5冊しかなく残念。タイミングの問題なので、やる気はあります。竹書房文庫の〈日本SF傑作シリーズ〉からは、眉村卓『静かな終末』、横田順彌『大聖神』、山田正紀『フェイス・ゼロ』、新井素子『影絵の街にて』の4冊を刊行しました。

今年は草上仁短篇集、横田順彌冒険長篇、眉村卓ショートショート集などを出していく予定で、二冊目、三冊目に着実につながっているのは、ありがたい限り。

河出文庫からは筒井康隆ショートショート集『あるいは酒でいっぱいの海』を久しぶりに復刊。年明けには未刊行作品を含む新編集のショートショート集『人類よさらば』も出ています。

筒井さんの企画では、積み残した早川書房のエッセイ集成二巻と盛林堂の深井国さん画「東京の黄昏」を、きちんと出したい。

今年も頑張りますので、応援よろしくお願いいたします。

草野原々

どうもこんにちわ、草野原々です。去年の文章読むと年間三冊刊行とか書いてましたが達成はならずでした。しかし……！　今年は違います。二〇二二年は前代未聞の原々イヤーになることを、みなさんにお約束するのですよ、ここで。まず、ガガガ文庫さまから春に新作長篇『コズミック・アルケミスト』が刊行されるのです（本当ですよ！）。スペースオペラと錬金術を組み合わせたワイドスクリーンバロックなのです。アクションも盛りだくさんでハチャメチャなのできっと読んでいて楽しいに違いありません。そろそろ短篇集も出したいですね。『異常論文』に収録されている作品の世界観を応用した空洞地球冒険SFを中篇ぐらいの分量で書きたいな。ヴェルヌの後継者だからね、わたしは。そして、やっぱり、本格宇宙SFが書きたい！　いろんな惑星がぐるぐるTurn　Roundっているのは SFの醍醐味ですね。その他にも企画があるのよ。

倉田タカシ

高次元へ逃げよう！

工事現場から。

巨大なエネルギーの費やされる場からは、高次元への逃亡が若干容易なのだそうです。ところで、この現場ではなんの工事を？

これは工事現場ではなく蝶塚です。蝶を主食としていた縄文人たちが翅をたくさん埋めた遺跡が見つかったので、発掘調査を行っているのです。

そうなんですね。縄文人たちも、高次元へ逃げられたのでしょうか。

ええ、蝶をたくさん食べたのもそのためです。当時の蝶は幅が十メートルほどもあり、鱗粉には人を内省にいざなう毒がありました。蝶を食べるにあたってこの毒を避けるのは非常に難しく、多くの縄文人が内宇宙の迷子となって副葬品とともに埋葬されたのです。そのように困難でありながらも、年に三人ほどは高次元への逃走に成功し、副葬品とともに埋葬されたと考えられています。

そうなんですね。

黒石迩守

サイバー攻撃に遭いました。

まぁ、勤めている会社の話で、当然ながら去年の出来事なのですが。

サイバー攻撃って本当にあるのだな、と奇妙な感動を覚えつつ、詳細な情報が降りてこないので、何となく他人事のような調子で社内システム復旧作業に携わっていました。今もまだ継続中ではありますが。

そんなこんなで作品の発表はできておりませんが、書いてはいます。

現在は、森に覆われた世界で起こる、怪奇現象の謎を解くといったような作品『怪もの祓い（仮題）』の準備を進めています。

今年中に発表できるよう、頑張って参ります。

五代ゆう

グイン続篇、昨年は一冊も本を出せなかったので、今年はがんばっていきたいところです。先へすすめば進むほど責任というか重みが加わってきてなかなか大変ですが、自分を叱咤して参ります。

できれば懸案のオリジナルにも手をつけたいところですが、その余裕はあるかなー。

フランスを舞台にしたスチームパンクものみたいなものなのですが、かけたら書いていきたいと思います。

佐藤 究

このたびは由緒ある『SFが読みたい！』のランキングに『テスカトリポカ』を加えていただき、なぜこのような望外の評価を与えてくださったのかと、ただただ驚きつつ恐縮しています。

二〇二二年の活動についてですが、某社編集者によると「佐藤究の短篇集を刊行予定」だそうです。この話は最近まで私自身もまったく知らず、ゆえに他の作家さんに「当分のあいだ短篇集は出さないよ」と断言していました。ですので年始早々に〈嘘つき〉と化してしまい、誠に申し訳なく思っている次第です（おもに真藤順丈君に）。

収録される作品のうち、とくに量子論と現実の犯罪行為をミックスした話などは、ＳＦファンの皆様にもお楽しみいただけるのでは、と個人的には思っています。刊行時期も未定の、あくまで予定の話ではありますが、いまだにパンデミックの混迷が続くなか、皆様のご記憶の片隅にほんの少しでも留めてくだされば幸いです。

三方行成

皆さんお元気ですか。三方です。ふと思い立って二〇二二から生年を引いてみたら見たことない数字が出てきて狼狽しました。軽率に引き算などするものではありませんね。ところで皆さんは「誰もそれが何であるのか知らないがとにかく莫大な利益をもたらす会社」を知っていますか？　十八世紀の英国で設立された泡沫会社で、詐欺でした。でしょうね。ところで「誰もそれが何であるのか知らないがまあまあ面白い小説」なるものもあって、誰かが書くそうです。誰かって誰？　私？　誰が何を書くのかはわかりません。「誰もそれが何であるか知らない」とはそういうことなのですから。ところでもう一回引き算したら結果変わりませんか？　変わったら何だというのですか？　とにかくよろしくお願いします。こちらからは以上です。

柴田勝家

昨年は「アメリカン・ブッダ」で星雲賞日本短編部門を受賞することもでき、思い出深い年となりました。またSF大会ではSTU48さん主演の朗読劇「静かな時の上のほう」も上演する運びとなって、大体の思い出が香川県で過ごした二日間に凝縮されてます。

さて、そこでの二〇二二年ですが、なんと今年は柴田勝家（本物）の生誕五百周年であります。それを記念できるか、できないのか、ワシも今年は大きな作品を書きたいと思う所存。特に早川書房で長篇を書きたいと、これは常々言ってますが、実現できるよう努力します。あとは短篇も多くあるので、新たな短篇集など出せれば御の字です。あとは先述の「静かな時の上のほう」が新版の朗読劇となり、春頃に公演される予定となっています。他にもSFではないものの、いくつかシリーズ物の長篇が出せればと思ってます。その他諸々、何かの企画などでお目にかかれれば何より。

十三不塔

年始、中国史SF短篇『白蛇吐信』が中国のメディア〈未来事務管理局〉のサイトに掲載されました。また二〇二二年は二つのアンソロジーに参加致します。寅年ということもあって猛烈果敢に攻めたいところですが、慣れない気合いの入れ方をすると必ず惨事が起こるので愚直に書き続けることにします。形にしてみたいのはあまりオシャレではない泥臭いファッションSFですね。ベストを尽くします。

プライベートではコロナ禍で身動きを取れなかったこともあり、海外旅行への熱が高まっています。干支にちなんでタイの仏教寺院で虎のサクヤン（護符刺青）を入れても面白いかもしれません。施術された人はトランス状態になって吠えたりするらしいので楽しい経験ができそうです。あとはそうですね、詐欺やハニートラップや病気を寄せ付けず、健やかに暮らしていけたらハッピーです。

菅 浩江

昨年は賞もいただき、少しほっと息をつけました。みなさまありがとうございました。

大きなニュースはゲンロン関係配信プラットフォーム「シラス」でチャンネルを始めたことです。創作講座を中心に、SFやアニメから構造を読み解く、などなど、クリエイトする際に大事なことを語っています。

小説で決まっている仕事は、東京創元社連載『妄想少女』の完結と書籍化、博物館惑星のナニカ（まだ言えないらしい）、です。

もう十年以上もご案内している「夢」の長編化も諦めていません。企画モノ（メディアミックス）の執筆も何本かします。

すんなりと仕事が進むかどうかは、配信と原稿料が生活を支えてくれるかどうかにかかっていますので、ぜひ積極的なご支援ご購入をお願いします。

高島雄哉

二一年末からAI「AIのべりすと」さんと協働で文芸ミステリ『失われた青を求めて』をウェブ媒体〈ケムール〉にて毎週木曜更新で連載中。AIとテキストエディタの境界が溶けていきます。

三月末には高島も参加しています防災系共同研究グループの『しなやかな社会の実現（仮）』が刊行。気象予報士試験の勉強をしつつ、着目している気象テーマの新作小説および新書を執筆中です。

初夏から新しい企画のお知らせがあり、つまりまだ書けないタイミングでして、詳細はツイッター（@7u7a_TAKASHIMA）にて。

年内『エンタングル：ガール』が創元SF文庫から。その姉妹編の完全新作ハードメタ宇宙SFも準備中。ド派手×どハードに。アニメ業界お仕事小説《いであとぴこまむ》長編版も超大切に書き進めています。クリスマスプレゼントあるいはお年玉として。

二二年、小説家＋SF考証→Xとして拡張できればと思います。

高野史緒

まずは何といっても二月後半、『まぜるな危険』（早川書房）が第四十二回日本SF大賞を取れるかどうかが焦点ですね。著者的にはもう成す術がないのでひたすら神頼み。三月には、十年前の乱歩賞受賞作の、改稿前でよりSF度の高い『カラマーゾフの兄妹　オリジナルヴァージョン』が盛林堂ミステリアス文庫から私家版という形で出ます。部数が少ないので行き渡らなかったらすみません。

春以降、SFではなくミステリですが、《東京アークエンジェル・オーケストラ》シリーズの二作目『ルシファーは闇に煌めく』（講談社）を出します。年内に続けて三作目……は遅筆なのでどうかなあ。目標としては、そもそもは長篇として構想して短篇の形で出した「グラーフ・ツェッペリン　夏の飛行」の長篇ヴァージョンを実現したいですね。短篇は目下、日本SF作家クラブのアンソロジーに一篇書いているところです。最大の敵は自分の遅筆。地味にがんばります。

高山羽根子

おそらく一月には倉田タカシさん、西島伝法さんとの共著『旅書簡集　ゆきあってしあさって』が東京創元社から発売されるでしょう。あと、児童文学の総合誌でお馴染み、光村図書出版〈飛ぶ教室〉の六十八号（一月後半に本屋さんに並びます）に短篇が掲載される予定です。〈新潮〉二〇二二年二月号から二年間、順番で書評委員をします。美術やSFの作品を中心に書評を書かせていただくかと思います。自らの尻に着火する方向で行こうと思うので書いておきますが、連載がどこかで始まるでしょう。中篇もいくつか書くでしょう。短篇も同時に書きます。生きていれば。

文字の仕事は断らない、質も落とさぬ方向で頑張る高山、高山でございます。今年もお見捨ていただきませんよう何卒何卒よろしくお願い申し上げます。

竹田人造

お世話になっております。竹田人造と申します。一昨年『人工知能で10億ゲットする完全犯罪マニュアル』というサイバー犯罪小説でSFコンテストの優秀賞をいただきました。残念ながら昨年は虚無でしたが、今年こそ五月あたりに本出せるはずなので、この場を借りて宣伝を。

裁判官がAIになった世界で、嫌味なハッカー弁護士が活躍するSF法廷モノです。タイトル未定ですが『サイバーコート』とか『電脳法廷』辺りになりそう。サクサク読めつつ最後バシッと決まる短篇連作に憧れがあったので、そういうフォーマットです。モンテカルロ現場検証だの暴走脳波義肢だの透明証人だの『判決：あかさたな』だのといったネタが沢山の根性曲がりと一緒に出てきます。曲がったことが大好きな方は是非。あとアンソロジーにも参加させていただける、はずです。今年の目標は単著二冊です。特に関係ないですが、新年の抱負って翌年には忘れてますよね。

巽 孝之

本年元旦付で慶應義塾ニューヨーク学院長という大役を拝命した。昨年三月に同大学を定年退職し名誉教授になってから来た話なので、本来なら物理的にも一月から渡米せねばならないところ、現在進行中の授業を終えることを優先させてもらい、四月渡米の予定。もっとも学期が終わるたびに帰国するので、当分は日米を行ったり来たりの生活に入る。

実はこの予定に調整したのには、もう一つ理由がある。それは、NHKのEテレ番組「100分de名著」（毎週月曜夜10時25分）のポーの回に出演するため、撮影が二月、放映が三月に決まったからだ。それに合わせ語り下ろしの番組テキスト『エドガー・アラン・ポー　スペシャル』がNHK出版より二月二十四日に発売される。十九世紀アメリカにおけるSFの祖、ミステリの祖であるから『アーサー・ゴードン・ピムの冒険』から「モルグ街の殺人」までを扱う。

どうぞお楽しみに！

谷 甲州

仕事が停滞したまま、さっぱり進まない。「またか」といわれそうだが、今回は物理的な証拠もある。最初は駐車場だった。用件をすませて、もどってきたところで躓いた。唇がぱっくり割れて、三針か四針ぬった。教訓。アスファルトは柔らかそうにみえるが、実際には嫌というほど硬い。

三度めと四度めの転倒は、家の中で起きた。三度めは頭頂部の左後方を、四度めは反対の側面を縫った。効率のいい裂傷だと思う。ただし縫合は、合計三十針にもなった。傷口が見事なカーブになっていたので、縫合の跡もカーブを描いたらしい。

今から考えると、このころがピークだった。その後は傷口が生々しい割には、ダメージはたいしたことがなかった。何度か転倒をくり返したが、大量出血はまぬがれた。麻酔なしの痛みと、でかいタン瘤が残った。

津久井五月

今年の序盤は雑誌とアンソロジーに一作ずつ短篇を寄せる予定です。媒体の性質上、だいぶ毛色の違う二作になるのではないかと思います。文フリや通販で頒布される同人誌にも参加し、掌篇を一、二作書くことになっています。

今年の最大の目標は、ここ数年取り組んできた次の単著をどうにかお披露目すること。紆余曲折を経ましたが、自分なりのSFをしぶとく考えて書き続けています。しばしば悩みつつも、非常に楽しく取り組めています。

それに続いて、学芸出版社から『建築小説集』（仮）という本も出るはずです。実在の建造物や設計案をモチーフにした短篇集で、SFだけでなく時代小説も含まれます。なかなか変わった本ですが、建築・都市・デザインにご興味ある方はぜひ。

今年で三十歳になります。制作の面でも個人的画期となるよう頑張ります。

飛 浩隆

去年の十一月がデビュー四十年、今年は最初の著書『グラン・ヴァカンス』から二十年。いまになってその続篇「空の園丁」をSFマガジンに連載していまして、いつ完結するかよく分からないですが、もうすぐ折り返し点にたどり着くので、そこで一回か二回お休みをいただく予定。

そのお休みのあいだに、棚上げにしていた宿題（二百枚以上の中篇とか長さ未定の短篇とか）をなんとか書きたいと思っておりまして、それがとんとん拍子に運べばあるいはもしかしたら新刊が出るかも。

そんな感じで、デビュー五十年に向けて、視界不良の飛行を続けます。

酉島伝法

二〇一二年から文フリと絡めてWeb連載していた、高山羽根子さんと倉田タカシさんとの企画『旅書簡集　ゆきあってしあさって』の書籍版が一月末に刊行されました。全面改稿してイラストや手紙なども増えています。お二人の手紙には何度も笑ってしまいました。企画を始めた当時を知る宮内悠介さんがエッセイを、岸本佐知子さんがすてきな推薦文を寄せてくださっています。

今年は、何度かこの欄で触れた長篇に集中したいです。随分前から断続的に取り組んでいて、七割方はできてはいるのですが……自分を追い込むためにもう言ってしまいますが、『NOVA+バベル』（河出文庫）に寄稿した中篇「奏で手のヌフレツン」の長篇版です。よいものにしたいです。

〈SFマガジン〉の連載、「幻視百景」も続きます。

長山靖生

今年も執筆のメインは〈SFマガジン〉連載中の「SFのある文学誌」。どこまでやれるか寿命との勝負。しかも今年は今年で新たな歴史が作られるから、永遠に追いつけない。でもいいや。読みたい本があることこそ幸せ。本を読みながら死にたい。

単行本は、本誌でも一部書かせていただいた萩尾望都の作品論を某新書で準備中。そのために萩尾さん周辺を読み返していたら、少女漫画熱がぶり返し、さらに山岸凉子、山田ミネコ、竹宮恵子、佐藤史生、水樹和佳、清原なつの、日渡早紀、佐々木淳子、坂田靖子らを論じる『SF少女マンガ論』みたいなものが書けたらいいなあ……などと思っています。

小鳥遊書房のアンソロジー・シリーズ、次は坂口安吾を予定。また中公文庫からは『三木清戦間期時事論集』を編纂解説。さらに順調なら今年前半に出るはずの『ホフマン小説集成（上・下）』（国書刊行会）の解説として石川道雄小伝を書きます。

仁木 稔

一昨年は『2010年代SF傑作選』に中篇「ミーチャ・ベリャーエフの子狐たち」を収録していただき、新たに多くの人に読んでいただけました。二〇一二年の発表時と異なり、主に関心を集めたのは〝陰謀論〟という観点からでした。これがきっかけで、昨年は〈現代思想〉五月号の特集「陰謀論の時代」に小論「文字が構築する壮大な筋書き（プロット）／陰謀」を寄稿いたしました。

……作品が注目され、新たな読者を獲得し、次の仕事に繋がること自体は純粋に喜ばしいのですが、何もこんなかたちで……とは思いますね。〝現実がSFに追いつく〟のは、よいことだけであってほしいものです。

さてこの数年、数ヵ月かけて不調から回復し、数ヵ月快調が続いた後、再び不調に陥るというパターンに陥っているのですが、今年こそはそこから抜け出し、コンスタントに執筆を進めていきます！

ひとまず上半期の目標は、短篇数本の完成です。

人間六度

人間六度の由来をよく聞かれます。これは闘病中発熱しまくっていた頃つけた名前で三十六度の平熱というのがありますよね。その六度です。ところで二〇二二年はだいじなデビュー一年目になるので大学は休学するつもりです。これにより卒業年度がさらに伸び、ますますシューカツが絶望的になると予想されるので、そういったモンハンの火事場力的なバフを駆使して前作より面白い作品を書いていけたらと思っています。

同時受賞をいただいたメディアワークス文庫ではロマンスキャラ文芸を書くので早川では「ふざけたSF」とか「かっこいいSF」を書きたいな、と。基本的にクソデカな話が好きなのですが「デトロイトビカムヒューマン」をやった後なのでアンドロイドものを書かねばという使命感に燃えています。

二〇二二年はひとまず大学のゼミにだらだら顔を出しつつ、皮膚の保湿をしっかりして生きていきたいと思います。

応援していただけたら幸いです！

野﨑まど

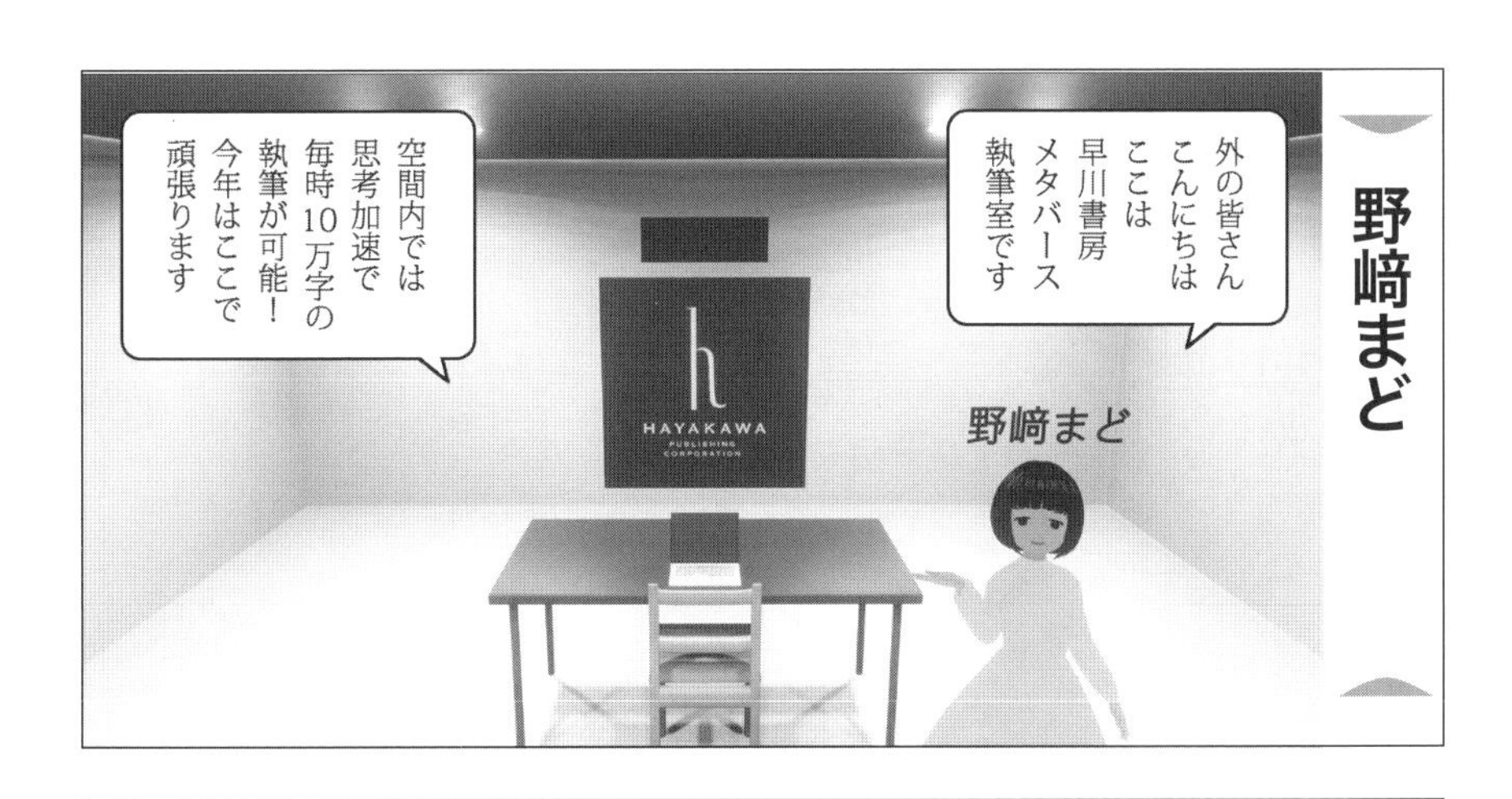

法月綸太郎

　二月刊の『ハヤカワ文庫JA総解説1500』に『エゴに捧げるトリック』（矢庭優日）のレビューで参加しています。第十回アガサ・クリスティー賞の最終候補に残った特殊設定ミステリ（表4の内容紹介が絶妙）ですが、むしろSF読者に読んでほしいセンス・オブ・ワンダーな作品。同じく二月には短篇「迷探偵誕生」を収録したアミの会（仮）編のアンソロジー『惑　まどう』が実業之日本社文庫から出ます。拙作はミステリのふりをした「××との××」テーマのSF（自称）です。

　さて、二〇二一年は第五評論集『法月綸太郎ミステリー塾　怒濤編　フェアプレイの向こう側』（講談社）を刊行、それ以外でも都筑道夫やP・アルテなどミステリ解説の仕事が相次ぎましたが、二二年前半もこの流れが続きそうな予感。講談社「メフィストリーダーズクラブ」（MRC）でも同系列の新企画を検討中なので、そちらもお見逃しなく。

長谷敏司

　ここ数年、小説以外の仕事で忙しくしていたのですが、そちらがほぼひと段落と言っていいところまできました。なので、今年は小説に専念する一年になりそうです。今は、早川書房さんの作品集のお仕事をしています。現在、書籍の中心になる新作中篇を執筆中。こちらが完成したら、河出書房新社さんで『NOVA』からの中短篇をまとめた作品集を出させていただく予定です。完全新作としては、KADOKAWAスニーカー文庫さんで新シリーズの計画をしています。そのほか、本格的に懸案だった書きかけの小説をかたちにして、さらなる新作に取り掛かる予定。企画にひょっこり顔を出させていただくこともあるかも。小学館ガガガ文庫さんの『ストライクフォール』四巻も、すこしずつ進めてゆきます。また、これからよろしくお願いします！

野﨑まど

葉月十夏

マスクの手放せないこのご時世、楽しみに待っていた映画の公開が多数延期になりました。その後無事鑑賞できた作品もあれば、再度延期になったものも。そんな時監督さんは、時間があるならもっとやりたいことがあったのに、とか思わないでしょうか。

　それはそうと、最近古い映画が鮮明な映像で蘇り、映画館でかかることが多いです。『不思議惑星キン・ザ・ザ』、『ファンタスティック・プラネット』、『ニューヨーク１９９７』など、特にＳＦ映画が魅力的でしたね。

　名作と聞いていたけど未見の映画、題名だけ知っていた未読の本。再上映や復刊は心躍ります。

　映画も本も時を経て未来の人に届く。今年こそ、執筆中の小説を完成させたい。更にいろいろな物語を世に送り出したいと思います。

　よろしくお願いいします。

林　譲治

二二年の予定としては、まず一月に『大日本帝国の銀河』の最終巻である五巻が刊行されます。昨日、著者校の再校の再校を送ったので、そこは間違い無いでしょう。

　さらに四月ごろにＫ社から近未来の不完全な管理社会を描いた小説が出る予定です。これが好評であるならシリーズ化されるかも知れません。なるといいな。

　ほぼ同時期に日本ＳＦ作家クラブと早川書房のコラボレーションアンソロジーが発売されるはずです。私は今回は裏方に専念し短篇は書いておりませんが、現在把握している方々が全員寄稿していただけたならば、歴史に残る短篇集になることでしょう。

　そのあとは、夏頃に早川書房から、新シリーズが始まるはず。神戸で猫が暴れる話か、ブラコンの姫が暴れる話か、帰宅できなくなった医者が暴れる話のどれかになると思います。全然違うかも知れないけど。

春暮康一

まさか去年も一年間日本に帰れないとは……薄々予感はしていましたがやはり現実のものに。運転免許もとうとう失効してしまいました。今年こそは一時帰国したいものです。

最近は中国語検定を受けてみたり、エアロバイクを買ってみたり、それなりに充実しています。中国語はチャットならある程度会話できるようになりましたし（聞き取りはまるで上達しません）、エアロバイクもユニークな形のオブジェとして活躍しています。

去年のうちに中篇集を出したいと思っていたのですが、結局出せませんでした。今年こそは出します。連作というわけではありませんが、同じ宇宙を舞台とした作品集です。どうぞお楽しみに。

ところで、中国には春節があるので、この文章を書いている一月初旬は年始感もあり年末感もあるという少し不思議な感覚を味わえる時期です。春節当日になれば、また爆竹と花火が盛大に飛び交うことでしょう。

樋口恭介

今年は二作目の長篇（現時点で未着手）が出ます。ご期待ください。

久永実木彦

昨年は『七十四秒の旋律と孤独』刊行の余韻にひたり、しがみつき、進捗のない一年を過ごしてしまいましたが、読者のみなさまのおかげで『七十四秒～』を日本ＳＦ大賞の最終候補に選んでいただくことができました。この文章を書いている時点で大賞は決まっておらず、素晴らしい最終候補作のなかでどのような評価がくだされるのか、ゲロを吐くぐらい怖がっております。しかし結果はどうあれ、いつだって最高傑作は次回作というこころざしでやっていきたいものです。今年、驚異の進捗を見せる実木彦ＡＣＴ２にご期待ください。チュミミ～ン。

というわけで、今後の予定です。ただいま、魔法使いがクラシックなアメリカ車に乗って、日本を縦断するファンタジー長篇を書いております。映像化されれば大ヒットまちがいなしですので、刮目してお待ちください。そのほか、なにかのアンソロジーにも短篇が載るような気がします。

牧野 修

昨年末に『万博聖戦』を書きあげ力が尽きたわけではないのですが、今年は短篇二作書いただけ。ありがとう異形コレクション。それはそれとして数年前からずっと引っ張っている警察小説をさすがに今年は完成させるのと、できれば短篇集を出したいなあ。願望ばかり書いておりますが、どなたか牧野の短篇集に興味がある方がおられましたら直接ご連絡くださいまし。ひらにひらに（ここで今年初の平伏をば）。

宮内悠介

逆張りと逆説だらけの作風を、もう少し開けたものにしたいと思い、ここ数年模索中です。そして去年は明治ものの連作ミステリの連載を終えるとともに、NFTを売ってみたり、麻雀最強戦に出たり、囲碁の配信をしたり、水野良樹さんに詞に曲をつけてもらったり（『OTOGI BANASHI』）、暗号通貨を軸にいくつかSFを発表したりしていました。Kaguya Planetさん掲載の「偽の過去、偽の未来」という掌篇にいまの問題意識っぽいものをいろいろ詰めこみましたので、つづく新作はこれを起点に広げてみる予定です。

直近では一月に『かくして彼女は宴で語る』という題で先の連載がまとまります。これはアシモフ『黒後家蜘蛛の会』の形式。現状で情報公開されているのはこんなところでしょうか。

ところで、メタバースとかAIとかパンデミックとか関係なしに、なんかこう人類的な地殻変動が起きている予感がするので――しませんか？――だからそれをキャッチした物語ができないかと思ったりもするのですが、私の錯覚でしたらすみません。

本年もよろしくお願い申し上げます。

宮澤伊織

昨年は『裏世界ピクニック』のアニメでたいへんお世話になりました。小説も六巻七巻と二冊出せてよかったです。ありがとうございました。

今年は夏に裏ピの八巻。できれば九巻も出したいですがどうなるか。『ウは宇宙ヤバいのウ！』の復刊も諦めていないのですがJAで出すにはラノベラノベしてるのが難のようで、いっそもう書き直そうかな。

東京創元社からは（去年出すはずだった）『神々の歩法』が書き下ろしを加えて一冊になって出るはずです。春予定。

他にもいろいろ目論見はありますが、確度の高いのはそれくらいです。もっと書かないとだめなのでは？

ずっとミニチュア塗る人だったんですが去年は塗装ブースを買って屋内でスプレーが吹けるようになり、ついにプラモに手を出しました。積ん読に加えて積みプラが増殖しはじめ、もう終わりです。

六冬和生

　そのアクシデントは規模こそ小さかったものの、内部機構の一部に時間進行の遅延を発生せしめるだけのインパクトがあった。しかし機構の大部分は問題なく外部時間と同調して作動していたので、ギャップは放置された。あるいはつつがなく事態に対処できてしまったがため、異変の生じた部分は処理すべきタスクに必要な情報を失い、ますます支障をきたしていったともいえるかもしれない。だがゆっくりとではあっても動いてはいる。いずれ遅延を解消する手だてを見つけることもあろう。

　というような、まあ要は、ぼちぼちです。

おすすめアンソロジー目録

いま、国内外ともに個性豊かなアンソロジーが次々と刊行され、新たな盛り上がりを見せています。本欄では2019年11月～2021年10月に刊行されたアンソロジーのうち、『ＳＦが読みたい！』2020年度版・2021年度版の国内外ベスト30作品ガイドにランクインした18冊の、概要と収録作品リスト（※フィクション作品のみ）をまとめてご紹介します。（編集部）

2010年代SF傑作選1

大森望・伴名練＝編
装画：シライシユウコ
装幀：早川書房デザイン室
ハヤカワ文庫ＪＡ
定価1320円（税込）
20・02・06

大森望と伴名練が二〇一〇年代を代表する作品を選び抜いたアンソロジー。第一巻は比較的キャリアの長い作家の作品を中心として収録している。

【収録作】
「アリスマ王の愛した魔物」　小川一水
「滑車の地」　上田早夕里
「怪獣惑星キンゴジ」　田中啓文
「ミーチャ・ベリャーエフの子狐たち」　仁木稔
「大卒ポンプ」　北野勇作
「鮮やかな賭け」　神林長平
「テルミン嬢」　津原泰水
「文字渦」　円城塔
「海の指」　飛浩隆
「allo, toi, toi」　長谷敏司

2010年代SF傑作選2

大森 望・伴名 練＝編
装画：シライシユウコ
装幀：早川書房デザイン室
ハヤカワ文庫ＪＡ
定価1320円（税込）
20・02・06

大森望・伴名練編の２０１０年代傑作選第二巻。こちらには電子書籍出身作家を含めこの十年間に活躍しはじめた新鋭の作品が収められている。

【収録作】
「バック・イン・ザ・デイズ」　小川哲
「スペース金融道」　宮内悠介
「流れよわが涙、と孔明は言った」　三方行成
「環刑錮」　西島伝法
「うどん キツネつきの」　高山羽根子
「雲南省スー族におけるＶＲ技術の使用例」　柴田勝家
「従卒トム」　藤井太洋
「第五の地平」　野﨑まど
「トーキョーを食べて育った」　倉田タカシ
「11階」　小田雅久仁

月の光
現代中国SFアンソロジー

ケン・リュウが『折りたたみ北京』に続き編纂した中国SFアンソロジー。直球のSF以外にも変化球的な作品が入り交じり多様な作品が揃う。

【収録作】
「おやすみなさい、メランコリー」夏笳／中原尚哉訳
「晋陽の雪」張冉／中原尚哉訳
「壊れた星」糖匪／大谷真弓訳
「潜水艇」韓松／中原尚哉訳
「サリンジャーと朝鮮人」韓松／中原尚哉訳
「さかさまの空」程婧波／中原尚哉訳
「金色昔日」宝樹／中原尚哉訳
「正月列車」郝景芳／大谷真弓訳
「ほら吹きロボット」飛氘／中原尚哉訳
「月の光」劉慈欣／大森 望訳
「宇宙の果てのレストラン――臘八粥」吴霜／大谷真弓訳
「始皇帝の休日」馬伯庸／中原尚哉訳
「鏡」顧適／大谷真弓訳
「ブレインボックス」王侃瑜／大谷真弓訳
「開光」陳楸帆／中原尚哉訳
「未来病史」陳楸帆／中原尚哉訳

ケン・リュウ＝編
装画：牧野千穂
装幀：川名 潤
新☆ハヤカワ・ＳＦ・シリーズ
定価2420円（税込）
20・03・18

時のきざはし
現代中華SF傑作選

本邦の中華SF紹介の第一人者である立原透耶編集の中華SFアンソロジー。ベテラン勢から若手までバラエティに富んだ中華SFの今が堪能できる。

【収録作】
「太陽に別れを告げる日」江波／大久保洋子訳
「異域」何夕／及川 茜訳
「鯨座を見た人」糖匪／根岸美聡訳
「沈黙の音節」昼温／浅田雅美訳
「ハインリヒ・バナールの文学的肖像」陸秋槎／大久保洋子訳
「勝利のV」陳楸帆／根岸美聡訳
「七重のSHELL」王晋康／上原徳子訳
「宇宙八景瘋者戯」黄海／林 久之訳
「済南の大凧」梁清散／大恵和実訳
「プラチナの結婚指輪」凌晨／立原透耶訳
「超過出産ゲリラ」双翅目／浅田雅美訳
「地下鉄の驚くべき変容」韓松／上原かおり訳
「人骨笛」吴霜／大恵和実訳
「餓塔」潘海天／梁 淑珉訳
「ものがたるロボット」飛氘／立原透耶訳
「落言」靚霊／阿井幸作訳
「時のきざはし」滕野／林 久之訳

立原透耶＝編
装画：鈴木康士
装幀：鈴木久美
新紀元社
定価2420円（税込）
20・06・27

日本SFの臨界点［恋愛篇］
死んだ恋人からの手紙

伴名練が書籍未収録作を中心に埋もれた傑作を発掘する二冊組アンソロジー。［恋愛篇］にはさまざまな恋愛・家族愛をテーマにした作品を収録。

【収録作】
「死んだ恋人からの手紙」中井紀夫
「奇跡の石」藤田雅矢
「生まれくる者、死にゆく者」和田 毅
「劇画・セカイ系」大樹連司
「G線上のアリア」高野史緒
「アトラクタの奏でる音楽」扇 智史
「人生、信号待ち」小田雅久仁
「ムーンシャイン」円城 塔
「月を買った御婦人」新城カズマ

伴名練＝編
装画：れおえん
装幀：BALCOLONY.
ハヤカワ文庫ＪＡ
定価1100円（税込）
20・07・25

日本SFの臨界点［怪奇篇］
ちまみれ家族

伴名練編テーマアンソロジー二巻目の［怪奇篇］には幻想怪奇テーマの作品を収録。両巻の各収録作に添えられた詳細な著者紹介と巻末編集後記にも注目。

【収録作】

「DECO—CHIN」　中島らも
「怪奇フラクタル男」　山本 弘
「大阪ヌル計画」　田中哲弥
「ぎゅうぎゅう」　岡崎弘明
「地球に磔にされた男」　中田永一
「黄金珊瑚」　光波耀子
「ちまみれ家族」　津原泰水
「笑う宇宙」　中原 涼
「A Boy Meets A Girl」　森岡浩之
「貂の女伯爵、万年城を攻略す」　谷口裕貴
「雪女」　石黒達昌

伴名練＝編
装画：れおえん
装幀：BALCOLONY.
ハヤカワ文庫ＪＡ
定価1100円（税込）
20・07・25

中国・SF・革命

〈文藝〉二〇二〇年春季号の同題特集の掲載作に初訳二作品と書下ろし一作品を加えて単行本化した、中日米の書き手による中国テーマのアンソロジー。

【収録作】

「トラストレス」　ケン・リュウ／古沢嘉通訳
「改暦」　柞刈湯葉
「阿房宮」　郝景芳／及川 茜訳
「移民の味」　王谷 晶
「村長が死んだ」　閻連科／谷川 毅訳
「ツォンパントリ」　佐藤 究
「最初の恋」　上田岳弘
「盤古」　樋口恭介

写真：Miss Aniela
装幀：木庭貴信+岩元萌（OCTAVE）
河出書房新社
定価2420円（税込）
20・08・06

銀河英雄伝説列伝1
晴れあがる銀河

田中芳樹『銀河英雄伝説』の世界を舞台にしたトリビュート・アンソロジー。本篇に軸足を残しつつ作家それぞれの持ち味が生かされた六篇を収める。

【収録作】

「竜神滝（ドラッハ・ヴァッサーフェル）の皇帝陛下」　小川一水
「士官学校生の恋」　石持浅海
「ティエリー・ボナール最後の戦い」　小前 亮
「レナーテは語る」　太田忠司
「星たちの舞台」　高島雄哉
「晴れあがる銀河」　藤井太洋

田中芳樹＝監修
装画：星野之宣
装幀：岩郷重力＋T.K
創元ＳＦ文庫
定価990円（税込）
20・10・30

シオンズ・フィクション
イスラエルＳＦ傑作選

知られざるイスラエルＳＦの世界を一望の中に収める傑作選。イスラエルの文化と歴史の複雑性と多層性を様々な切り口で色濃く描く作品を収める。

【収録作】

「オレンジ畑の香り」ラヴィ・ティドハー／小川 隆訳
「スロー族」ガイル・ハエヴェン／山田順子訳
「アレキサンドリアを焼く」ケレン・ランズマン／山田順子訳
「完璧な娘」ガイ・ハソン／中村 融訳
「星々の狩人」ナヴァ・セメル／市田 泉訳
「信心者たち」ニル・ヤニヴ／山岸 真訳
「可能性世界」エヤル・テレル／山岸 真訳
「鏡」ロテム・バルヒン／安野 玲訳
「シュテルン＝ゲルラッハのネズミ」モルデハイ・サソン／中村 融訳
「夜の似合う場所」サヴィヨン・リーブレヒト／安野 玲訳
「エルサレムの死神」エレナ・ゴメル／市田 泉訳
「白いカーテン」ペサハ（パヴェル）・エマヌエル／山岸 真訳
「男の夢」ヤエル・フルマン／市田 泉訳
「二分早く」グル・ショムロン／山岸 真訳
「ろくでもない秋」ニタイ・ペレツ／植草昌実訳
「立ち去らなくては」シモン・アダフ／植草昌実訳

シェルドン・テイテルバウム、エマヌエル・ロテム＝編
装幀：坂野公一（welle design）
竹書房文庫
定価1650円（税込）
20・09・30

2000年代海外ＳＦ傑作選

編者に新たに橋本輝幸を迎え、十八年ぶりの刊行となった年代別海外ＳＦ傑作選。ゼロ年代海外ＳＦの様相を俯瞰する。同『２０１０年代』にも注目。

【収録作】

「ミセス・ゼノンのパラドックス」エレン・クレイジャズ／井上 知訳
「懐かしき主人の声（ヒズ・マスターズ・ボイス）」ハンヌ・ライアニエミ／酒井昭伸訳
「第二人称現在形」ダリル・グレゴリイ／嶋田洋一訳
「地火（じか）」劉慈欣／大森 望・齊藤正高訳
「シスアドが世界を支配するとき」コリイ・ドクトロウ／矢口 悟訳
「コールダー・ウォー」チャールズ・ストロス／金子 浩訳
「可能性はゼロじゃない」N・K・ジェミシン／市田 泉訳
「暗黒整数」グレッグ・イーガン／山岸 真訳
「ジーマ・ブルー」アレステア・レナルズ／中原尚哉訳

橋本輝幸＝編
カバーデザイン：岩郷重力＋M.U
ハヤカワ文庫ＳＦ
定価1276円（税込）
20・11・19

中国・アメリカ　謎ＳＦ

本邦ほぼ未紹介の作家という条件のもとに、柴田元幸と小島敬太がそれぞれ中国、アメリカを照らし出す作品を持ち寄った合作アンソロジー。

【収録作】
「マーおばさん」　ShakeSpace（遥控）／小島敬太訳
「曖昧機械─試験問題」　ヴァンダナ・シン／柴田元幸訳
「焼肉プラネット」　梁清散／小島敬太訳
「深海巨大症」　ブリジェット・チャオ・クラーキン／柴田元幸訳
「改良人類」　王諾諾／小島敬太訳
「降下物」　マデリン・キアリン／柴田元幸訳
「猫が夜中に集まる理由」　王諾諾／小島敬太訳

柴田元幸、小島敬太＝編訳
装画：きたしまたくや
装幀：緒方修一
白水社
定価2200円（税込）
21・01・29

この地獄の片隅に
パワードスーツSF傑作選

パワードスーツ、強化アーマー、人型歩行メカをテーマにした書下ろしアンソロジー。二十三篇を収録した原書より訳者中原尚哉が十二篇を厳選。

【収録作】
「この地獄の片隅に」　ジャック・キャンベル
「深海採集船コッペリア号」　ジュヌヴィエーヴ・ヴァレンタイン
「ノマド」　カリン・ロワチー
「アーマーの恋の物語」　デヴィッド・バー・カートリー
「ケリー盗賊団の最期」　デイヴィッド・D・レヴァイン
「外傷ポッド」　アレステア・レナルズ
「密猟者」　ウェンディ・N・ワグナー&ジャック・ワグナー
「ドン・キホーテ」　キャリー・ヴォーン
「天国と地獄の星」　サイモン・R・グリーン
「所有権の移転」　クリスティ・ヤント
「N体問題」　ショーン・ウィリアムズ
「猫のパジャマ」　ジャック・マクデヴィット

Ｊ・Ｊ・アダムズ＝編
中原尚哉＝訳
装画・扉絵：加藤直之
装幀：岩郷重力＋W.I
創元ＳＦ文庫
定価1210円（税込）
21・03・12

ポストコロナのＳＦ

日本ＳＦ作家クラブ編による書き下ろしＳＦアンソロジー。コロナ禍という現実の問題に対してＳＦ的な想像力を駆使して多様な切り口で迫る。

【収録作】
「黄金の書物」　小川哲
「オネストマスク」　伊野隆之
「透明な街のゲーム」　高山羽根子
「オンライン福男」　柴田勝家
「熱夏にもわたしたちは」　若木未生
「献身者たち」　作刈湯葉
「仮面葬」　林譲治
「砂場」　菅浩江
「粘膜の接触について」　津久井五月
「書物は歌う」　立原透耶
「空の幽契」　飛浩隆
「カタル、ハナル、キユ」　津原泰水
「木星風邪（ジョヴィアンフルウ）」　藤井太洋
「愛しのダイアナ」　長谷敏司
「ドストピア」　天沢時生
「後香（レトロネイザル） Retronasal scape.」　吉上亮
「受け継ぐちから」　小川一水
「愛の夢」　樋口恭介
「不要不急の断片」　北野勇作

日本ＳＦ作家クラブ＝編
装幀：岩郷重力＋Y.S
ハヤカワ文庫ＳＦ
定価1166円（税込）
21・04・14

移動迷宮
中国史SF短篇集

新進気鋭の中国SF紹介者大恵和美による、古代から現代まで中国の歴史をテーマにしたSF作品を厳選した日本オリジナルアンソロジー。

【収録作】
「孔子、泰山に登る」 飛氘／上原かおり訳
「南方に嘉蘇あり」 馬伯庸／大恵和実訳
「陥落の前に」 程婧波／林 久之訳
「移動迷宮 The Maze Runner」 飛氘／上原かおり訳
「広寒生のあるいは短き一生」 梁清散／大恵和実訳
「時の祝福」 宝樹／大久保洋子訳
「一九三八年上海の記憶」 韓松／林 久之訳
「永夏の夢」 夏笳／立原透耶訳

大恵和美＝編訳
装幀：水戸部功
中央公論新社
定価2200円（税込）
21・06・22

海の鎖

国書刊行会による海外SF叢書《未来の文学》完結作。伊藤典夫が翻訳家としての五十年以上のキャリアを通じ手掛けた中から精選した作品を収める。

【収録作】
「偽態」 アラン・E・ナース
「神々の贈り物」 レイモンド・F・ジョーンズ
「リトルボーイ再び」 ブライアン・オールディス
「キング・コング墜ちてのち」 フィリップ・ホセ・ファーマー
「地を統べるもの」 M・ジョン・ハリスン
「最後のジェリー・フェイギン・ショウ」 ジョン・モレッシイ
「フェルミと冬」 フレデリック・ポール
「海の鎖」 ガードナー・R・ドゾワ

伊藤典夫＝編訳
装幀：下田法晴+大西裕二(s.f.d)
国書刊行会
定価2860円（税込）
21・06・25

再着装（リスリーヴ）の記憶
〈エクリプス・フェイズ〉アンソロジー

シンギュラリティ後の太陽系を舞台にしたTRPG『エクリプス・フェイズ』の設定を基に書かれた国内外の人気作家たちによる作品を集める。

【収録作】
「しろたへの袖（スリーヴ） 拝啓、紀貫之どの」 ケン・リュウ／待兼音二郎訳
「カザロフ・ザ・パワード・ケース」 伊野隆之
「おかえりヴェンデッタ」 吉川良太郎
「Wet work on dry land」 片理 誠
「脱出拒否者」 陰山琢磨
「プロティノス＝ラヴ」 伏見健二
「蠅の娘」 岡和田晃（原案：齋藤路恵）
「宇宙の片隅、天才シェフのフルコース」 アンドリュー・ペン・ロマイン／待兼音二郎訳
「硝子の本――Original Version」 平田真夫
「メメントモリ」 石神茉莉
「泥棒カササギ」 マデリン・アシュビー／岡和田晃訳
「プラウド・メアリー～ある女性シンガーの妊娠」 待兼音二
「恋する舞踏会」 図子慧
「再着装なんて愛の監獄」 カリン・ロワチー／待兼音二郎訳

岡和田晃＝編
カバーオブジェ：山下昇平
アトリエサード
定価2970円（税込）
21・09・24

異常論文

先鋭的なアイデアを架空の論文という形で提示した、〈ＳＦマガジン〉の同題人気特集の大幅増補版。ハヤカワ文庫ＪＡ１５００番記念作品。

【収録作】

序文「異常論文・巻頭言」　樋口恭介
「決定論的自由意志利用改変攻撃について」　円城 塔
「空間把握能力の欠如による次元拡張レウム語の再解釈　およびその完全な言語的対称性」　青島もうじき
「インディアン・ロープ・トリックとヴァジュラナーガ」　陸 秋槎
「掃除と掃除用具の人類史」　松崎有理
「世界の真理を表す五枚のスライドとその解説、および注釈」　草野原々
「INTERNET2」　木澤佐登志
「裏アカシック・レコード」　作刈湯葉
「フランス革命最初期における大恐怖と緑の人々問題について」　高野史緒
「『多元宇宙的絶滅主義』と絶滅の遅延――静寂機械・遺伝子地雷・多元宇宙モビリティ」　難波優輝
「『アブデエル記』断片」　久我宗綱
「火星環境下における宗教性原虫の適応と分布」　柴田勝家
「ＳＦ作家の倒し方」　小川 哲
「第一四五九五期〈異常ＳＦ創作講座〉最終課題講評」　飛 浩隆
「樋口一葉の多声的エクリチュール――その方法と起源」　倉数 茂
「ベケット講解」　保坂和志
「ザムザの羽」　大滝瓶太
「虫→……」　麦原 遼
「オルガンのこと」　青山 新
「四海文書[注4]注解抄」　西島伝法
「場所（Spaces）」　笠井康平・樋口恭介
「無断と土」　鈴木一平＋山本浩貴（いぬのせなか座）
「解説――最後のレナディアン語通訳」　伴名 練

樋口恭介＝編
写真：三野新＋山本浩貴
装幀：山本浩貴+h（いぬのせなか座）
ハヤカワ文庫ＳＦ
定価1364円（税込）
21・10・19

Genesis 時間飼ってみた 創元日本SFアンソロジー

東京創元社の書き下ろしアンソロジーシリーズ第四弾。第12回創元ＳＦ短編賞正賞・優秀賞受賞作をはじめとして現代ＳＦを牽引する書き手が参加。

【収録作】

「未明のシンビオシス」　小川一水
「いつか明ける夜を」　川野芽生
「1ヘクタールのフェイク・ファー」　宮内悠介
「ときときチャンネル＃2【時間飼ってみた】」　宮澤伊織
「ラムディアンズ・キューブ」　小田雅久仁
「ほんとうの旅」　高山羽根子
「神の豚」（第12回創元ＳＦ短編賞 優秀賞受賞作）　溝渕久美子
「射手座の香る夏」（第12回創元ＳＦ短編賞 正賞受賞作）　松樹 凛

装画：カシワイ
装幀：小柳萌加・長﨑綾（next door design）
東京創元社
定価2200円（税込）
21・10・29

『三体Ⅲ』
傑作だった…
劉慈欣
三体
Ⅲ
死神永生
作品中におとぎ話が出てくるんだけど本篇に負けず劣らず面白いんだよね
フィクション内フィクションって大抵のめり込めないもんだけど
そう言われればそうだ

逆に本篇が退屈で物語内フィクションから戻りたくないってパターンない？
うーん なんだろ？思いつかないな…
それって…

人生？

悲しいこと言うなあ

2021年度／SF関連DVD目録　タイトル名索引

ア

アースフォール　150
悪魔がみている　152
アダムス・ファミリー　152
アナザー・ワールド　154
アンチ・ライフ　149
アンチグラビティ　154
アンドロイド2040　148
インベイド　143
ウィッチサマー　148
ウィリーズ・ワンダーランド　144
映画ドラえもん　のび太の新恐竜　154

カ

カラー・アウト・オブ・スペース　154
ガンズ・アキンボ　146
がんばれいわ!!　ロボコン　154
恐怖ノ黒電波　146
キラーソファ　155
クレイジーズ　42日後　150
クワイエット・プレイス　143
劇場版　ヴァイオレット・エヴァーガーデン　143
コンタクト－消滅領域－　151

サ

ザ・スイッチ　145
ザ・メッセージ　145
サイキッカー　152
さんかく窓の外側は夜　147
樹海村　148
ジュラシック・ツアーズ　144
シン・ランペイジ　155
新感染半島　ファイナル・ステージ　148
ズーム／見えない参加者　149
スカイ・シャーク　152
スカイライン　145
ストレンジ・ワールド　153
スプートニク　147
スペース・フォース　151
スレイヤー　7日目の煉獄　144
ゾンビ津波　148

タ

タイタンフォール　152
タイム・ガーディアンズ　144
小さなバイキング ビッケ　151
ディープ・コンタクト　146
デッド・ドント・ダイ　155
TENET テネット　153
デューン・サバイバー　149
透明人間　153
ドクター・ドリトル　155
トランス・フューチャー　148

ナ

泣きたい私は猫をかぶる　147
2:22　146
ニュー・ミュータント　151
人数の町　151
猫のルーファスと魔法の王国　154

ハ

1/8 ハチブンノイチ　152
バトル・オブ・チェルノブイリ　149
ビルとテッドの時空旅行　149
ブラック・ウィドウ　144
ブラッド・ブレイド　153
プラットフォーム　147
ヘル・フィールド　155
ホラーマニア vs 5人のシリアルキラー　143
ホワッツ・イン・ザ・シェッド　147

マ

マイ・ロボット　150
魔女がいっぱい　151
マシンガール　150
ミッシング・リンク　149
ミュータント:マックス　144
モータルコンバット　143
モンスター・エージェント　143
モンスターハンター　145
モンスターランナー　145

ヤ

YUMMY ／ヤミー　146

ラ

ラ・ヨローナ　153
リトル・ジョー　153
リトル・ニンジャ　150
リビング・ウィズ・ゴースト　147
麗猫伝説　155
ロード・オブ・モンスターズ　145
羅小黒（ろしゃおへい）戦記　146

ワ

ワンダーウーマン　1984　150

Vicious Fun

ホラーマニア vs 5人のシリアルキラー ★

■2020年カナダ
■監督コーディ・カラハン
■脚本ジェームス・ヴィルヌーヴ
■出演エヴァン・マーシュ
■劇場未公開
■8/4🅁10/6🄳
■アメイジングD.C.　D￥4,000

バーで酔いつぶれたホラー雑誌編集者のジョエルは、目覚めると閉店後のバーで殺人鬼たちが会合を開いているところに遭遇する。ジョエルはとっさに自分も殺人鬼であると装うが、次第に窮地に追い詰められていく。前半部はスリルが効いていてケレン味もあるが、バーの外が描かれる後半からは緊迫感が薄れてしまう。

A Quiet Place: Part II

クワイエット・プレイス　破られた沈黙 ★

■2020年アメリカ
■監督・脚本ジョン・クラシンスキー
■出演エミリー・ブラント
■6/18公開
■10/8🅁🄳
■パラマウント　BD+D￥4,500

音を頼りに人類を襲う宇宙生物により壊滅した世界を舞台に、一家と宇宙生物の戦いを描いた『クワイエット・プレイス』（2018年）の続篇。宇宙生物の弱点を発見した一家は、他の生き残りとともに新たな戦いに挑んでいく。前作に比してアクションは多彩になったが、人間たちのうっかり展開が多いのは変わっていない。

劇場版　ヴァイオレット・エヴァーガーデン ★★

■2020年日本
■監督石川太一
■脚本吉田玲子
■出演石川由依、浪川大輔
■2020/9/18公開
■10/13🅁🄳
■ポニーキャニオン　D￥7,800 BD￥8,800

かつて子ども兵として戦ったヴァイオレットは、手紙の代筆屋として生計を立てていた。ある日彼女は、自分を育て戦場で行方不明になったギルベルト少尉が生存していることを知り、彼と再会するため旅に出向く。代筆の客である病弱な少年と主人公たちの状況が重ね合わされる構成は巧みで、観る人の心を打たざるをえない。

Occupation: Rainfall

インベイド ★

■2020年オーストラリア
■監督・脚本ルーク・スパーク
■出演ダン・ユーイング、テムエラ・モリソン
■5/21公開
■8/20🅁10/14🄳
■アルバトロス　D￥3,700

異星人侵略もの『オキュペーション　侵略』（18年）の続篇。蹂躙された人類は、味方になった異星人も加えて地下の基地で細々と抵抗を続けていた。戦局打開のため特殊部隊が秘匿兵器を探索する一方で、基地の実権を握るヘイズ中佐は対異星人用の化学兵器を秘密裏に開発しはじめる。2つのパートがブツ切りで散漫な作品。

Nelly Rapp Monster Agent

モンスター・エージェント　ネリーの奇妙な冒険 ★★

■2020年スウェーデン
■監督・脚本アマンダ・アドルフソン
■出演マチルダ・グロス
■劇場未公開
■10/6🅁10/14🄳
■アルバトロス　D￥4,800

亡くなった母親が、人間社会の間に暮らす怪物たちとの共生のために活動するエージェントだったことを知ったネリー。エージェントたちの間で新たな管理計画が始動しはじめる中、彼女は森の奥でフランケンシュタインの怪物である少女ロベルタと出会う。ユーモア色が強く、ロベルタとネリーの友情描写も楽しい。

Mortal Kombat

モータルコンバット ★★

■2021年アメリカ
■監督サイモン・マッコイド
■脚本グレッグ・ルッソ
■出演ルイス・タン、真田広之、浅野忠信
■6/18公開
■10/20🅁🄳
■ワーナー・ブラザース・ホームエンターテイメント　BD+D￥4,500

残虐格闘ゲームの映画化。格闘家コールは、ある日すべてを凍らせる能力を持つ謎の刺客に襲われる。自分が世界の命運をかけた魔界との格闘大会への出場者であると知らされたコールは仲間とともに修行に挑むが、魔界の敵の不穏な姿が見え隠れしていく。原作ゲーム通りの残虐ファイトに、意外と細やかな東洋描写が見もの。

Jurassic Hunt

ジュラシック・ツアーズ　★

■2021年アメリカ
■監督ハンク・ブラクスタン
■脚本ジャコビ・バンクロフト、ジェフリー・ガイルス
■出演コートニー・ロギンス、ルーベン・ブラ
■劇場未公開
■9/3[R][D]
■ニューセレクト　D ¥4,800

現代の恐竜保護区で開かれる秘密の狩猟ツアー。動物愛護運動家が参加者に紛れていたと気づいた主催者は、全員を殺して口封じしようと試み、ツアー客、主催側、恐竜の三つ巴の戦いが始まる。恐竜を蘇らせた経緯は特に描かれず、恐竜ものである必然性は特にない。人間が蹂躙されるさまは景気が良いが、CGはふた昔前レベル。

The Time Guardians

タイム・ガーディアンズ　異界の魔女と時をかける少女　★

■2020年ロシア
■監督・脚本アレクセイ・テルノフ
■出演アーテム・トカチェンコ、リュボーフ・トルカリーナ
■3/26公開
■9/3[R][D]
■ニューセレクト　D ¥4,800

事故に遭った昏睡状態の少女クスーシャは、夢の中で異世界「闇の街」に紛れ込み、そこから脱出するため冒険を繰り広げる。少女の里親である売れない作家の語る物語が夢に絡んでくる設定は面白いが、近年のロシア産ファンタジー同様、舞台設定はなかなか説明されず、観客のフラストレーションはたまる一方である。

Archenemy

ミュータント：マックス　★

■2020年アメリカ
■監督アダム・エジプト・モーティマー
■脚本
■出演ジョー・マンガニエロ
■劇場未公開
■9/3[R][D]
■アメイジングD.C.　D ¥4,000

時空の果てにある都市クロミウムで天才犯罪者クレオと戦った超人マックスは、戦いの影響で地球に墜落してしまう。浮浪者と化した彼は記者見習いと知り合い、街のドラッグ汚染に立ち向かうが、事態の裏にはクレオがいたのだった。マックスとクレオの宿敵関係などは見どころだが、記者見習いの心理描写がブレブレなのは減点対象。

Black Widow

ブラック・ウィドウ　★★

■2021年アメリカ
■監督ケイト・ショートランド
■脚本ネッド・ベンソン、ジャック・スカエファー
■出演スカーレット・ヨハンソン
■7/9公開
■9/15[D]
■ウォルト・ディズニー・ジャパン　BD+D ¥4,500

『シビル・ウォー/キャプテン・アメリカ』（2016年）直後の世界を舞台に、逃走中のブラック・ウィドウを主人公とする作品。彼女は、かつて自分を暗殺者として育成したロシア系の秘密組織レッド・ルームを壊滅させるため、妹エレーナとともに戦いに身を投じる。自己言及的なギャグやキレの良いアクションが見どころ。

Willy's Wonderland

ウィリーズ・ワンダーランド　★★

■2020年アメリカ
■監督ケヴィン・ルイス
■脚本G.O.パーソンズ
■出演ニコラス・ケイジ、エミリー・トスタ
■7/10公開
■9/24[R]10/6[D]
■Happinet　D ¥3,900 BD ¥4,800

寂れた町で車のパンクを起こした主人公は、修理と引き換えに廃遊園地の掃除をするよう依頼される。しかしそこはかつて経営陣が児童惨殺事件を引き起こしたいわくつきの遊園地で、マスコットロボットたちには自殺した経営陣の霊が憑依していた。無言でロボットを殴殺していくニコラス・ケイジの容赦ない怪演ぶりが光る。

The Seventh Day

スレイヤー　7日目の煉獄　★★

■2020年アメリカ
■監督・脚本ジャスティン・P・ラング
■出演ガイ・ピアース、キース・デヴィッド
■7/25公開
■8/20[R]10/6[D]
■アメイジングD.C.　D ¥3,800

悪魔憑き事例が続発するアメリカ。エクソシストとして訓練を受けた若い神父ダニエルは、型破りな神父ピーターとバディを組み、実践的な悪魔祓いを学んでいく。2人は少年による一家惨殺事件の裏に潜む悪魔に挑むが、それは同時にピーターの過去のトラウマを呼び覚ますものだった。展開の妙が効き、バディものとしても魅力的。

Skylin3s

スカイライン —逆襲— ★

■2020年イギリス、スペイン、リトアニア
■監督・脚本リアム・オドネル
■出演リンゼイ・モーガン
■2/26公開
■7/21Ⓡ8/4Ⓓ
■Happinet　D ¥3,900 BD ¥4,800

侵略してきたエイリアンからの絶望的な逃亡劇、対エイリアン徒手格闘アクションと1作ごとに装いをガラッと変える《スカイライン》三部作の最終作。本作では生き延びた人類間の差別とエイリアン本星への逆襲戦が展開されるが、両パートがかみ合っているとは言いがたく、前2作より完成度が高くないのが悲しい。

怪物先生／Monster Run

モンスターランナー　怪物大戦争 ★★

■2020年中国
■監督・脚本ヘンリー・ウォン
■出演ショーン・ユー
■3/19公開
■8/4ⓇⒹ
■アルバトロス　D ¥3,800

怪物が見える少女レイは、ある日バイト先のスーパーで雪男に襲われたところを、しゃべる折り紙を連れた怪物ハンターのモンに助けられる。初めて怪物が見える人間と会ったレイはモンと行動をともにするが、強い力を持つ彼女は魔女につけ狙われるのだった。爽快なアクションと少女の成長譚が両立しており、見ていて飽きない。

Ape vs. Monster

ロード・オブ・モンスターズ　地上最大の決戦 ★

■2021年アメリカ
■監督ダニエル・ラスコ
■脚本ジョージ・マイケル・フィリップス
■出演エリック・ロバーツ
■劇場未公開
■8/4ⓇⒹ
■アルバトロス　D ¥4,800

数十年前に打ち上げられた宇宙探査船の墜落場所に向かった調査隊は、乗せられていたサルがいまだに生存しているだけでなく、宇宙物質の影響で巨大化している現場に出くわす。調査隊が捕獲を急ぐ一方で、探査船から垂れた宇宙物質を摂取したトカゲがサル同様巨大化するのだった。アクションに迫力がなく、三番煎じ以下の作品。

Monster Hunter

モンスターハンター ★

■2019年アメリカ
■監督・脚本ポール・W・S・アンダーソン
■出演ミラ・ジョヴォヴィッチ、トニー・ジャー
■3/26公開
■8/18ⓇⒹ
■東宝　BD+D ¥4,500

砂漠を探索中に、怪生物の闊歩する異世界に転移してしまったアルテミス大尉率いる陸軍部隊。軍人たちが次々に命を落としていくなか、アルテミス大尉は弓と大剣で武装したハンターに助けられ、怪生物に戦いを挑む。ゲームのビジュアルの再現度は高いものの、ストーリーはちぐはぐで、没入感が削がれる。

Freaky

ザ・スイッチ ★★

■2020年アメリカ
■監督クリストファー・ランドン
■脚本マイケル・ケネディ
■出演ヴィンス・ヴォーン
■4/9公開
■9/3ⓇⒹ
■NBCユニバーサル・エンターテイメントジャパン　BD+D ¥4,500

冴えない女子高生ミリーは逃亡中の殺人鬼バーニーに襲撃され、あわや殺される寸前で雷に打たれる。次の朝バーニーの住処で目覚めたミリーは、自分とバーニーの精神が入れ替わったことに気付き、自分の体を取り戻すために奮闘する。女子高生と殺人鬼の入れ替わりという設定は新味があり、主演2人の中身の演じ分けも見どころ。

I Still See You

ザ・メッセージ ★★

■2018年アメリカ
■監督スコット・スピアー
■脚本ジェイソン・フュークス
■出演ベラ・ソーン
■3/18公開
■8/20Ⓡ9/3Ⓓ
■ファインフィルムズ　D ¥3,800

研究所の爆発事故で多くの人が死んだシカゴ。事故の影響で、被害者たちの実体なき姿がその場に残り、人々は彼らを「残存者」と呼ぶようになる。浴室に現れた残存者の姿に疑問を抱いた高校生ロニーは、転校生のカークと調査を進めるが、次第にロニーの身に危険が迫っていく。一風変わったゴースト・ストーリーとして鑑賞したい。

The Devil Below

ディープ・コンタクト ★

■2021年アメリカ
■監督ブラッド・パーカー
■脚本エリック・シェルバルト
■出演アリシア・サンス、エイダン・カント
■劇場未公開
■7/2RD
■アメイジングD.C.　D￥3,200

地形調査のため、地図にない炭鉱町にやって来た科学者一行。彼らは炭鉱から聞こえる謎の音に不審感を抱くが、良質な石炭が採掘できることを知り、調査のため炭鉱に入り込む。しかしそこには凶暴な地底人のようなクリーチャーが生息しており、科学者たちは窮地に陥る。クリーチャーの造形は良いが、筋運びは退屈。

2:22

2:22 ★★

■2017年オーストラリア、アメリカ
■監督ポール・カリー
■脚本トッド・スタイン、ネイサン・パーカー
■出演ミキール・ハースマン
■3/6公開
■7/2RD
■ファインフィルムズ　D￥3,800

秩序を好む航空管制官のディランは、かわりばえのない日常を楽しんでいた。しかし彼は、ある日の14時22分に時間が停止したかのような感覚に襲われ、あわや大惨事というニアミス事例を引き起こしてしまう。その日以来、彼は毎日同じ時刻に同じ事象を体験する。デジャブ感覚とラブストーリーが両立した筋運びが面白い。

Yummy

YUMMY／ヤミー ★★

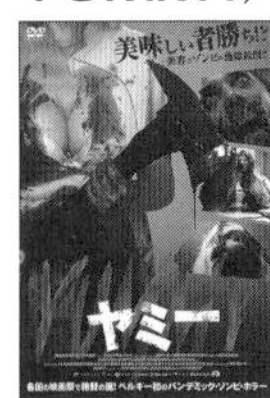

■2019年ベルギー
■監督・脚本ラース・ダモワゾー
■脚本エヴェリン・ハーゲンビーク
■出演マイケ・ネーヴィレ
■劇場未公開
■12/25R7/2D
■アメイジングD.C.　D￥4,000

縮胸手術を受けるため、評判が高い小国の整形外科医院にやって来たアリソン。しかしそこでは、延命治療の失敗により凶暴化した患者が拘束されていた。アリソンの付き添いであるミカエルが患者を解放したことがきっかけで、病院は彼らに襲われて凶暴になった人々であふれかえってしまう。お約束を外した展開を楽しみたい。

The Antenna

恐怖ノ黒電波 ★

■2019年トルコ
■監督・脚本オルチュン・ベフラム
■出演イーサン・オナル
■2019/10/30公開
■7/7RD
■キングレコード　D￥3,800

政府による新放送システムの実施が発令されたトルコ。マンションの管理人メフメットは、アンテナの取り付けに来たエンジニアが屋上から転落死するさまを目撃する。同時にマンションの壁から謎の黒い液体が浸出しはじめ、液体に触れた入居者たちの体は変質していく。メタファーが若干しつこいが、悪夢的な表現が見どころ。

羅小黒戦記/THE LEGEND OF HEI

羅小黒戦記（ろしゃおへい）　ぼくが選ぶ未来 ★★★

■2019年中国
■監督・脚本MTJJ
■声の出演山新、劉明月
■11/7公開
■7/9RD
■アニプレックス　D￥4,800 BD￥5,800

森育ちの妖精シャオヘイは、街で出会った妖精フーシーと行動をともにするが、妖精を捕獲する執行人ムゲンに襲われ離れ離れになってしまう。ムゲンと世界を旅することになったシャオヘイは、当初こそムゲンに反発するが、次第に信頼を寄せるようになる。細やかに描かれる２人の関係の変化や、迫力あるバトル描写が見どころ。

Guns Akimbo

ガンズ・アキンボ ★★

■2019年イギリス、ドイツ、ニュージーランド
■監督・脚本ジェイソン・レイ・ホーデン
■出演ダニエル・ラドクリフ
■2/26公開
■7/21RD
■ポニーキャニオン　BD￥4,800

プログラマーのマイルズは、ディープウェブの殺人ゲームサイトに正論極まりないコメント荒らしをしたことがきっかけで、両手に銃をビス留めされ、最強の殺し屋であるニックスと戦うよう強いられる。ブラックな笑いや一転して痛快なアクションも楽しめる作品で、窮地に陥ったマイルズをダニエル・ラドクリフが好演している。

guests
リビング・ウィズ・ゴースト　ある家族の物語　★

■2019年ロシア
■監督ユージン・アブィゾフ
■脚本オルガ・アギエフ
■出演ユーリ・チューシン、アンジェリーナ・ストゥレチーナ
■劇場未公開
■6/18RD
■インターフィルム　D ¥4,000

カフェで働くキャティヤは、客たちからパーティーに誘われる。しかしその会場である廃屋は、彼女がかつて掃除係として働いていた館だった。キャティヤが家主との思い出にふける一方で、パーティーの参加者たちは１人ずつ何者かに襲われて死んでいくのだった。無思慮な若者と館ものホラーを組み合わせた作品だが、展開が散漫。

泣きたい私は猫をかぶる　★★

■2020年日本
■監督佐藤順一、柴山智隆
■脚本岡田磨里
■声の出演志田未来、花江夏樹
■Netflix配信
■6/23RD
■東宝　D ¥8,800 BD ¥9,800

愛知県常滑市が舞台のファンタジーアニメ。元気が取り柄の女子中学生美代は、物静かな賢人に好意を寄せるものの、今ひとつ相手にされていない。夏祭りの夜に猫の妖怪を見つけた美代は、貰った「猫になれる仮面」を使い賢人の日常に近づいていく。主人公の快活ぶりは観ていて不安になるレベルだが、後半に印象が一転する。

The Platform
プラットフォーム　★

■2019年スペイン
■監督ガルダー・ガステル＝ウスティア
■脚本ダビッド・デソラ、ペドロ・リベロ
■出演イバン・マサゲ
■1/29公開
■6/23RD
■TCエンタテインメント　BD+D ¥4,800

巨大な建物の48階で目覚めたゴレンは、同じ階の老人から建物のルールを聞かされる。建物のフロアの中央にあいた穴を通し、毎日上層から順番に食事が運ばれ、生きるためには上層の残飯を食らうしかないこと。そして、一定の期間で階の割り振りが変わること。搾取の構造というテーマが露骨で、風刺としてはストレートか。

The Shed
ホワッツ・イン・ザ・シェッド　★★★

■2019年アメリカ
■監督・脚本フランク・サバテラ
■出演ジェイ・ジェイ・ウォーレン
■3/19公開
■6/9R6/25D
■Happinet　D ¥3,900

裏庭の納屋から謎のうめき声が聞こえることに気付いたスタン。様子を見に行った祖父らは戻って来ず、彼と友人のドマーは納屋の中に怪物が潜んでいることを知る。いじめられていたドマーは怪物を使っていじめっ子に仕返ししようとするが、その計画は次第に破綻していく。展開の妙が冴えており、隠れた名作として評価できる。

さんかく窓の外側は夜　★★

■2021年日本
■監督森ガキ侑大
■脚本相沢知子
■出演岡田将生、志尊淳
■1/22公開
■6/2R7/2D
■Happinet　D ¥3,900 BD ¥4,800

ヤマシタトモコによる同名漫画が原作のホラー映画。霊が見える書店員、三角康介は除霊探偵の冷川理人にスカウトされ、奇怪な殺人事件の捜査に駆り出される。どこか超然としている理人に奇妙な共感を覚える康介だったが、事件の裏には理人の暗い過去が隠されていた。消化不良なところもあるが、バディものとして評価したい。

Sputnik
スプートニク　★★★

■2020年ロシア
■監督エゴール・アブラメンコ
■脚本オレグ・マロビチュコ、アンドレイ・ゾロタレフ
■出演オクサナ・アキンシナ
■3/26公開
■7/2RD
■アメイジングD.C.　D ¥4,000

1983年、宇宙飛行士コンスタンティンの帰還に沸くソビエト連邦。しかし、彼は帰還中に凶悪な宇宙生物に寄生されていた。精神科医タチアナは、隔離実験施設でコンスタンティンのケアに努めるうちに宇宙生物の特性を知るが、同時に陰謀を秘めた施設トップの軍人と対立していく。クリーチャーの設定や粘着感のある造形が秀逸。

Peninsula
新感染半島　ファイナル・ステージ　★★

■2020年韓国
■監督・脚本ヨン・サンホ
■出演カン・ドンウォン、イ・ジョンヒョン
■1/1公開
■4/28🅁5/15🄳
■ギャガ　D ¥3,800 BD ¥4,800

『新感染 ファイナル・エクスプレス』（2016年）の４年後を舞台としたゾンビアクション。韓国から脱出したジョンソクは、遺棄されたドル札を回収する仕事を受け、ゾンビの蔓延る故郷に戻る。しかしそこでは、生き残りの人間も享楽的で凶悪な暴徒集団と化していた。多彩なアクションと前作同様泣かせる展開が見どころ。

The Wretched
ウィッチサマー　★★

■2020年アメリカ
■監督・脚本ブレット・ピアース、ドルー・T・ピアース
■出演ジョン・ポール・ハワード
■3/19公開
■5/19🅁🄳
■アメイジングD.C.　D ¥3,800

夏休み、離れて暮らす父親のもとへやって来たベンは、海岸監視員のアルバイトをするなか、同僚の女性マルや隣家の少年ディロンと親しくなっていく。「母親がおかしくなった」というディロンの訴えに、隣家の様子を探ったベンは、ディロンの母親が森の魔女に取り憑かれていることを知る。映像的なひねりの利いた佳作。

R.I.A.
アンドロイド2040　★

■2020年アメリカ
■監督・脚本リチャード・コールトン
■出演ルーク・ゴス
■劇場未公開
■4/28🅁6/2🄳
■Happinet　D ¥3,900

女性型アンドロイドのリアと公募された夫役によるリアリティ・ショーが人気を博する未来社会。副大統領の息子が夫役に選ばれたことを知った運営陣は話題の種になると喜ぶが、番組中にリアがハッキングを受けてしまう。夫役を何人も変えてショーが流される前半は緊迫感と不気味さを両立させているが、後半になると失速する。

Loop
トランス・フューチャー　★★

■2020年ブラジル
■監督・脚本ブルーノ・ビニ
■出演ブルーノ・ガリアッソ、ブランカ・メッシーナ
■劇場未公開
■5/19🅁6/2🄳
■アメイジングD.C.　D ¥4,000

タイムトラベル理論を確立させた物理学者ダニエルは、恋人の死を防ぐため過去への時間遡行を実行する。しかし、時間遡行した彼は覚えのない犯罪容疑をかけられるなど奇妙な出来事を体験する。ちりばめられた複線の回収が巧みで、主人公に協力させられる姉の心強さも清涼剤。時間もの好きなら観て損はない作品。

Zombie Tidal Wave
ゾンビ津波　★

■2019年アメリカ
■監督・脚本アンソニー・C・フェランテ
■脚本ダービ・パーカー
■出演アイアン・ジーリング
■3/26公開
■6/4🅁🄳
■トランスフォーマー　D ¥3,800

《シャークネード》シリーズのスタッフとキャストによるゾンビ映画。美しい島で漁師を営むハンターは、船上でゾンビに襲われ辛くも逃げ切るが、突然起こった津波に大量のゾンビが乗ってやってくるのを目撃する。《シャークネード》シリーズなどと比較して組み合わせの妙は発揮されておらず、普通のゾンビ映画でしかない。

樹海村　★

■2020年日本
■監督・脚本清水崇
■脚本保坂大輔
■出演山田杏奈
■2/5公開
■6/9🅁🄳
■東映　D ¥3,800 BD ¥5,800

『犬鳴村』（2019年）に続く「村ホラー」第２弾と銘打たれた、ネット怪談「コトリバコ」がモチーフのホラー。不登校の少女響は、姉の友人の引っ越しを手伝いに行くが、家の床下で奇妙な箱を発見する。その後、響や姉の鳴、友人たちに奇妙な出来事が起きはじめる。序盤の樹海WEB配信ネタは面白いが、以降は前作同様腰砕け。

DUNE DRIFTER

デューン・サバイバー　砂の惑星　★

■2020年イギリス
■監督・脚本マーク・プライス
■出演フィービー・スパロー
■劇場未公開
■2/19R4/23D
■TCエンタテインメント　D ¥3,800

超低予算ながら話題を呼んだ変化球ゾンビ映画『コリン LOVE OF THE DEAD』（2008年）の監督による宇宙SF。宇宙戦闘機の女性パイロット、アドラーは、戦闘中に未知の惑星に不時着し、脱出のため決死のサバイバルを敢行する。チープなCGにDIY感あふれる小道具と、本作も低予算映画の醍醐味にあふれている。

Missing Link

ミッシング・リンク　英国紳士と秘密の相棒　★★★

■2019年アメリカ
■監督・脚本クリス・バトラー
■声の出演ヒュー・ジャックマン
■11/13公開
■4/23RD
■ギャガ　D ¥3,800 BD ¥4,800

『KUBO/クボ 二本の弦の秘密』（2017年）を製作したスタジオライカの新作。冒険紳士ライオネルは、人語を解するビッグフットから同族との出会いを望まれ、ヒマラヤへ探索に挑む。一方、ライオネルを厭う英国冒険協会は、様々な妨害を仕掛けてくるのだった。ライオネルのキャラ立ちが良く、ビッグフットとの掛け合いも楽しい。

Host

ズーム／見えない参加者　★

■2020年イギリス
■監督ロブ・サヴェッジ
■脚本
■出演ヘイリー・ビショップ
■1/15公開
■4/28RD
■ツイン　D ¥3,980

ロックダウン中の暇つぶしに、ミーティングアプリでオンライン降霊会を開催することになった仲良しグループ。しかし、１人のいたずらがもとで悪霊を呼び出してしまい、メンバーは怪奇現象に見舞われる。良くも悪くもミーティングアプリの画面だけで構成されたホラーで、随所の間延び感は否めないが、小道具の使い方は面白い。

Bill & Ted Face the Music

ビルとテッドの時空旅行　音楽で世界を救え！　★★★

■2020年アメリカ
■監督ディーン・パリソット
■脚本クリス・マシスン、エド・ソロモン
■出演キアヌ・リーヴス
■12/18公開
■4/28RD
■TCエンタテインメント　D ¥3,800 BD ¥4,800

バンド「ワイルド・スタリオンズ」の２人が時空や地獄を旅する《ビルとテッド》シリーズの第３作。かつての人気を失ったビルとテッドは、未来人から「新曲を披露しないと全時空が崩壊する」と伝えられ、未来の自分たちから新曲を拝借しようと決意する。愉快なコメディながら家族関係での泣かせもあり、心に残る作品。

Breach

アンチ・ライフ　★

■2020年カナダ
■監督ジョン・スーツ
■脚本エドワード・ドレイク、コーリー・ラージ
■出演ブルース・ウィリス
■1/15公開
■4/21R5/7D
■Happinet　BD+D ¥5,200

疫病の蔓延により地球を捨て、惑星「ニュー・アース」へと向かう最後の移民船ヘラクレス号。若い密航者ノアは、初老の兵士とともに掃除係となるが、船内で起きた殺人事件をきっかけに凶悪な生命体が船内にいることを知る。不良軍人たちの生態が描かれる前半は面白いものの、肝心のホラー展開とアクションが雑。

Ostatni Samotnik

バトル・オブ・チェルノブイリ　危険区域　★

■2019年ポーランド
■監督・脚本アマデウス・コツァン
■出演ダミアン・ジェンビィンスキ
■劇場未公開
■5/7RD
■トランスフォーマー　D ¥2,925

不可解な現象が起きる「ゾーン」と化したチェルノブイリ原発事故跡地では、時折排出される未知のエネルギー源を探す不法侵入者が続出していた。消息を絶った兄を探しに来たミハウは、様々な現象に翻弄される。『路傍のピクニック』に影響を受けたゲーム『S.T.A.L.K.E.R.』に酷似した設定だが、直接の関係はない。

My Grandpa Is an Alien

マイ・ロボット ★

■2019年クロアチア、ルクセンブルクほか
■監督マリナ・アンドリー・スコップ、ドラジェン・ジャルコヴィッチ
■脚本パヴリカ・ベイシクほか
■出演ラナ・フランジェク
■劇場未公開
■12/23R4/2D
■Happinet D ¥3,800

仲良しだった祖父が突然失踪したことにショックを受ける少女ウーナは、地下室で謎の卵型ロボットと出会う。そのロボットから、祖父が実は宇宙人で、強制的に帰還させられるところだと知ったウーナは、祖父を救出するため旅に出る。ウーナの性格面など描写不足なところもあるが、ジュブナイルSFのツボが押さえられている。

Spare Parts

マシンガール DEAD OR ALIVE ★

■2020年カナダ
■監督アンドリュー・トーマス・ハント
■脚本スティーブ・ルースコフ
■出演ミシェル・アーギリス
■劇場未公開
■4/2RD
■アメイジングD.C. D ¥3,800

ライブを終えたガールズバンド一行は、車のパンクを直しに行った先の修理場で気絶させられ、人々を殺し合わせるカルト集団により腕を武器に換装される。バンドのリーダーであるエマは、生きのびるためメンバーとともに戦いに身を投じていく。アクション中の損壊描写はグロテスクさと爽やかさが同居しており、見どころがある。

Jiu Jitsu

アースフォール JIU JITSU ★

■2020年アメリカ
■監督・脚本ディミトリ・ロゴセティス
■出演トニー・ジャー、フランク・グリロ
■1/15公開
■4/21RD
■アメイジングD.C. D ¥3,800

武を尊ぶエイリアンとの戦いに備え、ミャンマーの山奥に格闘技の達人たちが集う。達人たちが撃破されていくなか、最初に逃亡し負傷により記憶を失った男が逆襲に転じる。ほぼ格闘戦オンリーでストーリーはなかなか進まず、主人公の記憶喪失設定により、無意味にフラストレーションが溜まっていくのだった。

Alone

クレイジーズ 42日後 ★★

■2020年アメリカ
■監督ジョニー・マーティン
■脚本マット・ネイラー
■出演タイラー・ポージー
■3/12公開
■4/21RD
■アメイジングD.C. D ¥3,800

人間を凶暴化させる感染症が蔓延したアメリカ。42日間部屋に閉じこもり精神の限界を迎えたエイデンは、隣のビルに未感染の女性を発見する。２人は筆談による交流を始めるが、感染者たちの脅威はいや増していくのだった。韓国のNetflix映画『#生きている』（2020年）のアメリカ版とされており、観比べるのも一興。

Checkered Ninja

リトル・ニンジャ 市松模様の逆襲 ★★

■2018年デンマーク
■監督・脚本ソービョルン・クリストファーセン、アンダース・マテセン
■声の出演ルーク・グリフィン
■劇場未公開
■4/21RD
■アメイジングD.C. D ¥3,080

アレックスがおじからもらった忍者のぬいぐるみには、かつて日本で戦国大名に滅ぼされた伊賀忍者ナカムラ・タイコウの魂が宿っていた。アレックスはぬいぐるみの助けを得て学校の人気者となるが、一方でぬいぐるみには果たすべき使命があった。展開は王道ながら、丁寧に張られた伏線や２人のコミカルなかけあいが楽しい。

Wonder Woman 1984

ワンダーウーマン 1984 ★

■2020年アメリカ
■監督・脚本パティ・ジェンキンス
■出演ガル・ガドット
■12/18公開
■4/21RD
■ワーナー・ブラザース・ホームエンターテイメント D ¥1,429 BD ¥2,380

『ワンダーウーマン』（2017年）の続篇。博物館で学芸員として働くダイアナは、発掘された願いをかなえる石が大企業の社長マックスに奪われたことを知る。彼女は自分の願いによって蘇ったかつての恋人スティーブとともに、ワンダーウーマンとしてマックスに立ち向かう。露骨なトランプ風刺に荒っぽい筋運びが興醒め。

Vic the Viking and the Magic Sword

小さなバイキング ビッケ ★★

■2020年ドイツほか
■監督・脚本エリック・カズ
■脚本ソフィ・ドゥクロワゼットほか
■出演デクラン・ミエル・ハウエル
■10/2公開
■3/3RD
■アメイジングD.C.　D￥3,800

バイキングの族長の息子ビッケは、オーディンの魔法の剣の力で黄金に変わった母を元に戻すため、父ハルバルや女友達のイルビとともに北の海へ向かう。非力なビッケが知恵で難関に挑む姿が楽しく、オリジナル・ストーリーながら原作のテイストを残したものとなっている。登場人物たちがくるくる表情を変えるさまも魅力的。

The Witches

魔女がいっぱい ★

■2020年アメリカ
■監督・脚本ロバート・ゼメキス
■脚本ギレルモ・デル・トロ
■出演アン・ハサウェイ
■12/4公開
■3/19RD
■ワーナー・ブラザース・ホームエンターテイメント　D￥1,429 BD￥2,380

ロアルド・ダールの同名小説が原作。祖母と暮らす少年は、旅行先のホテルで魔女の集会に出くわし、ネズミの姿に変えられてしまう。魔女たちの企みを知った少年は、祖母とともに魔女への逆襲に挑む。主人公の設定が黒人少年に変えられ、ヴードゥーが紹介されているのは見どころ。ゼメキスらしいコミカルなアクションも健在。

The New Mutants

ニュー・ミュータント ★★

■2020年アメリカ
■監督・脚本ジョシュ・ブーン
■出演アニャ・テイラー=ジョイ、メイジー・ウィリアムズ
■劇場未公開
■3/31RD
■ウォルト・ディズニー・ジャパン　BD+D￥4,500

暴発した超能力を制御するため、施設に集められた10代の少年少女たち。彼らはグループ・セラピーのなかで互いに交流を深めていくが、同時に施設に隠された秘密に気付きはじめる。20世紀FOXによるX-MENフランチャイズの最終作としてはいささか物寂しいが、単発のホラーサスペンスとしてみれば及第作か。

人数の町 ★★

■2019年日本
■監督・脚本荒木伸二
■出演中村倫也、石橋静河
■9/4公開
■3/31RD
■TCエンタテインメント　D￥3,800 BD￥5,800

借金取りから追われていたところを黄色いツナギの男に救われた青年は、男の言うままに奇妙な施設へと向かう。そこは自分と同じような境遇の人間が集められ、簡単な作業と引き換えに三大欲求が満たされる「町」だった。不思議な明るさのあるディストピア・ムービーで現代社会への風刺色が強いが、オチはしっかり決まっている。

Ni le ciel ni la terre

コンタクト ー消滅領域ー ★

■2015年フランス、ベルギー
■監督・脚本クレマン・コジトア
■出演ジェレミー・レニエ、スワン・アルロー
■劇場未公開
■2/19R4/2D
■ファインフィルムズ　D￥3,800

2014年、アフガニスタン。完全撤兵間近のフランス軍に所属するアンタレス大尉は峡谷の監視任務を行うものの、次々と部下が姿を消していく。武装勢力による拉致を疑う彼は現地人を尋問するが、返答は「峡谷には何者かが潜んでいる」というものだった。ホラーとしてもミリタリーアクションとしてもどっちつかずな作品。

Agent Revelation

スペース・フォース　対エイリアン特殊部隊 ★

■2019年アメリカ
■監督・脚本デレク・ティング
■出演マイケル・ドーン
■劇場未公開
■4/2RD
■トランスフォーマー　D￥3,800

人類を操る赤い塵を用いて、エイリアン種族キニアンによる地球侵略が始まった世界。赤い塵に耐性を示したジムは対エイリアン特殊部隊「ESU」にスカウトされ、目覚ましい成績を挙げる。物語の8割程度が訓練と過去回想に費やされており、キニアンとの戦いはわずか。怒涛の設定開示は観るものを置き去りにしてくれる。

Enhanced

サイキッカー　超人大戦　★

■2019年カナダ
■監督・脚本ジェームス・マーク
■出演ジョージ・チョートフ、アラナ・ベイル
■劇場未公開
■2/3ⓇⒹ
■アルバトロス　D ¥4,800

施設から逃げた超能力者を捕獲する任務を請け負うジョージは、超能力者の1人である女性アンナと出会い、自分の任務に疑問を持つようになる。超能力ものと言いつつ徒手格闘中心のアクションは好みが分かれるところ。スタッフやキャスト、役名は『ザ・サイキック　覚醒の賢者』（2017年）と共通しているが、直接の関係はない。

Robot Riot

タイタンフォール　巨神降臨　★

■2020年アメリカ
■監督・脚本ライアン・ステイプル・スコット
■脚本アーロン・ミルテス
■出演ライアン・メリマン、ジェイミー・コスタ
■劇場未公開
■1/22Ⓡ2/3Ⓓ
■アメイジングD.C.　D ¥1,800

戦闘ロボットが徘徊する街で目覚めた兵士シェーンは、同じ境遇の兵士たちとともにロボット相手の戦いに挑む。しかしそれは、戦闘ロボットの性能評価試験の一環であった。導入こそバトルロワイヤルもののようで一瞬期待を持たせるが、ロボット相手の戦闘シーンは緊迫感に欠け、試験監督者は悪役として魅力がない。

Solum

1/8　ハチブンノイチ　★

■2019年ポルトガル
■監督・脚本ディオゴ・モルガド
■出演カタリーナ・ミラ、ダーウィン・ショウ
■劇場未公開
■2/5ⓇⒹ
■トランスフォーマー　D ¥3,800

無人島が舞台のサバイバル・リアリティ・ショーのために集められた8人の男女。しかし彼らはリタイア者の様子に不審感を覚え、無人島がヴァーチャル・リアリティであることと、ショーは災害が起きた地球からわずかな人間を選別するための仕掛けであることに気付く。登場人物に深みがなく、展開は強引の一言。

Amulet

悪魔がみている　★★

■2019年イギリス
■監督・脚本ロモーラ・ガロイ
■出演アレック・セカレアヌ、カーラ・ユーリ
■劇場未公開
■2/19ⓇⒹ
■ギャガ　D ¥3,800

元軍人のトマスは、出稼ぎに行った先のロンドンでシスターから住み込みの仕事を薦められる。その仕事は母娘2人暮らしの家で設備の修繕を行うというもので、トマスは娘に惹かれていくが、なかなか姿を見せない母親には隠れた秘密があった。終盤のどんでん返しが痛快に決まった、ペイガニズムを感じさせる佳作。

The Adams Family

アダムス・ファミリー　★★★

■2019年アメリカ
■監督コンラッド・ヴァーノン、グレッグ・ティアナン
■脚本マット・リーバーマン
■声の出演シャーリーズ・セロン
■9/25公開
■3/3ⓇⒹ
■NBCユニバーサル・エンターテイメントジャパン　D ¥1,428 BD ¥1,885

ニュージャージーの山頂にある精神病院に居を構える、不気味なアダムス一家。長男パグズリーの一族へのお披露目会が迫るなか、麓の町では、不動産売却を企むインフルエンサーが一家を邪魔に思い、追い出し計画を進めていた。コミカルなかけあいやダイナミックなアクションが楽しく、今後の展開に期待が持てる。

Sky Shark

スカイ・シャーク　★

■2020年ドイツ
■監督・脚本マーク・フェーサ
■出演トーマス・モリス、バルバラ・ネデルヤコーヴァ
■2/19公開
■3/3ⓇⒹ
■ギャガ　D ¥3,800

第二次大戦後アメリカに渡った元ナチスの科学者リクターは、戦中に開発した不死身薬を自ら投与し生きながらえていた。頻発する飛行機の墜落が北極のナチス基地から襲来した機械化飛行サメ軍団によるものと知った彼は、全世界の航空網が寸断されるなか、娘たちとともに戦いを挑む。ゴア表現の俗悪ぶりは好みが分かれよう。

The Invisible Man

透明人間　★★★

■2020年アメリカ、オーストラリア
■監督・脚本リー・ワネル
■出演エリザベス・モス
■7/10公開
■12/23RD
■NBCユニバーサル・エンターテイメントジャパン　D￥1,429 BD￥1,886

モラルハラスメントのひどい恋人のもとから逃げ出したセシリアは、数日後彼が自殺し莫大な遺産を彼女に残したことを知る。しかし彼女は何者かに見られているような感覚を覚え、科学者でもあった恋人は自分の死を偽装したのではないかと疑念を抱く。『透明人間』を現代調にアレンジした作品で、サスペンスとして一級品。

Blood Quantum

ブラッド・ブレイド　★

■2019年カナダ
■監督・脚本ジェフ・バーナビー
■出演マイケル・グレイアイズ
■12/23公開
■12/23RD
■TCエンタテインメント　D￥3,800

ネイティブ・アメリカンの居留地を舞台にしたゾンビもの。ネイティブ・アメリカンはゾンビに噛まれてもゾンビ化しないという設定が秀逸で、白人との軋轢や、白人ゾンビによる居留地襲撃など、歴史上の出来事が形を変えて再話されていく。多彩なアクションが魅力な一方、ストーリーの軸である主人公兄弟間の葛藤はやや散漫か。

Shortcut

ストレンジ・ワールド　異世界への招待状　★★

■2019年イタリア
■監督アレッシオ・リグオーリ
■脚本ダニエル・コスチ
■出演アンドレイ・クラウド
■劇場未公開
■1/6RD
■アルバトロス　D￥4,800

脱獄した殺人鬼にカージャックされたスクールバス。言われるままに寂れたトンネルへ進むと、バスは故障を起こし、様子を見に行った運転手と殺人鬼は謎の怪物に殺されてしまう。バスに乗っていた少年少女たちは、怪物が光を嫌うことに気づき、脱出のため立ち向かう。筋書きは単純ながら、子ども向けホラーとしては及第点。

Little Joe

リトル・ジョー　★★

■2019年オーストリア、イギリス、ドイツ
■監督・脚本ジェシカ・ハウスナー
■出演エミリー・ビーチャム
■7/17公開
■1/6RD
■ツイン　D￥3,980

バイオ企業で働く女性研究員アリスは、オキシトシンの分泌を促し幸福感をもたらす花「リトル・ジョー」の開発に成功する。しかし、その花粉を吸った人の性格が変わることを知ったアリスは、リトル・ジョーの花粉に洗脳効果があるのではと危惧しはじめる。不安をあおる劇伴ともども、テクノロジー・サスペンスとして楽しめる。

TENET

TENET　テネット　★★★

■2020年アメリカ
■監督・脚本クリストファー・ノーラン
■出演ジョン・デヴィッド・ワシントン、ロバート・パティンソン
■9/18公開
■1/8RD
■ワーナー・ブラザース・ホームエンターテイメント　D￥1,429 BD￥2,380

謎の組織「TENET」にスカウトされた男は、組織の目的が未来から時間を逆行して攻めてくる敵に備えることだと知る。彼は若手エージェントのニールとともに、時間を逆行させる装置の奪取を計画していく。クリストファー・ノーランは時間ものの映画をよく監督しているが、現時点での集大成的な作品と言えよう。

La Llorona

ラ・ヨローナ　～彷徨う女～　★

■2018年グアテマラ
■監督・脚本ハイロ・ブスタマンテ
■脚本リサンドロ・サンチェス
■出演マリア・メルセデス・コロイ
■7/10公開
■1/8RD
■ギャガ　D￥3,800

グアテマラ内戦での虐殺事件に、中南米の怪異ラ・ヨローナを絡めたホラー。虐殺を主導した罪で訴追された老将軍エンリケが放免され、民衆の不満が高まるなか、彼の家に新たな使用人が雇われる。その日以降、老将軍一家は奇妙な夢や幻聴に悩まされていく。ホラー描写は少ないが、一風変わった心理サスペンスとしても鑑賞できる。

Koma／Coma

アンチグラビティ ★

■2019年ロシア
■監督・脚本ニキータ・アルグノフ
■出演ライナル・ムハメトフ
■7/3公開
■11/20Ⓡ12/2Ⓓ
■アルバトロス　D￥2,800 BD￥3,032

建物が点々と浮かぶ奇妙な世界で目覚めた男は、黒い影のような怪物に襲われる。間一髪で助けられた彼は、この世界は昏睡者の脳が共有するものだと伝えられ、目覚めるためのキーを探すために戦いに出向く。重力源が複数ある世界でのアクションは魅力的だが、多くのロシア製ファンタジーと同様、設定の開示にもたつきが見られる。

Color Out of Space

カラー・アウト・オブ・スペース —遭遇— ★★★

■2019年ポルトガルほか
■監督・脚本リチャード・スタンリー
■出演ニコラス・ケイジ
■7/31公開
■10/21Ⓡ12/2Ⓓ
■ファインフィルムズ　D￥3,800 BD￥4,800

都会を離れ、田舎でアルパカの育成をはじめたガードナー一家。しかし、庭に隕石が落ちてきたことがきっかけで、彼らの生活には奇妙な出来事が起こっていく。H・P・ラヴクラフトの『宇宙からの色』を現代風にアレンジした作品で、クリーチャーの気味の悪さや「色」の描写は見もの。ニコラス・ケイジの熱演も評価したい。

がんばれいわ!! ロボコン ウララ〜! 恋する汁なしタンタンメン!! ★★

■2020年日本
■監督石田秀範
■脚本浦沢義雄
■声の出演斎藤千和、鈴村健一
■7/31公開
■12/2ⓇⒹ
■東映　D￥2,800

中華料理屋に派遣されたお手伝いロボットのロボコンは、岡持を振り回してタンタンメンを汁なしにしてしまう。偶然できた汁なしタンタンメンは好評を博し、意志が芽生えた他の中華料理が嫉妬に狂うなか、汁なしタンタンメンはさらなる野望を抱いていた。キッチュ感が満点で、高熱を出しているときに見る悪夢のような作品。

Adventures of Rufus: The Fantastic Pet

猫のルーファスと魔法の王国 ★

■2020年フランス、アメリカ
■監督・脚本ライアン・ベルガルト
■声の出演カイラー・チャールズ・ベック
■12/2ⓇⒹ
■アメイジングD.C.　D￥4,000

人間の言葉を話す猫ルーファスと出会ったスコットと友達のエミリー。自分は大魔法使いの使い魔で、魔法の王国が危機に瀕していると話すルーファスに助力を求められた２人は、彼に協力することを決める。しかし、悪の魔女の手が彼らに迫っていく。枠物語の形式をとっているが、それが十分に生かせているとは言いがたい。

映画ドラえもん　のび太の新恐竜 ★

■2020年日本
■監督今井一暁
■脚本川村元気
■出演水田わさび、大原めぐみ
■8/7公開
■12/16ⓇⒹ
■ポニーキャニオン　D￥3,800

恐竜の卵の化石をタイムふろしきでふ化させたのび太。彼は生まれた双子をミューとキューと名付けて可愛がるが、元の時代である白亜紀後期に返すことを決める。うまく滑空ができないキューと逆上がりのできないのび太が重ね合わされている構造には見るべきものがあるが、努力至上主義なストーリーが鼻につく。

Baba Yaga: Terror of the Dark Forest

アナザー・ワールド　異次元の怪物 ★★

■2020年ロシア
■監督・脚本スヴィヤトスラフ・ポドゲイエフスキー
■脚本イヴァン・カピトノフほか
■出演スヴェトラーナ・ウスティノヴァ
■劇場未公開
■12/23ⓇⒹ
■インターフィルム　D￥4,000

少年イゴールは、ある日赤ん坊である妹ヴァーリャが消えたことに気付くが、両親は妹の存在を覚えておらず、途方に暮れてしまう。娘をさらわれた男性から事件の裏に子どもをさらう魔物バーバ・ヤーガがいることを教えられた彼は、友人とともに魔物に立ち向かっていく。唐突な展開もあるが、魔物の見せ方には工夫がされている。

Killer Sofa

キラーソファ ★★

■2019年ニュージーランド
■監督・脚本バーニー・ラオ
■出演ピイミオ・メイ、ジェド・ブロフィー
■6/26公開
■11/4RD
■TCエンタテインメント D ¥3,800

中古のソファを手に入れたダンサーのフランチェスカ。しかし、同棲していた彼氏が悲惨な事故にあうなど、彼女の身の回りにトラブルが続出する。『チャイルド・プレイ』等のよくあるタイプのホラーかと思いきや、一工夫があるのが心憎い。ユーモラスな出で立ちのソファによる残虐描写や、イディッシュ文化モチーフが見どころ。

巨鰐島

シン・ランペイジ　巨獣大決戦 ★

■2020年中国
■監督シシング・ユエ、サイモン・チョウ
■脚本ニー・ミンミン
■出演ロー・ガーリョン、ピンイン・リアオ
■劇場未公開
■11/4RD
■アメイジングD.C. D ¥3,800

飛行機の墜落事故により、魔の海域ドラゴン・トライアングルの無人島に漂着した乗客たちは、そこで巨大ワニや巨大蜘蛛に襲撃される。主人公とその娘の関係修復といった人間ドラマをさらりと流しつつ、登場人物たちの見せ場を作りながら退場させていく手腕は好感が持てるが、肝心の巨大生物がCG感バリバリで興が削がれる。

The Dead Don't Die

デッド・ドント・ダイ ★

■2019年スウェーデン、アメリカ
■監督・脚本ジム・ジャームッシュ
■出演ビル・マーレイ、アダム・ドライバー
■6/5公開
■11/4RD
■バップ D ¥3,800 BD ¥4,800

地軸の狂いにより電波の不調が頻発するなか、田舎町の警官コンビは住人の惨殺死体に出くわす。２人が右往左往する一方、次第に町はゾンビで埋め尽くされるのだった。オールスターキャストによるオフビートなゾンビコメディといえば聞こえはよいが、語られるメッセージはロメロの『ゾンビ』そのままで、好みが分かれる。

Ghosts of War

ヘル・フィールド　ナチスの戦城 ★★

■2017年イギリス
■監督・脚本エリック・ブレス
■出演ブレントン・スウェイツ、テオ・ロッシ
■劇場未公開
■11/6RD
■ギャガ D ¥3,800

第二次世界大戦末期のフランス。ナチスの司令部があった屋敷を拠点とするよう命じられた５人の米軍兵士たちは、幻聴や幻覚などに見舞われる。彼らは屋敷を捜索するなか、元の住人がナチスにより拷問死していたことを知るが、同時に彼ら自身の過去も明かされていく。戦記ホラーと思わせて別のジャンルに着地させる展開が巧み。

麗猫伝説 ★★★

■1983年日本
■監督大林宣彦
■脚本桂千穂
■出演入江たか子、入江若葉、柄本明
■TVムービー
■11/6RD
■Happinet D ¥3,800

火曜サスペンス劇場100回記念作品のDVD化。30年前に引退したかつての大女優竜造寺明子が、いまだ美貌を保っているというスクープが話題になる。彼女が暮らす瀬戸内の孤島で、そのカムバック作のシナリオを書くと決まった脚本家の志村は、次第に彼女の怪しい魅力に惹かれていく。映画題材のホラーとして記憶に残る作品。

Dolittle

ドクター・ドリトル ★

■2020年アメリカ
■監督・脚本スティーヴン・ギャガン
■出演ロバート・ダウニー・Jr.
■6/19公開
■11/20RD
■NBCユニバーサル・エンターテイメントジャパン D ¥1,429 BD ¥1,886

毒を盛られたビクトリア女王を救うため、動物と話せる獣医ドリトルは解毒剤を求めて探検に出かける。しかし、女王に毒を盛った者たちの魔の手がドリトルに忍び寄るのだった。原作シリーズとはほぼ無関係のオリジナルストーリーだが、展開はご都合主義満載で、結果的に豪華キャストの無駄遣いとなってしまったのが悲しい。

2022年度 SF関連DVD目録

◆2020年11月1日～2021年10月31日までに日本国内で発売されたSF、ファンタジイ、ホラー関連のDVD（Blu-Ray）のなかから78作品を選んで紹介します。SFマガジン「MEDIA SHOWCASE DVD」掲載文に加筆・修正のうえ、劇場公開後、上記期間内にソフトが発売された55作品を追加しました。

◆記載データは以下のとおり。

◆原題／作品名／製作年・製作国／監督・製作・脚本・原作・出演、他データ／発売日（Ⓡ＝レンタル／Ⓓ＝DVD他ソフト）／発売元（本体価格〔BD＝Blu-ray・D＝DVD〕）／解説

◆作品名の末尾に付した★は、SFファンへの推薦度を表します。

★★★必見!

★★おすすめ

★お好み次第

リスト構成・執筆／片桐翔造

筐底（はこぞこ）のエルピス７　170
はじまりの24時間書店　164
Butterfly World　最後の六日間　171
八月のくず　171
蜂の物語　161
発明は改造する、人類を。　163
播磨国妖綺譚　171
ハル遠カラジ４　170
万象ふたたび　172
万博聖戦　173
彼岸花が咲く島　172
火喰鳥を、喰う　166
ヒトコブラクダ層ぜっと　172
人之彼岸（ひとのひがん）　169
ひとりぼっちのソユーズ　170
火の鳥　大地編　172
ビンティ　168
フェイス・ゼロ　172
複眼人　168
不死身の戦艦　168
物理学者、ＳＦ映画にハマる　162
不滅の子どもたち　168
ブラックノイズ　165
フレドリック・ブラウンＳＦ短編全集４　169
ヘヴィーオブジェクト　人が人を滅ぼす日　170,169
ヘーゼルの密書　173
別冊ＮＨＫ100分de名著　時をつむぐ旅人　萩尾望都　163
ペッパーズ・ゴースト　170
蛇の言葉を話した男　166
放課後の宇宙ラテ　170
忘却の楽園Ｉ　170
星新一の思想　162
星巡りの瞳　166
ポストコロナのＳＦ　172
ポストヒューマン宣言　163
ほねがらみ　165
炎と血　167
本心　172

マ

マージナル・オペレーション改11　169
迷子の龍は夜明けを待ちわびる　172
魔軍跳梁　赤江瀑アラベスク２　165
マザーコード　168
魔女と始める神への逆襲　170
まぜるな危険　171
町かどの穴　167
魔笛の調べ１　167
眉村卓の異世界通信　171
マルドゥック・アノニマス６　172
マルペルチュイ　165
緑の髪のパオリーノ　164
未来は予測するものではなく創造するものである　163
夢遊病者と消えた霊能者の奇妙な事件　165

ヤ

ヤーガの走る家　166
山猫サリーの歌　172
山の人魚と虚ろの王　166
闇に用いる力学　黄禍篇　171
闇に用いる力学　青嵐篇　171
闇に用いる力学　赤気篇　171
闇の自己啓発　163
闇の魔法学校　166
闇祓（やみはら）　165
ユア・フォルマ　電索官エチカと機械仕掛けの相棒　170
kaze no tanbun　夕暮れの草の冠　172
ユドルフォ城の怪奇　165
夢にみるのは、きみの夢　170
妖怪少年の日々　163
四元館の殺人　171
夜の獣、夢の少年　166
夜の声　164
四分の一世界旅行記　172

ラ

Life Changing　163
水の剣（ラヴィーナ）と砂漠の海　166
再着装の記憶　〈エクリプス・フェイズ〉アンソロジー　171
龍ノ国幻想１　166
るん（笑）　173
レイヴンの奸計　168
隷王戦記１　166
隷王戦記２　166
レイの世界―Ｒｅ：Ｉ―１　170
レオノーラの卵　172
錬金術師の消失　173
連星からみた宇宙　163
６６００万年の革命　169

ワ

Ｙ田Ａ子に世界は難しい　173
忘れえぬ魔女の物語　170
わたしたちが光の速さで進めないなら　169
われはドラキュラ　168
われら滅亡地球学クラブ　172

サ
最終人類　169
サイバーパンク・アメリカ　増補新版　162
沙漠と青のアルゴリズム　173
サハリン島　169
三体Ⅲ　死神永生（ししんえいせい）　168
Genesis　時間飼ってみた　170
ジェンダーと脳　163
時間の王　167
時空犯　164
静かな終末　172
死人街道　165
シブヤで目覚めて　166
地べたを旅立つ　164
ジャックポット　173
12歳のロボット　168
ジュール・ヴェルヌとフィクションの冒険者たち　163
ジュリアン・バトラーの真実の生涯　171
蒸気と錬金　166
ショウリーグ　172
小惑星ハイジャック　168
じょかい　165
植物忌　172
庶務省総務局KISS室　政策白書　173
シルクロード　164
白き女神の肖像　167
城の少年　166
人工知能で10億ゲットする完全犯罪マニュアル　173
シンデレラ城の殺人　164
真藤順丈リクエスト！　絶滅のアンソロジー　171
人狼ヴァグナー　165
過ぎにし夏、マーズ・ヒルで　168
涼宮ハルヒの直観　170
スピルオーバー　163
スモッグの雲　164
征服少女　AXIS　girls　171
精密と凶暴　172
世界ＳＦ作家会議　163
世界を超えて私はあなたに会いに行く　167
１９８４年に生まれて　169
千個の青　167
戦時の愛　164
前夜　164
蒼衣の末姫　166
創作講座　料理を作るように小説を書こう　172
その他もろもろ　169
その日、絵空事の君を描く　170
虚魚（そらざかな）　165
空よりも遠く、のびやかに　172
それをＡＩ（あい）と呼ぶのは無理がある　173
存在しない時間の中で　171

タ
ダーク・ロマンス　異形コレクション49　166
大聖神　172
大日本帝国の銀河１　173
大日本帝国の銀河２　172
大日本帝国の銀河３　171
大日本帝国の銀河４　171
第四トッカン　165
高天原黄金伝説の謎　173
食べる時間でこんなに変わる　163
だれも死なない日　167
断絶　168
短編宇宙　173
中国・アメリカ　謎ＳＦ　169
沈黙　168
月とライカと吸血姫（ノスフェラトゥ）７　169
創るためのＡＩ　163
帝国という名の記憶　168
帝国の弔砲　172
テスカトリポカ　172
伝説の艦隊２　169
伝説の艦隊３　167
統計外事態　173
道化むさぼる揚羽の夢の　171
時の子供たち　168
時の他に敵なし　168
トポロジカル物質とは何か　163
《ドラキュラ紀元一九五九》　169

ナ
ナキメサマ　165
七十四秒の旋律と孤独　173
７年　171
肉体のジェンダーを笑うな　173
２０１０年代海外ＳＦ傑作選　169
２０２２年　地軸大変動　171
２０２０年のゲーム・キッズ　173
２０００年代海外ＳＦ傑作選　169
２０８４年報告書　167
日本ＳＦの臨界点　石黒達昌　冬至草／雪女　171
日本ＳＦの臨界点　新城カズマ　月を買った御婦人　171
日本ＳＦの臨界点　中井紀夫　山の上の交響楽　172
ネオウイルス学　163
ネオノミコン　165
猫の街から世界を夢見る　166
ネットワーク・エフェクト　167
寝てもサメても　163
ＮＯＶＡ　２０２１年夏号　172

ハ
ハイスクール・オーラバスター・リファインド　最果てに訣す　170
馬疫　172
貘―獣の夢と眠り姫―　170
白鯨　172

書名索引

2021年度／SF関連書籍目録

ア

Ａｒｃ　アーク　168
あいのかたち　170
アウトサイダー　165
青い砂漠のエチカ　170
青の読み手　166
アクティベイター　173
悪魔が憐れむ歌　163
頭の中の昏い唄　166
新しい時代への歌　167
あと十五秒で死ぬ　173
アニメと戦争　163
亜ノ国へ　166
アヒル命名会議　169
アフター・クロード　164
あやとり巨人旅行記　171
アル・シャーと時の終わり　167
ALTDEUS:Beyond Chronos　173
アンデッドガール・マーダーファルス３　164
生き残る作家、生き残れない作家　172
意識はどこから生まれてくるのか　163
異常論文　171
イスランの白琥珀　167
異端の祝祭　165
移動迷宮　168
忌名の如き贄るもの　164
イルダーナフ　―End of Cycle―　170
インヴィンシブル　167
インナーアース　173
ヴァイゼル・ダヴィデク　164
Vivy prototype　170
Vivy prototype 4　170
ヴィンダウス・エンジン　173
Voyage　想像見聞録　172
ウサギ　164
失われた岬　170
宇宙の春　169
宇宙を解く唯一の科学　163
虚ろなるレガリア　170
海の鎖　168
裏世界ピクニック５　173
裏世界ピクニック６　172
英雄たちの夢　164
ＡＩの雑談力　163
エゴに捧げるトリック　173
SIP　超知能警察　170
ＳＦプロトタイピング　163
エンド・オブ・オクトーバー　168
乙女ゲームのハードモードで生きています１　170
おはしさま　165
オベリスクの門　167

カ

怪奇疾走　165
骸骨　165
階層樹海　172
貝に続く場所にて　171
影踏亭の階段　165
火星へ　168
kaze no tanbun　移動図書館の子供たち　173
神様の御用人９　170
カミサマはそういない　171
烏百花　白百合の章　166
彼らはどこにいるのか　163
川のほとりで羽化するぼくら　171
観念結晶大系　173
感応グラン＝ギニョル　171
旱魃世界　168
甘美で痛いキス　165
黄色い笑い／悪意　167
記憶翻訳者　みなもとに還る　173
飢渇の人　165
「木」から辿る人類史　162
擬傷の鳥はつかまらない　164
君が花火に変わるまで　170
君の顔では泣けない　171
キャクストン私設図書館　166
救国ゲーム　171
恐怖　165
機龍警察　白骨街道　171
キルケ　166
銀河帝国の興亡１　167
銀獣の集い　167
久遠の島　166
クソったれ資本主義が倒れたあとの、もう一つの世界　167
件　もの言う牛　165
クラゲ・アイランドの夜明け　173
クララとお日さま　169
クレインファクトリー　172
黒魚都市　169
恋するアダム　169
公共考査機構　171
こうしてあなたたちは時間戦争に負ける　168
声をあげます　168
ゴールデンタイムの消費期限　173
心が折れた夜のプレイリスト　172
〈こっくりさん〉と〈千里眼〉増補版　163
この地獄の片隅に　169
小松左京”２１世紀”セレクション１　171
コロナと潜水服　173
怖ガラセ屋サン　165

田中啓文　165
谷川流　170
タン（ショーン）　164
チャイコフスキー（エイドリアン）　168
チュウ（ヤンシィー）　166
中条省平　163
張渝歌　165
チョクシー（ロシャニー）　167
チョン（セラン）　168
チョン（ソンラン）　167
陳浩基　165
ツィマ（アンナ）　166
月村了衛　171
辻村七子　170
辻村深月　165
土屋瀧　170
筒井康隆　173
デイヴィス（キャスリーン）　164
デリーロ（ドン）　168
鴇沢亜妃子　167
徳井直生　163
冨田武照　163
西島伝法　173

ナ
中井紀夫　172
長月達平　170
長月東葭　170
中西鼎　170
Naffy　166
七瀬夏扉　170
鳴沢真也　163
難波優輝　163
新島進　163
新名智　165
西崎憲　173,172
日本ＳＦ作家クラブ　172
ニューマン（キム）　169,168
ノヴィク（ナオミ）　166
野田昌宏　172

ハ
パウエル（ジェームズ）・ローレンス　167
郝景芳　169
宝樹　167
橋本輝幸　169
長谷川修司　163
支倉凍砂　173
パトリック（Ｓ・Ａ）　167
花田一三六　166
早川書房編集部　163
早坂吝　171
林譲治　173,172,171
はやせこう　173
原浩　166
バラード（Ｊ・Ｇ）　168
バルファキス（ヤニス）　167
バロウズ（ジェイセン）　165
ハンド（エリザベス）　168
伴名練　172,171
ビオイ・カサーレス（アドルフォ）　164
東雅夫　165
東中竜一郎　163
樋口恭介　171,163
久永実木彦　173
ビショップ（マイクル）　168
日高トモキチ　172
ひでシス　163
ヒュレ（パヴェウ）　164
平野啓一郎　172
平山夢明　171
ヒル（ジョー）　165
ピルチャー（ヘレン）　163
廣嶋玲子　167
ピンスカー（サラ）　167
深緑野分　172,171
藤井太洋　172
藤津亮太　163
株式会社フジテレビジョン　163
ブラウン（フレドリック）　169
フランダース（ジョン）　165
古野まほろ　171
ベーコン（リー）　168
ベンジャミン（クロエ）　168
ポール（ラリーン）　166
星野智幸　172

マ
マー（リン）　168
マーズデン（ジョン）　164
マーティーン（アーカディ）　168
マーティン（ジョージ・Ｒ・Ｒ）　167
牧野修　173
牧野圭祐　169
万城目学　172
マキューアン（イアン）　169
マコーリー（ローズ）　169
マッケン（アーサー）　165
マッコルラン（ピエール）　167
松葉屋なつみ　166
松本徹三　171
眉村卓　172
「眉村卓の異世界通信」刊行委員会　171
三雲岳斗　170
三島浩司　172
水原みずき　170
三田麻央　170
三川みり　166
三津田信三　165,164
宮内悠介　172
宮澤伊織　173,172,164
宮本道人　163
ミラー（サム・Ｊ）　169
ミラー（マデリン）　166
ミルハウザー（スティーヴン）　164
ムーア（アラン）　165
向井湘吾　172
森晶麿　173,172
森りん　166
森山光太郎　166
門田充宏　173,166

ヤ
役所暁　163
夜透紫　165
矢庭優日　173
山尾悠子　166
山口雅也　165
山崎ナオコーラ　173
ヤマザキマリ　163
山田正紀　172
山田宗樹　171
山之口洋　170
山本弘　172
結城真一郎　171
夢枕獏　172,163
横田順彌　172

ラ
ライト（ローレンス）　168
ラドクリフ（アン）　165
ラファティ（Ｒ・Ａ）　167
ラミレズ（アイニッサ）　163
ランズデール（ジョー・Ｒ）　165
李琴峰　172
リー（ユーン・ハ）　168
劉慈欣　168
リュウ（ケン）　171,169,168
レー（ジャン）　165
レノルズ（ジョージ・Ｗ・Ｍ）　165
レム（スタニスワフ）　167
芦花公園　165
ロダーリ（ジャンニ）　164

ワ
若木未生　170
渡辺浩弐　173
渡辺優　173
ワッツ（ピーター）　169

著者名索引

2021年度／SF関連書籍目録

ア

青崎有吾　164
赤江瀑　165
茜灯里　172
赤野用介　170
浅葉なつ　170
浅羽通明　162
アシモフ（アイザック）　167
阿泉来堂　165
アダムズ（J・J）　169,168
阿部智里　166
遍柳一　170
彩瀬まる　171
荒巻義雄　173
荒俣宏　163
アンダーソン（ソフィー）　166
イ（ラン）　169
イ（コンニム）　167
生島治郎　166
伊坂幸太郎　170
石川宗生　172
イシグロ（カズオ）　169
石黒達昌　171
石沢麻依　171
一柳廣孝　163
伊藤典夫　168
稲葉祥子　171
乾石智子　167,166
井上雅彦　166
井上宮　165
ヴィハンスキ（ルバ）　163
上田早夕合　173,171
ウェブ（ニック）　169,167
ヴェルキン（エドゥアルド）　169
ウェルズ（マーサ）　167
宇佐楢春　170
空木春宵　171
冲方丁　173,172
梅原英司　170
江永泉　163
エノス（ローランド）　162
海老原豊　163
エル＝モフタール（アマル）　168
オーウェンス（アイリス）　164
大恵和実　168
大澤めぐみ　173
大澤博隆　163
大島清昭　165
大森望　172
岡崎琢磨　171
小川哲　172
小川一水　170
岡和田晃　171
オキシタケヒコ　170
荻堂顕　164
奥田英朗　173
オコラフォー（ンネディ）　168
音無白野　170

カ

柏倉晴樹　173
柏葉幸子　166
金子薫　171
鎌池和馬　170,169
上田裕介　172
カミツキレイニー　173
カルヴィーノ（イタロ）　164
河岡義裕　163
川端裕人　172
川本直　171
かんべむさし　171
キヴィラフク（アンドルス）　166
菊石まれほ　170
菊池秀行　166
木澤佐登志　163
岸本惟　172
北野勇作　172
君嶋彼方　171
キム（チョヨプ）　169
キング（スティーヴン）　165
クアメン（デビッド）　163
クーパー（キース）　163
日下三蔵　172,166
薛西斯　165
グラッドストーン（マックス）　168
ケアリー（エドワード）　165
呉明益　168
こがらし輪音　171
小島敬太　169
小谷真理　163
コナリー（ジョン）　166
小松左京　171
小森陽一　173
小森香折　166
小山恭平　173
コワル（メアリ・ロビネット）　168
紺野天龍　173,164

サ

榊林銘　173
桜庭一樹　172
佐々木譲　172
佐藤究　172
佐藤圭一　163
サラマーゴ（ジョゼ）　167
澤村伊智　165
椎名誠　172
ジェミシン（N・K）　167
ジェローム（ジェローム・K）　165
潮谷験　164
時雨沢恵一　170
篠田節子　170
柴田元幸　169
柴田重信　163
芝村裕吏　173,169
シャープ（マシュー）　164
瀟湘神　165
斜線堂有紀　173
集英社文庫編集部　173
十三不塔　173
ジョエル（ダフナ）　163
ジョーダン（ザック）　169
ジョンスン（キジ）　166
シルヴァーバーグ（ロバート）　168
新城カズマ　171
真藤順丈　171
涼元悠一　172
スタイヴァース（キャロル）　168
スローン（ロビン）　164
関俊介　172
セン（ポール）　163
そえだ信　164
ソームズ（マーク）　163

タ

多宇部貞人　170
鷹樹烏介　165
高島雄哉　173,170
高野史緒　171
高橋ヨシキ　163
高原英理　173
高水裕一　162
竹田人造　173
竹宮ゆゆこ　172
竹本健治　171
巽孝之　162
タトル（リサ）　165

ダフナ・ジョエル，ルバ・ヴィハンスキ（Gender Mosaic, 2019）鍛原多惠子＝訳／2021・08・31／1980円／紀伊國屋書店出版部／脳科学研究書

「木」から辿る人類史　ヒトの進化と繁栄の秘密に迫る

ローランド・エノス（The Age of Wood, 2020）水谷淳＝訳／2021・09・28／3080円／NHK出版／技術史研究書

星新一の思想――予見・冷笑・賢慮のひと

浅羽通明／2021・10・12／2200円／筑摩書房／文学評論　（22・02）

物理学者、SF映画にハマる「時間」と「宇宙」を巡る考察

高水裕一／新書／2021・10・20／858円／光文社新書／物理学書　（22・02）

サイバーパンク・アメリカ　増補新版

巽孝之／2021・10・29／3300円／勁草書房／文学論

NONFICTION

2021年度／SF関連書籍目録

連星からみた宇宙　超新星からブラックホール、重力波まで
鳴沢真也／新書／2020・12・17／1100円／講談社ブルーバックス／天文学解説書

〈こっくりさん〉と〈千里眼〉増補版　日本近代と心霊学
一柳廣孝／2021・01・08／3080円／青弓社／オカルト研究書

創るためのAI　機械と創造性のはてしない物語
徳井直生／2021・01・20／2860円／ビー・エヌ・エヌ／人工知能研究書　(21・04)

トポロジカル物質とは何か　最新・物質科学入門
長谷川修司／新書／2021・01・21／1210円／講談社ブルーバックス／物理学解説書

闇の自己啓発
江永泉，木澤佐登志，ひでシス，役所暁／2021・01・21／2090円／早川書房／社会評論　(21・04)

妖怪少年の日々　アラマタ自伝
荒俣宏／2021・01・29／2970円／KADOKAWA／自伝　(21・04)

悪魔が憐れむ歌　暗黒映画入門
高橋ヨシキ／文庫／2021・02・10／1045円／ちくま文庫／ホラー映画評論　(21・06)

AIの雑談力
東中竜一郎／新書／2021・02・10／990円／角川新書／人工知能解説書

ネオウイルス学
河岡義裕＝編／新書／2021・03・17／1034円／集英社新書／生物学解説書　(21・06)

ジュール・ヴェルヌとフィクションの冒険者たち
新島進＝編／2021・03・25／3300円／水声社／作家評伝

スピルオーバー　ウイルスはなぜ動物からヒトへ飛び移るのか
デビッド・クアメン（Spillover：Animal Infections and the Next Human Pandemic, 2021）甘糟智子＝訳／2021・03・31／4180円／明石書店／生物学解説書

アニメと戦争
藤津亮太／2021・04・05／2090円／日本評論社／アニメ評論

世界SF作家会議
株式会社フジテレビジョン＝企画，早川書房編集部＝編集／2021・04・24／1760円／早川書房／SF作家討論　(21・08)

彼らはどこにいるのか　地球外知的生命をめぐる最新科学
キース・クーパー（The Contact Paradox, 2019）斉藤隆央＝訳／2021・04・27／2970円／河出書房新社／宇宙生物学解説書　(21・08)

寝てもサメても　深層サメ学
佐藤圭一，冨田武照／2021・05・21／1980円／産業編集センター／生物学解説書

別冊NHK100分de名著　時をつむぐ旅人　萩尾望都
小谷真理，ヤマザキマリ，中条省平，夢枕獏／2021・5・25／1210円／NHK出版／作家評伝

SFプロトタイピング　SFからイノベーションを生み出す新戦略
宮本道人＝監修・編著，難波優輝，大澤博隆＝編著／2021・06・02／1980円／早川書房／SFビジネス論　(21・10)

宇宙を解く唯一の科学　熱力学
ポール・セン（Einstein's Fridge, 2021）水谷淳＝訳／2021・06・28／2420円／河出書房新社／物理学解説書

未来は予測するものではなく創造するものである――考える自由を取り戻すための〈SF思考〉
樋口恭介／2021・07・07／1980円／筑摩書房／SFビジネス論　(21・10)

発明は改造する、人類を。

アイニッサ・ラミレズ（The Alchemy of Us, 2020）安部恵子＝訳／2021・07・26／3080円／柏書房／技術論

意識はどこから生まれてくるのか
マーク・ソームズ（The Hidden Spring：A Journey to the Source of Consciousness, 2021）岸本寛史，佐渡忠洋＝訳／2021・07・27／3080円／青土社／脳科学研究書

ポストヒューマン宣言
海老原豊／2021・08・10／1980円／小鳥遊書房／ポストヒューマン論　(21・12)

Life Changing ヒトが生命進化を加速する
ヘレン・ピルチャー（Life Changing：How Humans Are Altering Life on Earth, 2020）的場知之＝訳／2021・08・15／2860円／化学同人／進化生物学解説書　(21・10)

食べる時間でこんなに変わる　時間栄養学入門
柴田重信／新書／2021・08・19／1100円／講談社ブルーバックス／栄養学解説書　(21・12)

ジェンダーと脳――性別を超える脳の多様性

MYSTERY

2021年度／SF関連書籍目録

地べたを旅立つ　掃除機探偵の推理と冒険
そえだ信／2020・11・19／1870円／早川書房／SFミステリ (21・02)

擬傷の鳥はつかまらない
荻堂顕／2021・01・25／1870円／新潮社／ファンタジイ・ミステリ (21・04)

前夜
森晶麿／2021・03・25／1980円／光文社／伝奇ミステリ (21・06)

アンデッドガール・マーダーファルス３
青崎有吾／文庫／2021・04・15／990円／講談社タイガ／異能ミステリ (21・08)

忌名の如き贄るもの
三津田信三／2021・7・29／2035円／講談社／ホラーミステリ

シンデレラ城の殺人
紺野天龍／2021・08・04／1650円／小学館／童話ミステリ (21・10)

時空犯
潮谷験／2021・08・19／1925円／講談社／時間ミステリ (21・12)

LITERATURE

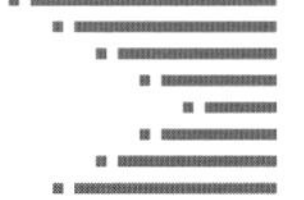

2021年度／SF関連書籍目録

緑の髪のパオリーノ
ジャンニ・ロダーリ（Fiabe lunghe un sorriso, 1980）内田洋子＝訳／文庫／2020・11・13／880円／講談社文庫／奇想短篇集 (21・02)

ウサギ
ジョン・マーズデン＝著，ショーン・タン＝絵（The Rabbits, 2000）岸本佐知子＝訳／2021・1・27／2200円／河出書房新社／寓話絵本

はじまりの24時間書店
ロビン・スローン（Ajax Penumbra 1969, 2013）島村浩子＝訳／2021・01・28／1760円／東京創元社／文学ミステリ (21・04)

ヴァイゼル・ダヴィデク
パヴェウ・ヒュレ（Weiser Dawidek, 1987）井上暁子＝訳／2021・3・12／2860円／松籟社東欧の創造力／ポーランド文学

シルクロード
キャスリーン・デイヴィス（The Silk Road, 2019）久保美代子＝訳／2021・03・17／3080円／早川書房／パンデミックSF (21・06)

スモッグの雲
イタロ・カルヴィーノ（La nuvola di smog, 1965）柘植由紀美＝訳／2021・5・6／1980円／鳥影社／イタリア文学

英雄たちの夢
アドルフォ・ビオイ・カサーレス（El sueño de los héroes, 1954）大西亮＝訳／2021・05・12／3080円／水声社／ラテンアメリカ文学 (21・08)

戦時の愛
マシュー・シャープ（Love in Wartime, 2021）柴田元幸＝訳／2021・07・05／2750円／スイッチ・パブリッシング／連作短篇集 (21・10)

アフター・クロード
アイリス・オーウェンス（After Claude, 1973）渡辺佐智江＝訳／2021・09・18／2640円／国書刊行会／アメリカ文学 (21・12)

夜の声
スティーヴン・ミルハウザー（Voices in the Night, 2015）柴田元幸＝訳／2021・10・05／2750円／白水社／奇想短篇集 (22・02)

円／マイクロマガジン社／怪奇幻想絵本
（21・04）

件(くだん)　もの言う牛
田中啓文／文庫／2020・12・15／902円／講談社文庫／ホラー・ミステリ（21・04）

じょかい
井上宮／2020・12・23／1815円／光文社／超常ホラー（21・04）

ナキメサマ
阿泉来堂／文庫／2020・12・25／748円／角川ホラー文庫／伝奇ホラー（21・04）

甘美で痛いキス　吸血鬼コンピレーション
山口雅也＝総指揮／2021・03・10／2090円／二見書房／吸血鬼小説アンソロジー（21・06）

第四トッカン　警視庁特異集団監視捜査第四班
鷹樹烏介／文庫／2021・03・11／759円／双葉文庫／超常ミステリ（21・06）

アウトサイダー（上・下）
スティーヴン・キング（The Outsider, 2018）白石朗＝訳／2021・03・25／各2420円／文藝春秋／ホラー・ミステリ（21・06）

夢遊病者と消えた霊能者の奇妙な事件（上・下）
リサ・タトル（The Curious Affair of the Somnambulist and the Psychic Thief, 2016）金井真弓＝訳／2021・04・09／1870円／新紀元社／オカルト・ホラー（21・08）

ほねがらみ
芦花公園／2021・04・14／1760円／幻冬舎／怪談ホラー（21・08）

魔軍跳梁　赤江瀑アラベスク2
赤江瀑＝著，東雅夫＝編／文庫／2021・04・28／1540円／創元推理文庫／幻想短篇集（21・08）

恐怖 アーサー・マッケン傑作選
アーサー・マッケン（日本オリジナル編集）平井呈一＝訳／文庫／2021・05・19／1650円／創元推理文庫／ホラー短篇集（21・08）

異端の祝祭
芦花公園／文庫／2021・05・25／748円／角川ホラー文庫／怪談ホラー（21・08）

死人街道
ジョー・R・ランズデール（Deadman's Road, 2010）植草昌実＝訳／2021・06・16／2200円／新紀元社／ウェスタン・ホラー（21・10）

怪奇疾走
ジョー・ヒル，スティーヴン・キング（Full Throttle, 2019）白石朗，他＝訳／文庫／2021・06・20／1590円／ハーパーBOOKS／ホラー短篇集（21・10）

飢渇(きかつ)の人
エドワード・ケアリー（日本オリジナル編集）古屋美登里＝訳／2021・07・12／2310円／東京創元社／奇想短篇集（21・10）

人狼ヴァグナー
ジョージ・W・M・レノルズ（Wagner the Wehr-Wolf, 1975）夏来健次＝訳／2021・07・19／5280円／国書刊行会／人狼ホラー（21・10）

マルペルチュイ
ジャン・レー，ジョン・フランダース（Malpertuis, 1943）岩本和子，他＝訳／2021・07・19／5060円／国書刊行会／ゴシック・ファンタジイ（21・10）

骸骨
ジェローム・K・ジェローム（日本オリジナル編集）中野善夫＝訳／2021・07・27／4180円／国書刊行会／奇想短篇集（21・10）

影踏亭の階段
大島清昭／2021・08・24／1870円／東京創元社／怪談ミステリ（21・12）

ブラックノイズ　荒聞
張渝歌（荒聞，2018）倉本知明＝訳／2021・08・26／1980円／文藝春秋／台湾ホラー（21・12）

ユドルフォ城の怪奇（上・下）
アン・ラドクリフ（The Mysteries of Udolpho, 1794）三馬志伸＝訳／2021・09・02／各3960円／作品社／ゴシック・ホラー（21・12）

おはしさま　連鎖する怪談
三津田信三，薛西斯，夜透紫，瀟湘神，陳浩基／2021・09・24／2530円／光文社／アジアホラー（21・12）

虚魚(そらざかな)
新名智／2021・10・22／1815円／KADOKAWA／怪談ミステリ（22・02）

ネオノミコン
アラン・ムーア＝著，ジェイセン・バロウズ＝イラスト（Neonomicon, 2010）柳下毅一郎＝訳／2021・10・26／3080円／国書刊行会／クトゥルー神話コミック（22・02）

怖ガラセ屋サン
澤村伊智／2021・10・27／1760円／幻冬舎／ホラー短篇集（22・02）

闇祓(やみはら)
辻村深月／2021・10・29／1870円／KADOKAWA／サイコホラー（22・02）

ラタの半神たち
ロシャニー・チョクシー（Aru Shah and the End of Time, 2018）八紅とおこ＝訳／2021・02・05／2090円／サウザンブックス社／現代ファンタジイ (21・06)

青の読み手
小森香折／2021・02・10／1650円／偕成社／ジュブナイル・ファンタジイ (21・06)

蒸気と錬金　Stealchemy Fairytale
花田一三六／文庫／2021・02・17／990円／ハヤカワ文庫JA／スチームパンク (21・06)

山の人魚と虚ろの王
山尾悠子／2021・02・27／2640円／国書刊行会／幻想短篇集 (21・06)

ヤーガの走る家
ソフィー・アンダーソン（The House with Chicken Legs, 2018）長友恵子＝訳／2021・03・01／1760円／小学館／民話ファンタジイ (21・06)

隷王戦記１　フルースィーヤの血盟
森山光太郎／文庫／2021・03・17／868円／ハヤカワ文庫JA／大河ファンタジイ (21・06)

烏百花　白百合の章
阿部智里／2021・04・26／1650円／文藝春秋／異世界ファンタジイ (21・08)

シブヤで目覚めて
アンナ・ツィマ（Probudím se na Šibuji, 2018）阿部賢一，須藤輝彦＝訳／2021・04・27／2970円／河出書房新社／現代ファンタジイ (21・08)

キルケ
マデリン・ミラー（Circe, 2018）野沢佳織＝訳／2021・04・30／3960円／作品社／神話ファンタジイ (21・08)

夜の獣、夢の少年（上・下）
ヤンシィー・チュウ（The Night Tiger, 2019）圷香織＝訳／文庫／2021・05・10／各1100円／創元推理文庫／歴史ファンタジイ (21・08)

キャクストン私設図書館
ジョン・コナリー（Night Music：Nocturnes 2, 2015）田内志文＝訳／2021・05・19／2310円／東京創元社／文学ファンタジイ (21・08)

蜂の物語
ラリーン・ポール（The Bees, 2014）川野靖子＝訳／2021・06・16／3300円／早川書房／生物ファンタジイ (21・10)

蛇の言葉を話した男
アンドルス・キヴィラフク（Mees, kes teadis ussisõnu, 2007）関口涼子＝訳／2021・06・28／3960円／河出書房新社／寓話ファンタジイ (21・10)

猫の街から世界を夢見る
キジ・ジョンスン（The Dream-Quest of Vellitt Boe, 2016）三角和代＝訳／文庫／2021・06・30／968円／創元SF文庫／ラヴクラフト・ファンタジイ (21・10)

亜ノ国へ　水と竜の娘たち
柏葉幸子／2021・07・14／1870円／KADOKAWA／異世界ファンタジイ (21・10)

闇の魔法学校　死のエデュケーション
ナオミ・ノヴィク（A Deadly Education, 2020）井上里＝訳／2021・08・10／2090円／静山社／青春ファンタジイ (21・12)

隷王戦記２　カイクバードの裁定
森山光太郎／文庫／2021・08・18／1012円／ハヤカワ文庫JA／大河ファンタジイ (21・12)

龍ノ国幻想１　神欺く皇子
三川みり／文庫／2021・09・01／781円／新潮文庫nex／異世界ファンタジイ (21・12)

蒼衣の末姫
門田充宏／文庫／2021・09・21／968円／創元推理文庫／異世界ファンタジイ (21・12)

星巡りの瞳
松葉屋なつみ／文庫／2021・10・12／1034円／創元推理文庫／異世界ファンタジイ (22・02)

久遠の島
乾石智子／2021・10・19／2310円／東京創元社／魔法ファンタジイ (22・02)

水の剣と砂漠の海
森りん／文庫／2021・10・20／682円／集英社オレンジ文庫／異世界ファンタジイ (22・02)

2021年度／SF関連書籍目録

ダーク・ロマンス　異形コレクションXLIX
井上雅彦＝監修／文庫／2020・11・10／1100円／光文社文庫／ホラーアンソロジー (21・02)

頭の中の昏い唄
生島治郎＝著，日下三蔵＝編／文庫／2020・11・23／1430円／竹書房文庫／奇想短篇集 (21・02)

火喰鳥を、喰う
原浩／2020・12・11／1870円／KADOKAWA／ホラー・ミステリ (21・04)

城の少年
菊池秀行＝作，Naffy＝絵／2020・12・14／1760

（上・下）
キム・ニューマン（Anno Dracula：Johnny Alucard, 2013）鍛治靖子＝訳／2021・08・30／上2750円：下2970円／アトリエサード・ナイトランド叢書／吸血鬼小説 （21・12）

銀河帝国の興亡１　風雲編
アイザック・アシモフ（Foundation, 1951）鍛治靖子＝訳／文庫／2021・08・31／836円／創元SF文庫／宇宙SF （21・12）

伝説の艦隊３　〈ヴィクトリー〉
ニック・ウェブ（Victory：Book 3 of The Legacy Fleet Trilogy, 2016）置田房子＝訳／文庫／2021・09・02／1496円／ハヤカワ文庫SF／宇宙SF （21・12）

オベリスクの門
N・K・ジェミシン（Obelisk Gate, 2016）小野田和子＝訳／文庫／2021・09・13／1540円／創元SF文庫／超能力SF （21・12）

クソったれ資本主義が倒れたあとの、もう一つの世界
ヤニス・バルファキス（Another Now, 2020）江口泰子＝訳／2021・09・15／1980円／講談社／経済SF （21・12）

時間の王
宝樹（日本オリジナル編集）稲村文吾，阿井幸作＝訳／2021・09・16／2200円／早川書房／中国SF短篇集 （21・12）

新しい時代への歌
サラ・ピンスカー（A Song for a New Day, 2019）村山美雪＝訳／文庫／2021・09・22／1650円／竹書房文庫／パンデミックSF （21・12）

だれも死なない日
ジョゼ・サラマーゴ（As Intermitências da Morte, 2005）雨沢泰＝訳／2021・09・27／3190円／河出書房新社／思考実験SF （21・12）

インヴィンシブル
スタニスワフ・レム（Niezwyciężony, 1964）関口時正＝訳／2021・09・28／2420円／国書刊行会スタニスワフ・レム・コレクション／ファーストコンタクトSF （21・12）

千個の青
チョン・ソンラン（천 개의 파랑, 2020）カン・バンファ＝訳／2021・10・10／2200円／早川書房／韓国SF （22・02）

町かどの穴　ラファティ・ベスト・コレクション１
R・A・ラファティ（日本オリジナル編集）牧眞司＝編，伊藤典夫，浅倉久志＝訳／文庫／2021・10・12／1540円／ハヤカワ文庫SF／奇想短篇集 （22・02）

ネットワーク・エフェクト
マーサ・ウェルズ（Network Effect, 2020）中原尚哉＝訳／文庫／2021・10・25／1430円／創元SF文庫／ロボットSF （22・02）

2084年報告書：地球温暖化の口述記録
ジェームズ・ローレンス・パウエル（The 2084 Report, 2020）小林政子＝訳／2021・10・26／2970円／国書刊行会／環境SF （22・02）

黄色い笑い／悪意
ピエール・マッコルラン（Le Rire jaune；Malice, 1914, 1923）中村佳子，永田千奈＝訳／2021・10・26／4620円／国書刊行会／幻想文学 （22・02）

世界を超えて私はあなたに会いに行く
イ・コンニム（죽이고 싶은 아이, 2021）矢島暁子＝訳／2021・10・29／1760円／KADOKAWA／時間SF （22・02）

FANTASY
2021年度／SF関連書籍目録

イスランの白琥珀
乾石智子／2020・11・11／2200円／東京創元社／魔法ファンタジイ （21・02）

白き女神の肖像
鴇沢亜妃子／2020・12・10／2090円／東京創元社／幻想文学 （21・04）

炎と血Ⅰ
ジョージ・R・R・マーティン（Fire & Blood, 2018）酒井昭伸，鳴庭真人，水越真麻，川野靖子＝訳／2020・12・17／3190円／早川書房／大河ファンタジイ （21・04）

魔笛の調べ１　ドラゴンの来襲
S・A・パトリック（A Darkness of Dragons, 2018）岩城義人＝訳／2020・12・20／1760円／評論社／魔法ファンタジイ （21・04）

銀獣の集い　廣嶋玲子短編集
廣嶋玲子／2021・01・09／2090円／東京創元社／ファンタジイ短篇集 （21・04）

炎と血Ⅱ
ジョージ・R・R・マーティン（Fire & Blood, 2018）酒井昭伸，鳴庭真人＝訳／2021・01・26／3410円／早川書房／大河ファンタジイ （21・04）

アル・シャーと時の終わり　目覚めしマハーバー

ザック・ジョーダン（The Last Human, 2020）中原尚哉＝訳／文庫／2021・03・17／各1078円／ハヤカワ文庫SF／宇宙SF (21・06)

旱魃世界
J・G・バラード（The Drought, 1965）山田和子＝訳／文庫／2021・03・19／1188円／創元SF文庫／終末SF (21・06)

断絶
リン・マー（Severance, 2018）藤井光＝訳／2021・03・26／3740円／白水社／パンデミックSF (21・06)

複眼人
呉明益（複眼人, 2011）小栗山智＝訳／2021・04・05／2420円／KADOKAWA／台湾幻想文学 (21・08)

過ぎにし夏、マーズ・ヒルで　エリザベス・ハンド傑作選
エリザベス・ハンド（日本オリジナル編集）市田泉＝訳／2021・04・12／2530円／創元海外SF叢書／幻想文学短篇集 (21・08)

マザーコード
キャロル・スタイヴァース（The Mother Code, 2020）金子浩＝訳／文庫／2021・04・14／1386円／ハヤカワ文庫SF／パンデミックSF (21・08)

不滅の子どもたち
クロエ・ベンジャミン（The Immortalists, 2018）鈴木潤＝訳／2021・04・26／3080円／集英社／幻想文学 (21・08)

小惑星ハイジャック
ロバート・シルヴァーバーグ（One of Our Asteroids is Missing, 1964）伊藤典夫＝訳／文庫／2021・04・28／858円／創元SF文庫／宇宙SF (21・08)

エンド・オブ・オクトーバー（上・下）
ローレンス・ライト（The End of October, 2020）公手成幸＝訳／文庫／2021・05・18／1100円／ハヤカワ文庫NV／テクノスリラー (21・08)

12歳のロボット　ぼくとエマの希望の旅
リー・ベーコン（The Last Human, 2019）大谷真弓＝訳／2021・05・18／1540円／ハヤカワ・ジュニア・ブックス／ジュブナイルロボットSF (21・08)

Arc　アーク　ベスト・オブ・ケン・リュウ
ケン・リュウ（日本オリジナル編集）古沢嘉通＝編訳／2021・05・20／1760円／早川書房／SF短篇集 (21・08)

三体Ⅲ　死神永生（しにんえいせい）（上・下）
劉慈欣（リウ・ツーシン）（三体Ⅲ：死神永生, 2010）大森望, ワン・チャイ, 光吉さくら, 泊功＝訳／2021・05・25／各2090円／早川書房／SFエンタテインメント (21・08)

沈黙
ドン・デリーロ（The Silence, 2020）日吉信貴＝訳／2021・05・25／2200円／水声社／近未来サスペンス (21・08)

時の他に敵なし
マイクル・ビショップ（No Enemy But Time, 1982）大島豊＝訳／文庫／2021・06・07／1540円／竹書房文庫／時間SF (21・10)

こうしてあなたたちは時間戦争に負ける
アマル・エル＝モフタール, マックス・グラッドストーン（This is How You Lose the Time War, 2019）山田和子＝訳／2021・06・16／2090円／新☆ハヤカワ・SF・シリーズ／時間SF (21・10)

声をあげます
チョン・セラン（목소리를 드릴게요, 2020）斎藤真理子＝訳／2021・06・16／1760円／亜紀書房／韓国SFアンソロジー (21・10)

移動迷宮　中国史SF短篇集
大恵和実＝編訳（日本オリジナル編集）2021・06・22／2200円／中央公論新社／中国SFアンソロジー (21・10)

海の鎖
伊藤典夫＝編訳（日本オリジナル編集）2021・06・26／2860円／国書刊行会／SFアンソロジー (21・10)

火星へ（上・下）
メアリ・ロビネット・コワル（The Fated Sky, 2018）酒井昭伸＝訳／文庫／2021・07・14／各1144円／ハヤカワ文庫SF／宇宙SF (21・10)

不死身の戦艦　銀河連邦SF傑作選
J・J・アダムズ＝編（Federations, 2009）佐田千織, 他＝訳／文庫／2021・07・21／1496円／創元SF文庫／宇宙SFアンソロジー (21・10)

時の子供たち（上・下）
エイドリアン・チャイコフスキー（Children of Time, 2015）内田昌之＝訳／文庫／2021・07・23／各990円／竹書房文庫／ファーストコンタクトSF (21・10)

レイヴンの奸計
ユーン・ハ・リー（Raven Stratagem, 2017）赤尾秀子＝訳／2021・08・12／1430円／創元SF文庫／戦争SF (21・12)

帝国という名の記憶（上・下）
アーカディ・マーティーン（A Memory Called Empire, 2019）内田昌之＝訳／文庫／2021・08・18／各1122円／ハヤカワ文庫SF／宇宙SF (21・12)

ビンティ―調和師の旅立ち―
ンネディ・オコラフォー（Binti：The Complete Trilogy, 2015, 2017）月岡小穂＝訳／2021・08・18／2420円／新☆ハヤカワ・SF・シリーズ／宇宙SF (21・12)

われはドラキュラ――ジョニー・アルカード

ワ文庫JA／青春SF (21・12)

マージナル・オペレーション改11

芝村裕吏／2021・09・17／1485円／星海社FICTIONS／ミリタリーSF (21・12)

ヘヴィーオブジェクト　人が人を滅ぼす日（下）

鎌池和馬／文庫／2021・10・8／770円／アスキー・メディアワークス電撃文庫／ミリタリーSF (00・00)

月とライカと吸血姫（ノスフェラトゥ）7　月面着陸編・下

牧野圭祐／文庫／2021・10・24／759円／小学館ガガガ文庫／宇宙開発SF (22・02)

OVERSEAS

2021年度／SF関連書籍目録

黒魚都市

サム・J・ミラー（Blackfish City, 2018）中村融＝訳／2020・11・19／2310円／新☆ハヤカワ・SF・シリーズ／環境SF (21・02)

2000年代海外SF傑作選

橋本輝幸＝編（日本オリジナル編集）／文庫／2020・11・19／1276円／ハヤカワ文庫SF／SFアンソロジー (21・04)

アヒル命名会議

イ・ラン（오리 이름 정하기, 2019）斎藤真理子＝訳／2020・11・20／1980円／河出書房新社／韓国SF短篇集 (21・02)

1984年に生まれて

郝景芳（生于一九八四, 2016）櫻庭ゆみ子＝訳／2020・11・24／2200円／中央公論新社／中国文学 (21・02)

その他もろもろ　ある予言譚

ローズ・マコーリー（What Not：A Prophetic Comedy, 1918）赤尾秀子＝訳／2020・11・27／2420円／作品社／ディストピア小説 (21・02)

わたしたちが光の速さで進めないなら

キム・チョヨプ（우리가 빛의 속도로 갈 수 없다면, 2019）カン・バンファ，ユン・ジヨン＝訳／2020・12・03／1980円／早川書房／韓国SF短篇集 (21・04)

2010年代海外SF傑作選

橋本輝幸＝編（日本オリジナル編集）／文庫／2020・12・17／1276円／ハヤカワ文庫SF／SFアンソロジー (21・04)

サハリン島

エドゥアルド・ヴェルキン（Остров Сахалин, 2018）北川和美，毛利公美＝訳／2020・12・28／4180円／河出書房新社／ディストピアSF (21・04)

6600万年の革命

ピーター・ワッツ（日本オリジナル編集）嶋田洋一＝訳／文庫／2021・01・09／1034円／創元SF文庫／宇宙SF (21・04)

人之彼岸（ひとのひがん）

郝景芳（ハオ・ジンファン）（人之彼岸, 2017）立原透耶，浅田雅美＝訳／2021・01・21／1980円／新☆ハヤカワ・SF・シリーズ／中国SF短篇集 (21・04)

恋するアダム

イアン・マキューアン（Machines Like Me, 2019）村松潔＝訳／2021・01・25／2750円／新潮クレスト・ブックス／人工知能SF (21・04)

中国・アメリカ　謎SF

柴田元幸，小島敬太＝編訳（日本オリジナル編集）2021・02・02／2200円／白水社／SFアンソロジー (21・04)

伝説の艦隊2　〈ウォリアー〉

ニック・ウェブ（Warrior：Book 2 of The Legacy Fleet Series, 2015）置田房子＝訳／文庫／2021・02・17／1320円／ハヤカワ文庫SF／宇宙SF (21・06)

《ドラキュラ紀元一九五九》ドラキュラのチャチャチャ

キム・ニューマン（Dracula Cha Cha Cha, 1998）鍛治靖子＝訳／2021・02・19／3960円／アトリエサードナイトランド叢書／吸血鬼小説 (21・06)

フレドリック・ブラウンSF短編全集4　最初のタイムマシン

フレドリック・ブラウン（From these ashes：the complete short SF of Fredric Brown, 2001）安原和見＝訳／2021・02・22／3850円／東京創元社／作家全集 (21・06)

クララとお日さま

カズオ・イシグロ（Klara and the Sun, 2021）土屋政雄＝訳／2021・03・02／2750円／早川書房／人工知能SF (21・06)

この地獄の片隅に　パワードスーツSF傑作選

J・J・アダムズ＝編（Armored, 2012）中原尚哉＝訳／文庫／2021・03・11／1210円／創元SF文庫／SFアンソロジー (21・06)

宇宙の春

ケン・リュウ（日本オリジナル編集）古沢嘉通＝編訳／2021・03・17／2090円／新☆ハヤカワ・SF・シリーズ／SF短篇集 (21・06)

最終人類（上・下）

近未来ミステリ　(22・02)

SIP　超知能警察

山之口洋／2021・10・21／1870円／双葉社／近未来警察小説　(22・02)

失われた岬

篠田節子／2021・10・29／2420円／KADOKAWA／現代SF　(22・02)

Genesis　時間飼ってみた　創元日本SFアンソロジー4

小川一水，他／2021・10・29／2200円／東京創元社／SFアンソロジー　(22・02)

ハイスクール・オーラバスター・リファインド　最果てに訣す　the world

若木未生／新書／2021・10・30／1155円／トクマノベルズ／学園ファンタジイ　(22・02)

ペッパーズ・ゴースト

伊坂幸太郎／2021・10・30／1870円／朝日新聞出版／異能ミステリ　(22・02)

JAPAN　ライトノベルSF　伝奇アクション　異世界ファンタジイ

2021年度／SF関連書籍目録

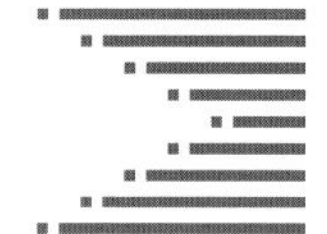

放課後の宇宙ラテ

中西鼎／文庫／2020・11・01／693円／新潮文庫nex／青春SF　(21・02)

ハル遠カラジ4

遍柳一／文庫／2020・11・23／825円／小学館ガガガ文庫／終末SF　(21・02)

涼宮ハルヒの直観

谷川流／文庫／2020・11・25／792円／角川スニーカー文庫／青春SF　(21・02)

神様の御用人9

浅葉なつ／文庫／2020・12・25／737円／メディアワークス文庫／現代ファンタジイ　(21・04)

忘れえぬ魔女の物語

宇佐楢春／文庫／2021・01・15／726円／SBクリエイティブGA文庫／青春SF　(21・04)

魔女と始める神への逆襲　道化の魔女と裏切られた少年

水原みずき／文庫／2021・01・20／715円／富士見ファンタジア文庫／魔法ファンタジイ　(21・04)

レイの世界―Re：I―Another World　Tour

時雨沢恵一／2021・01・25／1210円／ドワンゴ／異世界ファンタジイ　(21・04)

筺底（はこぞこ）のエルピス7　継続の繋ぎ手

オキシタケヒコ／文庫／2021・02・23／825円／小学館ガガガ文庫／異能アクション　(21・06)

忘却の楽園I　アルセノン覚醒

土屋瀧／文庫／2021・03・10／759円／アスキー・メディアワークス電撃文庫／終末SF　(21・06)

ユア・フォルマ　電索官エチカと機械仕掛けの相棒

菊石まれほ／文庫／2021・03・10／693円／アスキー・メディアワークス電撃文庫／SFミステリ　(21・06)

青い砂漠のエチカ

高島雄哉／2021・03・17／1595円／星海社FICTIONS／青春SF　(21・06)

夢にみるのは、きみの夢

三田麻央／文庫／2021・04・25／704円／小学館ガガガ文庫／人工知能SF　(21・08)

Vivy prototype

長月達平，梅原英司／2021・04・30／1650円／マックガーデン／人工知能SF　(21・08)

あいのかたち　マグナ・キヴィタス

辻村七子／文庫／2021・05・20／649円／集英社オレンジ文庫／ロボットSF　(21・08)

君が花火に変わるまで

中西鼎／文庫／2021・05・25／715円／メディアワークス文庫／青春小説　(21・08)

虚ろなるレガリア　Corpse Reviver

三雲岳斗／文庫／2021・06・10／693円／アスキー・メディアワークス電撃文庫／異能アクション　(21・10)

乙女ゲームのハードモードで生きています1

赤野用介／2021・07・16／1298円／星海社FICTIONS／スペースオペラ　(21・10)

貘―獣の夢と眠り姫―

長月東葭／文庫／2021・07・26／726円／小学館ガガガ文庫／異能アクション　(21・10)

Vivy prototype4

長月達平，梅原英司／2021・07・30／1650円／マックガーデン／人工知能SF　(21・10)

イルダーナフ　―End of Cycle―

多宇部貞人／2021・08・25／1980円／ドワンゴ／クローンSF　(21・12)

ひとりぼっちのソユーズ（上・下）

七瀬夏扉／2021・09・10／各1540円／主婦の友社／宇宙開発SF　(21・12)

ヘヴィーオブジェクト　人が人を滅ぼす日（上）

鎌池和馬／文庫／2021・9・10／770円／アスキー・メディアワークス電撃文庫／ミリタリーSF　(00・00)

その日、絵空事の君を描く

音無白野／文庫／2021・09・16／858円／ハヤカ

西崎憲＝編著／2021・06・29／2200円／柏書房／アンソロジー（21・10）

眉村卓の異世界通信

「眉村卓の異世界通信」刊行委員会／2021・06・30／1980円／NextPublishing Authors Press／作家追悼本（21・10）

四元館の殺人　探偵AIのリアル・ディープラーニング

早坂吝／文庫／2021・07・01／693円／新潮文庫nex／人工知能ミステリ（21・10）

貝に続く場所にて

石沢麻依／2021・07・09／1540円／講談社／幻想文学（21・10）

大日本帝国の銀河３

林譲治／文庫／2021・07・14／990円／ハヤカワ文庫JA／宇宙SF（21・10）

日本SFの臨界点　新城カズマ　月を買った御婦人

新城カズマ＝著，伴名練＝編／文庫／2021・07・14／1144円／ハヤカワ文庫JA／SF短篇集（21・10）

まぜるな危険

高野史緒／2021・07・16／1870円／早川書房／パスティーシュSF短篇集（21・10）

征服少女　AXIS girls

古野まほろ／2021・07・28／2860円／光文社／SFミステリ（21・12）

闇に用いる力学　黄禍篇

竹本健治／2021・07・28／4840円／光文社／オカルト・ミステリ（21・12）

闇に用いる力学　青嵐篇

竹本健治／2021・07・28／4840円／光文社／オカルト・ミステリ（21・12）

闇に用いる力学　赤気篇

竹本健治／2021・07・28／3630円／光文社／オカルト・ミステリ（21・12）

感応グラン＝ギニョル

空木春宵／2021・07・29／1980円／創元日本SF叢書／SF短篇集（21・10）

Butterfly World　最後の六日間

岡崎琢磨／2021・07・29／1980円／双葉社／仮想現実ミステリ（21・12）

道化むさぼる揚羽の夢の

金子薫／2021・07・30／1980円／新潮社／幻想小説（21・12）

存在しない時間の中で

山田宗樹／2021・08・10／1870円／角川春樹事務所／時間SF（21・12）

機龍警察　白骨街道

月村了衛／2021・08・18／2090円／ハヤカワ・ミステリワールド／警察小説（21・12）

日本SFの臨界点　石黒達昌　冬至草／雪女

石黒達昌＝著，伴名練＝編／文庫／2021・08・18／1166円／ハヤカワ文庫JA／SFアンソロジー（21・12）

真藤順丈リクエスト！　絶滅のアンソロジー

真藤順丈，他／2021・08・25／1870円／光文社／絶滅SFアンソロジー（21・12）

川のほとりで羽化するぼくら

彩瀬まる／2021・08・30／1650円／KADOKAWA／奇想短篇集（21・12）

2022年　地軸大変動

松本徹三／2021・09・16／2090円／早川書房／パニックSF（21・12）

あやとり巨人旅行記

稲葉祥子／2021・09・24／1760円／鳥影社／奇想短篇集（21・12）

カミサマはそういない

深緑野分／2021・09・24／1540円／集英社／異能ミステリ（21・12）

君の顔では泣けない

君嶋彼方／2021・09・24／1760円／KADOKAWA／青春小説（21・12）

八月のくず　平山夢明短編集

平山夢明／2021・09・24／1760円／光文社／ホラー短篇集（22・02）

再着装(リスリーヴ)の記憶〈エクリプス・フェイズ〉アンソロジー

ケン・リュウ，他＝著，岡和田晃＝編／2021・09・24／2970円／アトリエサード／SFアンソロジー（21・12）

播磨国妖綺譚

上田早夕里／2021・09・27／1870円／文藝春秋／伝奇小説短篇集（21・12）

ジュリアン・バトラーの真実の生涯

川本直／2021・09・28／2475円／河出書房新社／架空伝記（22・02）

７年

こがらし輪音／2021・09・30／1760円／KADOKAWA／時間SF（22・02）

公共考査機構

かんべむさし／文庫／2021・10・08／880円／徳間文庫／風刺SF短篇集（22・02）

小松左京“21世紀”セレクション１　見知らぬ明日／アメリカの壁

小松左京／2021・10・08／1320円／徳間書店／SF短篇集（22・02）

異常論文

樋口恭介＝編／文庫／2021・10・19／1364円／ハヤカワ文庫JA／架空論文アンソロジー（22・02）

大日本帝国の銀河４

林譲治／文庫／2021・10・19／990円／ハヤカワ文庫JA／宇宙SF（22・02）

救国ゲーム

結城真一郎／2021・10・20／2420円／新潮社／

文庫／お仕事冒険小説　(21・08)

テスカトリポカ
佐藤究／2021・02・19／2310円／KADOKAWA／犯罪小説　(21・06)

万象ふたたび
涼元悠一，北野勇作，他／電子書籍／2021・02・21／1000円／惑星と口笛ブックス／奇想アンソロジー　(21・06)

階層樹海
椎名誠／2021・02・25／1760円／文藝春秋／SF冒険小説　(21・06)

帝国の弔砲
佐々木譲／2021・02・25／1980円／文藝春秋／改変歴史小説　(21・08)

馬疫
茜灯里／2021・02・25／1870円／光文社／パンデミック・ミステリ　(21・06)

静かな終末
眉村卓＝著，日下三蔵＝編／文庫／2021・03・10／1430円／竹書房文庫／SF短篇集　(21・06)

迷子の龍は夜明けを待ちわびる
岸本惟／2021・03・15／1705円／新潮社／異世界ファンタジイ　(21・08)

裏世界ピクニック6　Tは寺生まれのT
宮澤伊織／文庫／2021・03・17／858円／ハヤカワ文庫JA／SFホラー　(21・06)

ショウリーグ
上田裕介／文庫／2021・03・17／1078円／ハヤカワ文庫JA／野球小説　(21・06)

マルドゥック・アノニマス6
冲方丁／文庫／2021・03・17／858円／ハヤカワ文庫JA／SFアクション　(21・06)

火の鳥　大地編（上・下）
桜庭一樹／2021・03・30／1760円／朝日新聞出版／歴史伝奇小説　(21・06)

心が折れた夜のプレイリスト
竹宮ゆゆこ／文庫／2021・03・31／649円／新潮文庫nex／青春小説　(21・08)

NOVA　2021年夏号
大森望＝編／文庫／2021・04・06／1100円／河出文庫／SFアンソロジー　(21・08)

われら滅亡地球学クラブ
向井湘吾／文庫／2021・04・08／825円／幻冬舎文庫／終末SF　(21・08)

創作講座　料理を作るように小説を書こう
山本弘／2021・04・12／1760円／東京創元社／創作指南　(21・08)

クレインファクトリー
三島浩司／文庫／2021・04・14／935円／徳間文庫／ロボットSF　(21・08)

大日本帝国の銀河2
林譲治／文庫／2021・04・14／968円／ハヤカワ文庫JA／宇宙SF　(21・08)

白鯨
夢枕獏／2021・04・14／2640円／KADOKAWA／海洋冒険小説　(21・08)

ポストコロナのSF
日本SF作家クラブ＝編／文庫／2021・04・14／1166円／ハヤカワ文庫JA／パンデミックSFアンソロジー　(21・08)

大聖神
横田順彌＝著，日下三蔵＝編／文庫／2021・04・23／1320円／竹書房文庫／探検小説　(21・08)

生き残る作家、生き残れない作家　冲方塾・創作講座
冲方丁／2021・04・24／1760円／早川書房／創作指南　(21・08)

四分の一世界旅行記
石川宗生／2021・04・28／1980円／東京創元社／旅行記　(21・08)

空よりも遠く、のびやかに
川端裕人／文庫／2021・05・20／924円／集英社文庫／青春小説　(21・08)

精密と凶暴
関俊介／2021・05・26／2365円／光文社／異能アクション　(21・08)

本心
平野啓一郎／2021・05・26／1980円／文藝春秋／人工知能SF　(21・08)

レオノーラの卵　日高トモキチ小説集
日高トモキチ／2021・05・26／2090円／光文社／幻想短篇集　(21・10)

植物忌
星野智幸／2021・05・30／1760円／朝日新聞出版／幻想短篇集　(21・10)

日本SFの臨界点　中井紀夫　山の上の交響楽
中井紀夫＝著，伴名練＝編／文庫／2021・06・16／1166円／ハヤカワ文庫JA／SF短篇集　(21・10)

山猫サリーの歌
野田昌宏／2021・06・21／電子書籍1100円，オンデマンド1958円／扶桑社／SF短篇集　(21・10)

Voyage　想像見聞録
宮内悠介，藤井太洋，小川哲，深緑野分，森晶麿，石川宗生／2021・06・23／1705円／講談社／紀行文学アンソロジー　(21・10)

ヒトコブラクダ層ぜっと（上・下）
万城目学／2021・06・23／1980円／幻冬舎／異能アクション　(21・10)

彼岸花が咲く島
李琴峰／2021・06・25／1925円／文藝春秋／幻想文学　(21・10)

フェイス・ゼロ
山田正紀＝著，日下三蔵＝編／文庫／2021・06・25／1430円／竹書房文庫／SF短篇集　(21・10)

kaze no tanbun　夕暮れの草の冠

JAPAN

2021年度／SF関連書籍目録

肉体のジェンダーを笑うな
山崎ナオコーラ／2020・11・05／1760円／集英社／ジェンダーSF (21・02)
万博聖戦
牧野修／文庫／2020・11・05／1254円／ハヤカワ文庫JA／青春SF (21・02)
2020年のゲーム・キッズ　その先の未来→
渡辺浩弐／2020・11・16／1485円／星海社FICTIONS／パンデミックSF (21・04)
ヴィンダウス・エンジン
十三不塔／文庫／2020・11・19／1078円／ハヤカワ文庫JA／人工知能SF (21・02)
人工知能で10億ゲットする完全犯罪マニュアル
竹田人造／文庫／2020・11・19／1078円／ハヤカワ文庫JA／人工知能SF (21・02)
観念結晶大系
高原英理／2020・11・21／2750円／書肆侃侃房／幻想文学 (21・02)
それをAI（あい）と呼ぶのは無理がある
支倉凍砂／2020・11・24／1650円／中央公論新社／青春SF (21・02)
沙漠と青のアルゴリズム
森晶麿／2020・11・26／1925円／講談社／SFミステリ (21・04)
るん（笑）
西島伝法／2020・11・26／1980円／集英社／奇想短篇集 (21・02)
高天原黄金伝説の謎
荒巻義雄／2020・12・07／2090円／小鳥遊書房／歴史伝奇小説 (21・04)
裏世界ピクニック5　八尺様リバイバル
宮澤伊織／文庫／2020・12・17／858円／ハヤカワ文庫JA／SFホラー (21・04)
錬金術師の消失
紺野天龍／文庫／2020・12・17／1034円／ハヤカワ文庫JA／ファンタジイ・ミステリ (21・04)
七十四秒の旋律と孤独
久永実木彦／2020・12・21／1980円／創元日本SF叢書／ロボットSF短篇集 (21・04)
クラゲ・アイランドの夜明け
渡辺優／2020・12・22／1760円／中央公論新社／SFミステリ (21・04)
コロナと潜水服
奥田英朗／2020・12・23／1650円／光文社／現代ファンタジイ短篇集 (21・04)
kaze no tanbun　移動図書館の子供たち
西崎憲，他／2020・12・26／1980円／柏書房／アンソロジー (21・04)
大日本帝国の銀河1
林譲治／文庫／2021・01・07／946円／ハヤカワ文庫JA／宇宙SF (21・04)
ゴールデンタイムの消費期限
斜線堂有紀／2021・01・20／1760円／祥伝社／人工知能青春小説 (21・06)
短編宇宙
集英社文庫編集部＝編／文庫／2021・01・20／748円／集英社文庫／宇宙SFアンソロジー (21・04)
ヘーゼルの密書
上田早夕合／2021・01・20／1980円／光文社／スパイ・スリラー (21・04)
エゴに捧げるトリック
矢庭優日／文庫／2021・01・21／1012円／ハヤカワ文庫JA／異能ミステリ (21・04)
アクティベイター
冲方丁／2021・01・26／2090円／集英社／スパイ・スリラー (21・04)
あと十五秒で死ぬ
榊林銘／2021・01・28／1980円／東京創元社／奇想ミステリ (21・06)
Y田A子に世界は難しい
大澤めぐみ／文庫／2021・02・09／726円／光文社文庫／人工知能青春小説 (21・06)
記憶翻訳者　みなもとに還る
門田充宏／文庫／2021・02・12／990円／創元SF文庫／SF短篇集 (21・06)
ジャックポット
筒井康隆／2021・02・15／1760円／新潮社／風刺SF短篇集 (21・06)
ALTDEUS：Beyond Chronos Decoding the Erudite
小山恭平，柏倉晴樹，カミツキレイニー，高島雄哉／文庫／2021・02・17／1034円／ハヤカワ文庫JA／ゲームノベライズ (21・06)
庶務省総務局KISS室　政策白書
はやせこう／文庫／2021・02・17／858円／ハヤカワ文庫JA／ユーモア短篇集 (21・06)
統計外事態
芝村裕吏／文庫／2021・02・17／968円／ハヤカワ文庫JA／統計SF (21・06)
インナーアース
小森陽一／文庫／2021・02・19／858円／集英社

2021年度
SF関連書籍目録

◆2020年11月1日〜2021年10月31日までに刊行されたSF関連書籍のなかから、SFマガジン書評欄「SFブックスコープ」で取り上げた作品を、ジャンル別にわけ、刊行順に掲載しました。
◆記載データは以下のとおり。
◆国内作品：書名／著者名／判型／発行年月日／本体価格／版元／解説、シリーズ名、他。データ末尾（　）内は、SFマガジン書評掲載号。
◆海外作品：書名／著者名／原題，原著発行年／翻訳者名／判型／発行年月日／本体価格／版元／解説、シリーズ名、他。データ末尾（　）内は、SFマガジン書評掲載号。

著者名・書名索引……161

パシャ

何してるの？
『三体Ⅲ』にいいセリフがあって
メモ代わりにね

ホウホウ
「死とは、永遠に点灯している唯一の灯台なんだと。
つまり、人間、どこへ航海しようと、結局いつかは、この灯台が示す方角に向かうことになる。」

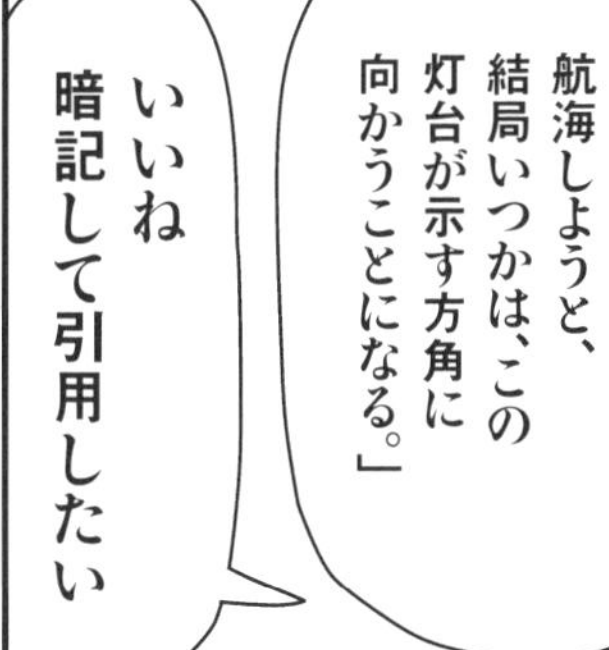
いいね
暗記して引用したい

「唯一の灯台なんだと。」を
「唯一の灯台なんだ。」に変えていい？
引用あるあるだな

編集後記

◆2021年はどんな年でしたか。今年も一年を総括する『ＳＦが読みたい！』をお届けできたことをうれしく思います。

新型コロナウイルスの猛威はやまず、新しい生活様式への対応を余儀なくされる日々が続いています。本は、そんな現実と戦うための心の支えになりうるものだと思います。日々の相棒となる一冊を、ぜひとも『読みたい！』で見つけてみてください。

◆「ベストＳＦ2021」は、国内では樋口恭介氏編集の超絶アンソロジー『異常論文』が１位に。Twitterから始まった本企画は、特集号だったＳＦマガジン2021年６月号も品切れになりやがて文庫化。ＳＦ界の内外で一大ムーブメントとなりました。そして海外篇では、壮大なスケールで三部作を締めくくった劉慈欣の《三体》完結篇『三体Ⅲ　死神永生』が１位。ＴＶ番組でも紹介され、まだまだ《三体》フィーバーは続きそうです。また、今年は去年に引き続き、アンソロジーが目立った年でもありました。2020年代のベストＳＦ30位以内にランクインしたアンソロジーの目録をｐ134から掲載していますので、ぜひ読書の指針にしてください。

◆ＳＦマガジンは2015年の隔月刊化以降も刊行を重ね、2月25日発売号の４月号でついに創刊750号をむかえます。特集は、ＢＬとＳＦ。ふたつのジャンルの歴史が紡いできた交点に光を当てながら、想像力の可能性を模索していきます。

2022年2月10日　初版印刷
2022年2月15日　初版発行

編　者　SFマガジン編集部
発行者　早川　浩
発行所　株式会社早川書房
〒101-0046東京都千代田区神田多町2-2
電話　03-3252-3111
振替　00160-3-47799
https://www.hayakawa-online.co.jp
印刷所　精文堂印刷株式会社
製本所　株式会社フォーネット社

ISBN978-4-15-210080-1 C0090